Gemeentelijke Bibliotheek
Beveren
Uitleenpost
Melsele

Charlie Kane

Jules Hardy

CHARLIE KANE

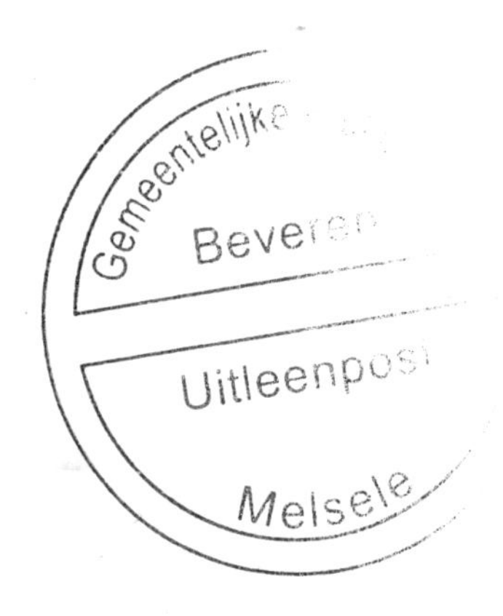

VAN BUUREN UITGEVERIJ

Oorspronkelijke titel: Mr. *Candid*
Oorspronkelijke uitgave: Simon & Schuster UK Ltd, 2003

Van Buuren Uitgeverij BV
Postbus 5248
2000 GE Haarlem
E-mail: info@vanbuuren-uitgeverij.nl

Vertaling: Hans Verbeek
Omslagontwerp: Wil Immink Design
Omslagillustratie: ImageStore, Karin Kohlberg
Opmaak: Nyvonco, Heerhugowaard
ISBN 90 5695 174 2
NUR 302

Voor mijn geliefde grootvader,
die het vreselijk vond toen hij dit las.

Het gebeurde wanneer Flanagan in het stadion zat en een hotdog verslond, met een half oog op de wedstrijd, of misschien wanneer hij met zijn kinderen in de tuin aan het spelen was; dan kwam de een of andere herinnering (van zovele) langzaam bovendrijven. Dit gebeurde vaak, maar volstrekt willekeurig. Soms, als de beelden bovenkwamen, ging hij ongemakkelijk verzitten, of bewoog zich onbeholpen; op andere momenten liet hij het beeld dat voor zijn ogen danste gewoon achter zich. Maar meestal glimlachte hij, liet de bal dan even aan zijn aandacht ontsnappen, of knuffelde even met zijn kinderen, terwijl hij momenten herleefde die zo onuitwisbaar in zijn geheugen gegrift stonden dat ze niet konden worden gewist. Zijn gedachten konden op gang worden gebracht door een flintertje herinnering: het geruis van een fluwelen rok; een More-sigaret die lag op te branden (met het geluid van een blad dat groeide); voodootrommels die klonken op East 82nd Street; het glimmend gepoetste chroom van een buitenissige bumper; een vervallen, door zout aangetast herenhuis dat uitkeek op de Long Island Sound; een polaroid; een paar lichtblauwe ogen. Een man in een schreeuwend oranje overall, aan handen en voeten geketend, struikelend. Een troep vogels die door de o zo blauwe lucht scheerde.

Flanagan lag in bed, of in bad, in zijn hangmat, of op de schommelbank op de veranda en beleefde opnieuw de dagen en uren uit het verleden, terwijl hij over zijn omvangrijke buik wreef en nadacht. Hij wist waar de herinneringen ophielden – op welk moment in de tijd zijn lange, avontuurlijke reis ten einde was – maar hij wist nooit wanneer, *precies* wanneer, zijn reis was begonnen. Toen hij zijn pistool tegen het hoofd van een verkrachter drukte en er voor koos niet te schieten? Misschien toen hij in het ondiepe graf in het zand had gekeken? Of was het toen hij de artikelen in de *LA Times* had gelezen en een fijngevormd gezicht hem vanaf de pagina had aangestaard? Of was zijn reis, als puntje bij paaltje kwam, begonnen op het liefdadigheidsbal van de politie in Naples, Florida, toen zijn nieuwsgierigheid werd gewekt door een vrouw in een bordeauxrode jurk? Een nieuwsgierigheid die er zes maanden over had gedaan om te worden bevredigd.

1997

Twyla Thackeray is een aantrekkelijke vrouw van achter in de veertig; slank, gebruind en zorgvuldig gekapt. Iedereen die haar op straat zag lopen of haar in haar lage auto zag stappen, zou een bewonderende blik op haar werpen, en onbewust notie nemen van haar houding, haar zelfbewuste uitstraling en waarschijnlijk een steek van jaloezie voelen. Als dat laatste het geval was, dan zouden ze een vergissing maken – want, ondanks dat het tegendeel waar lijkt, is Twyla Thackeray een wanhopige vrouw. Ze is een *gescheiden* vrouw, een positie waarin ze nooit had gedacht te zullen verkeren. Ze heeft haar nu zo verfoeide echtgenoot al elf jaar niet meer gezien; elf jaar waarin ze voor zichzelf heeft moeten zorgen, voor zichzelf heeft moeten opkomen, voor eten heeft moeten zorgen en zichzelf een aardig eind in de richting van een vroegtijdig graf heeft gedronken. Een drukbezet leven dat haar heeft uitgeput, maar ondanks alles weet ze nog steeds de schijn op te houden. Ze is directeur van het Emerald Rest Home – waar ze, tot haar eigen ongenoegen, bekendstaat als de hoofdzuster. Het Emerald Rest Home is de laatste halte voor de stervenden en zij die bijna dood zijn en van wie de families genoeg geld hebben om hun geweten te sussen door hun ongeneeslijk zieke en dementerende oude familieleden te omringen met (niet-gewaardeerde) luxe. Het personeel helpt hen opgewekt de stap naar het onbekende te maken, onder het toeziend oog van de hoofdzuster.

Vanavond, terwijl ze zich voorbereidt op het liefdadigheidsbal van de politie in Naples, Florida, en van haar Absolut-wodka met pepersmaak nipt, terwijl ze crème opbrengt, is Twyla Thackeray bijzonder nadenkend gestemd. Het tehuis loopt, ondanks de schijn van overvloed en lome (maar efficiënte) zuidelijke zorgzaamheid, op zijn eind, net als haar wodka. Ze heeft, zonder er al te veel de aandacht op te vestigen, het personeelsbestand al verkleind – schoonmakers ontslagen, parttime conciërges de wacht aangezegd, het contract met de tuinman opgezegd. Het zwembad is leeg, met als argument dat de patiënten – *cliënten* – er nauwelijks gebruik van kunnen maken. De ramen zijn al maanden niet meer gezeemd en de luiken niet meer geschilderd, ondanks de barsten die in het houtwerk verschijnen. Ze heeft overeenkomsten met leveranciers van medicijnen opgezegd en zo honderden dollars per maand beknibbeld op de rekeningen door met minder goed bekendstaande bedrijven in zee te gaan. Telefoons zijn afgesloten en problemen met de software worden niet meer opgelost. Geen van deze veranderingen valt snel op – het vuil op de ramen is alleen te zien wanneer iemand er met zijn vinger over gaat. Maar, denkt Twyla Thackeray, terwijl ze de wodka in haar glas laat ronddraaien, het enige dat zij doet is vioolspelen terwijl Rome in brand staat. Ze loopt, naakt, naar de keuken en schenkt nog eens centimeters ijskoude drank in, staat bij het aanrecht, kijkt uit over het parkeerterrein achter haar appartement en maakt berekeningen.

Er is geen enkele manier om het Emerald Rest Home nog te redden – het geld is er gewoon niet. Ze heeft misrekeningen gemaakt, de bezettingsgraad te hoog ingeschat, de verbluffende wil om te leven onderschat die sommige van die oude knarren tentoonspreiden. En dan zijn daar nog haar eigen lange vingers waarmee ze in de, niet zo kleine, kas heeft gezeten. Haar salaris is, hoewel ruim, onvoldoende voor de levensstijl waaraan ze is gewend geraakt – de levensstijl waarvan ze is gaan denken dat ze daar *recht* op heeft. Wat nu, hmm? Wat nu? Ze heeft het geluk dat het tehuis afgelegen ligt, aan het einde van een vijf kilometer lange, door dichte bossen omzoomde weg vanaf Highway 41, aan de rand van het Big Cypress Nationaal Park, en de bewoners er in een soort emotionele quarantaine zijn. Dat allemaal kan haar misschien wat extra tijd geven, maar als het tehuis verder in verval raakt, zal zelfs het minst door schuldgevoelens belaste, immorele, op erfenis beluste familielid zich verplicht voelen ouwe oma weg te halen en ergens anders onder te brengen. Wat nu? Er klokken nog een paar centimeter in het glas.

Terwijl ze de bordeauxrode jurk aantrekt waarvan de zwierige lijn haar rug bloot laat en een blik gunt op de gladde, gave huid van haar schouders en een glimp van haar verleidelijke gebruinde stuitbeen, komt Twyla Thackeray tot dezelfde conclusie die ze altijd trekt op dit punt van de fles: wat nu? Nou – ze moet een man zien te vinden, een man die groot genoeg is, haar *waardig*, om haar onder zijn hoede te nemen, en dan als de sodemieter weg uit Florida.

Malibu, CA – januari

M –

Ik zit hier nu al een paar dagen op het balkon van dit huis en kijk uit over de oceaan. En al die tijd dat ik hier zit had ik het gevoel dat ik iets moest doen, en ik weet wat dat is. Ik zou jou moeten schrijven. Ik weet het nu, na al die tijd, ik zou jou moeten schrijven.

De oceaan ziet er dood uit vandaag, schuimend en gespikkeld, zoals de Stille Oceaan er soms uit kan zien. Ik krijg zin om hem op te pakken en even flink door elkaar te schudden. Mijn vingers doen nu al pijn, zo lang is het geleden dat ik heb geschreven. En ik zit hier en vraag me af – ben jij ooit aan de westkust geweest? Ik kan me herinneren dat we achter in de auto zaten, met onze benen over de stoelen voor ons bungelend, en naar de zonsondergang keken bij Plymouth Bay terwijl het licht van de vuurtoren maar ronddraaide. We waren naakt. Dat had ik vergeten. We waren naakt en zaten in de auto aan het einde van dat pad. Ik kan me ook herinneren dat je toen zei dat je naar Californië wilde. (Je zag er zo mooi uit toen je dat zei.) Nou, ik ben er en ik kan je zeggen dat het waardeloos is. Maar als je er al eens bent geweest, weet je dat al.

Weet je wel hoe lang geleden het is dat we daar zaten, en keken hoe het licht ronddraaide? Zeventien. Zeventien jaar.

Liefs,

C

Inspecteur Flanagan vindt het altijd leuk om te worden uitgenodigd voor een feestje in Naples – Collier County spaart altijd kosten noch moeite en het politiebal vormt daar geen uitzondering op. Het gemeentehuis is vanbinnen en vanbuiten versierd met vlaggen en linten in blauw, goud en zilver; ballonnen dansen zachtjes tegen het plafond en een jazzkwartet speelt zachtjes terwijl hij zich onder het gezelschap mengt. Hij ziet de bar, afgeladen met Four Roses, Jim Beam, Black Label, Glenmorangie en vijfentwintig jaar oude J&B, en al snel staat hij met een glas whisky in zijn grote knuist terwijl hij met zijn andere een kippenpoot pakt.

'Hé – Flanagan!'

Hij draait zich langzaam om, kauwend op het malse kippenvlees, en ziet hoofdinspecteur Brannigan door de menigte op zich afkomen. Flanagan slikt, veegt zijn vingers af aan zijn broek en grijnst breed. 'Hé, Ted. Hoe gaat het?'

'Prima, uitstekend. En hoe is het met jou, inspecteur?'

'Ook prima.'

'Hoe staan de zaken in het grote, misdadige Miami?'

Flanagan bekijkt met een droevige, maar vluchtige blik het uitgestalde eten. 'Goed, zoals altijd. Het houdt me bezig, dat is een ding dat zeker is. Prima opkomst vanavond.' Hij gebaart in de richting van de menigte. 'Ten bate van wie is dit?'

Hoofdinspecteur Brannigan zucht. 'Dave Sullivan, zes maanden geleden neergeschoten tijdens een tien dertien. Ed Braxton en Louis Grammandi – Louis laat drie kinderen onder de vijf achter.'

Flanagan fronst zijn voorhoofd en voelt hoe zijn keel wordt dichtgeknepen. Hij kan zich Dave Sullivan nog herinneren –

hij heeft met hem gewerkt toen hij nog een groentje was. 'Hoe houdt Jane zich?'

'Wat?'

'Jane Sullivan, hoe gaat het met haar?'

De hoofdinspecteur knippert even met zijn ogen. 'Eh... Jane is ongeveer acht weken geleden bezweken aan een overdosis.' Hij slaat vluchtig een kruis.

'Jezus.' Flanagan buigt zijn hoofd en staart naar de amberkleurige inhoud van zijn glas, neemt dan een slok. 'Hebben jullie iemand aangehouden?'

'Dat was niet zo moeilijk. Een knaap die Sullivan twaalf jaar geleden voor levenslang achter de tralies heeft gezet. Vroegtijdig vrijgelaten. Maar hij moet het vuur van de wraak brandend hebben gehouden, want toen hij vrijkwam heeft hij ingebroken op de politieradio en heeft Sullivan naar een adres gestuurd waar hij hem stond op te wachten. 't Schijnt dat die vent telecommunicatie heeft gestudeerd toen hij vastzat.' De hoofdinspecteur zucht nog eens en pakt zachtjes het glas uit Flanagans handen.

Flanagan staart woedend naar de afgesleten houten vloer. Hij denkt na over Jane Sullivan en over hoe het voor haar geweest moet zijn – hoe ontdaan ze geweest moet zijn dat ze zichzelf van het leven beroofde. De Jane Sullivan die hij zich kon herinneren was een goede, godvrezende katholiek. Flanagans hart gaat heftig tekeer terwijl Brannigan terugkeert met twee nieuwe whisky's en de jazzband aan het swingen slaat.

'Ik moet je nog feliciteren met de zaak Addis Barbar, Flanagan. Dat was goed speurwerk.'

'Wat?'

'De Addis Barbar-zaak, felicitaties zijn hier op hun plaats.'

Flanagan heeft het gevoel dat zijn borst uit zijn verkreukelde jasje barst. 'Bedankt.'

'Ik had het niet voor elkaar gekregen. Absoluut niet. Ik ken mijn beperkingen. Waar we hier mee te maken krijgen –

dronkaards, een beetje wiet, parkeerovertredingen, misschien zo af en toe een motorongeluk, fraude, overvallen – daar kan ik mee uit de voeten. Maar kindermoordenaars, absoluut niet.'

Flanagan is zich ervan bewust dat er iemand in de buurt rondhangt, vrijwel naast hem staat, maar hij negeert ze en richt zijn opvallende lichtgroene ogen op Brannigan. 'Ted, heb je iets gelezen of gehoord over Mister Candid?'

'Mister Candid? Jazeker. Iedereen toch wel? Een hoop onzin, dat is het – een hoop onzin. Ik snap niet dat ze tijd verspillen aan die flauwekul.' Brannigan lacht.

'Ik weet 't niet, Ted,' mompelt Flanagan. 'Te veel toevalligheden. Ze hebben hem te vaak gezien.'

'Niemand heeft hem gezien, Flanagan. Niemand. Geen twee signalementen zijn hetzelfde. Het is allemaal gelul. Wat voor een naam is dat nou eigenlijk? "Mister Candid" – klinkt als een of andere verdomde potloodventer. O, verdikke – het spijt me, mevrouw Thackeray. Mijn verontschuldigingen.'

'Hoofdinspecteur Brannigan – ik heb niets gehoord,' zegt Twyla Thackeray.

Twyla Thackeray was een uur eerder op het liefdadigheidsbal gearriveerd, had haar sjaal afgedaan in de vestibule (tot groot genoegen van de portier) en had zich bevallig in de feestzaal begeven. Daar had ze voor het eerst die beer van een kerel gezien, die haar de naar wodka ruikende adem benam. De man was lang en breed, zijn kleren verkreukeld, zijn blonde haar in de war. Die man was Flanagan. Ze had hem een uur lang in de gaten gehouden, gebiologeerd, en al die tijd was ze steeds dichter naar hem toe gegaan, om uiteindelijk bij zijn elleboog te belanden. Ze had, net op tijd, een man gevonden die groot genoeg was en, zo vermoedde ze, *waardig* genoeg om haar te redden.

'Eh – mevrouw Thackeray, mag ik u Flanagan voorstellen, *inspecteur* Flanagan, moet ik zeggen, van het politiekorps in Miami? Hij heeft tien jaar in Collier County gewerkt voor hij werd overgeplaatst. Flanagan, Twyla Thackeray, directrice van het Emerald Rest Home.'

Twyla Thackeray sloeg even haar ogen neer, alvorens haar volle aandacht op de inspecteur te richten, die dat, helaas, was ontgaan omdat hij naar de schalen met hapjes gluurde. 'Mevrouw Thackeray, aangenaam kennis te maken.' Flanagan neemt haar magere hand in zijn kolenschop en schudt die. Helaas voor mevrouw Thackeray is Flanagan die avond nogal afgeleid, door honger en door het verdriet om Jane Sullivans eenzame dood. Hij gaat vroeg weg, maar niet eerder dan nadat hij een cheque van driehonderd dollar heeft uitgeschreven, een bedrag waar Jane Sullivan niets meer aan heeft, maar dat misschien wel de schade voor de kinderen van Louis Grammandi kan helpen beperken. Hij gaat terug naar zijn hotel en ligt op bed te piekeren terwijl hij een gezinspak Kentucky Fried Chicken soldaat maakt.

'Charlie Kane – die is niet op de wereld gezet, hij is erin *gegleden*.' Iris Chandler lacht, een merkwaardig geluid.

De verpleegster kijkt op haar neer en legt Iris' kussen goed. 'Het is zo tijd voor je lunch, Iris,' brult ze in Iris' gerimpelde oorschelp.

Iris knijpt haar ogen samen wanneer een vleugje werkelijkheid tot haar doordringt en ze kijkt op, voorbij de grote borsten die boven haar bungelen, veilig weggestopt achter gesteven katoen. 'Jij bent nieuw,' merkt ze op.

'Ja.' Bronwen hijst het iele lichaam wat hoger in de kussens.

Gezicht als een puddingbroodje, denkt Iris. 'Er zijn een paar dingen die je moet weten. Ten eerste: ik ben *niet* doof. Je hoeft niet tegen me te schreeuwen. Jezus, mijn oren tuiten nog. Ten tweede: ik hou niet van kussens in mijn rug. En ten derde – en dit kun je maar beter goed onthouden – ik hou er *niet* van dat m'n arm wordt aangeraakt.'

Bronwen haalt de kussens weg en kijkt toe hoe Iris zich laat vallen. Ze staart naar het stompje dat de rechterarm van Iris is. 'En is er nog meer dat ik moet weten?'

'Jazeker!' Iris doet haar mond wijdopen – een echte broodklep, denkt Bronwen – en schreeuwt: 'Ik ben de moeder van Charlie Kane.'

En wie mag Charlie Kane dan wel zijn? vraagt Bronwen zich af terwijl ze op weg gaat naar het volgende vervallen lichaam.

Malibu, CA – januari

M –

Ik heb *geen* goede dag achter de rug. Toen ik wakker werd deed alles me pijn en toen ben ik in de zon gaan liggen, want ik dacht dat alles dan wel weer goed zou worden, maar dat was niet zo. Ik denk dat de pijn gewoon eenzaamheid is, en dat is gek. Ik ben al jaren alleen en ik heb me nog nooit zo gevoeld. Of misschien ook wel. Op sommige momenten, jaren geleden, werd ik wakker en dan had ik het gevoel dat ik naast iets kouds, iets blauws lag. Een enorm ijsblokje. Als de zaken er echt slecht voor stonden, wanneer ik te veel coke snoof, dan noemde ik dat ijsblokje Mevrouw Blauw. Is dat maf, of niet? Een naam geven aan je eenzaamheid en hem je vriendin noemen?

Ik lig in een hangmat. Ik ben nu achtendertig jaar en ik wil huilen. Ik wou dat je hier was. Ik wil je vertellen hoe het is om hier te zijn. Ik kijk naar m'n handen terwijl ik dit zit te schrijven en zelfs daarvan moet ik huilen. Ik heb altijd mooie handen willen hebben – weet je dat nog? Ik kan me herinneren dat ik in een motel in bed lag en mijn handen voor m'n gezicht hield en dan moest je lachen. Daar werd ik dan weer triest van omdat ik toen dacht dat ze best sierlijk waren. Ze zagen er wit en verbaasd uit. Jij lachte en ik vraag me af wat je zou doen als je ze nu kon zien – in aanmerking genomen wat ze allemaal hebben gedaan. Neem me dit allemaal niet kwalijk – ik heb gedronken.

Het is al laat. Ik schrijf je nog.
Liefs,
C

Dezelfde ochtend dat drie patiënten – cliënten – door bezorgde familieleden weggehaald worden uit het tehuis, laat Bronwen zich, onuitgenodigd, in een stoel in de kamer van de directrice vallen en doet haar schoenen uit. Een kaasachtig aroma golft over het bureau en Twyla Thackeray trekt een gezicht en kijkt op van een rekening van 30.984 dollar voor de jaarlijkse verzekeringspremie voor het personeel. Bronwen drinkt van haar thee en maakt een geluid dat veel weg heeft van doodsgereutel. De directrice zucht en kijkt weg. 'Wat kan ik voor je doen, Bronwen?'

'Hmm? O, niks, hoofdzuster.'

'Ik heb het erg druk.'

Bronwen wrijft haar dikke, in vochtige panty's gehulde tenen tegen elkaar. 'Ik had niet verwacht dat het hier zo warm zou zijn. In Wales vriest het in januari. Dan vries je vast aan de straatstenen. Mam en ik zaten iedere avond in dezelfde kamer om maar een beetje warm te worden, hoofdzuster, kun je dat geloven? Ik bedoel, we hadden maar in één kamer de kachel aan, dus daar gingen we zitten. Dat was toen mijn vader was gestorven...'

Terwijl Bronwen het heeft over de kunst van het verwarmen van een klein Victoriaans huis, vraagt Twyla Thackeray zich af of alle mensen uit Wales zo saai zijn. Daar heeft ze geen idee van, want Bronwen is de eerste (en de laatste) verpleegster uit Wales die ze ooit in dienst heeft gehad. 'Bronwen, ik vind het echt heel leuk dat je hier komt om wat te kletsen, dat je je voldoende op je gemak voelt om dat te doen, maar ik heb een heleboel administratie–'

'We gingen altijd op bezoek bij de hoofdzuster van Swansea General. Haar deur stond altijd open en dan wipten we bij haar binnen voor een kop thee en een babbeltje. Ze was een lief mens uit Llanerchymydd in Ynys Môn. Ze was als een moeder voor ons, weet u, helemaal niet streng of zo, dus ik dacht dat–'

'Bronwen,' onderbreekt Twyla Thackeray haar scherp in een poging de stortvloed van woorden in te dammen. 'Bronwen, hier in het Emerald Rest Home pakken we de zaken anders aan. Als je me wilt spreken, als je ergens problemen mee hebt, moet je een afspraak maken. Wat je probleem ook is.' Ze kijkt naar Bronwens bleke, pafferige gezicht. Het doet haar aan iemand, aan iets, denken. '*Heb* je ergens problemen mee?'

'O nee, hoofdzuster. Ik vind het geweldig hier. Het is hier alleen te heet. Mam zei, toen ik haar vertelde dat ik naar Florida zou gaan, mam zei toen dat ik goede maatjes moest worden met de hoofdzuster en –'

'Bronwen, hoe leuk ik het ook vind om met je te praten, ik moet je toch vragen weg te gaan, zodat ik verder kan met m'n werk. En voor alle duidelijkheid, ik ben de directrice, niet de hoofdzuster.'

Bronwen propt haar voeten weer in haar schoenen en gaat staan, puffend en zweet van haar voorhoofd vegend. 'Tot ziens dan.' Ze aarzelt even bij de deur en draait zich om. 'Er zijn toch een paar dingen, hoofdzuster. U weet wie Iris is?'

'Ja.'

'Nou, ik heb in haar dossier gekeken en daarin staat dat ze zevenenvijftig is.'

'Ja.' Twyla Thackeray speelt met haar pen en denkt aan de nog onaangeroerde fles Absolut die verstopt ligt in haar la.

'Nou, ze ziet eruit als tachtig. Is er een fout gemaakt?'

'Nee, Bronwen. We maken hier geen fouten in het Emerald Rest Home. Iris is zevenenvijftig. Ze heeft een zwaar leven gehad; ze heeft ooit iets heel ergs meegemaakt en ze lijdt aan een lichte vorm van dementie. Wat was je andere vraag ook alweer? Ik moet hier echt mee verder.'

'Wie is Charlie Kane?'

De directrice steekt haar kin naar voren, trekt de huid van haar hals strak. 'Waarom vraag je dat?'

'Iris heeft het er steeds maar over. Ze schreeuwt de hele tijd dat ze de moeder van Charlie Kane is, of van Chum Kane, alsof iemand dat wat kan schelen. Is hij een filmster of iets dergelijks?'

'Nee. Nee, dat is hij niet. Goedemorgen, Bronwen.' Twyla Thackeray kijkt Bronwens wiegende achterste na terwijl ze de kamer uit loopt, dan weet ze het ineens: een puddingbroodje. Bronwen doet haar denken aan een puddingbroodje. Ze loopt door het kantoor, doet de deur op slot en draait de sleutel in de la om en schenkt zichzelf twee vingers pure wodka in. Voor ze een slok neemt, kijkt ze even naar de klok (8.47 uur 's morgen, zo vroeg heeft ze nog nooit op haar werk gedronken), pakt een krant uit haar tas en vouwt hem open op haar bureau en bestudeert een politietekening, een houtskoolschets van een fijngevormd gezicht.

Malibu, CA – januari

M –

Ik ben depressief. Ik schrijf deze brieven en dan denk ik – waar zit je? Je kunt wel dood zijn. Misschien lig je wel te neuken. Misschien ben je wel bedrijfsmanager. Ik kan er niks aan doen. Het spijt me – ik voel me zo verloren vandaag. Het is dat wachten. Ik moet hier nog een tijd blijven, maar ik weet niet hoe lang, misschien een paar dagen, misschien een week. Ik zit hier maar naar m'n navel te staren, te wachten op een telefoontje.

Liefs,

C

'Hoofdzuster,' mompelt Twyla Thackeray terwijl ze de deur van haar kantoor op slot draait en de sleutel in een fraaigevormde zak van haar fraaigevormde pak laat glijden. 'Hoofdzuster maar liefst. "Directeur gezondheidszorg" lijkt er meer op.' Ze tikt met een dieprood gelakte nagel op het naamplaatje op haar deur en draait zich op haar hakken om, wat gepiep veroorzaakt op de linoleum vloer in de gang.

Terwijl ze langs de kamers aan weerszijden van de gang loopt, smaakvol ingerichte kamers in abrikoos en hemelsblauw, knikt ze de bewoners ernstig toe. Sommigen kwijlen bij wijze van antwoord, anderen schreeuwen. Sommigen heffen een misvormde hand op en zwaaien. Sommigen – en dat zijn er maar een paar – zeggen met schorre stem, door hun beschadigde strottenhoofd, gedag: 'Goedemorgen, hoofdzuster.' Hoofdzuster maar liefst.

Ze stapt de verst gelegen kamer binnen en kijkt naar Iris die met wijdopen mond in een stoel ligt te slapen. Het stompje dat haar arm is steekt monter uit, priemt dapper in de lucht, alsof ze ieder ogenblik rechtsaf kan slaan. De directrice gaat op de rand van het bed zitten, bestudeert een nauwelijks beschadigde nagel en kijkt op in de lichtblauwe ogen van Iris die haar plotseling aanstaren. De directrice glimlacht opgewekt. 'Goedemiddag, Iris. Smaakte de lunch?'

'Weet ik niet meer.' Het stompje zwaait een beetje en gaat dan naar beneden.

'Wat een heerlijke kamer is dit toch.'

'Precies 'tzelfde als al die andere, als ik me goed h'rinner.' Iris slikt haar hele leven al de klinkers in als ze onzeker of achterdochtig is. Op dit moment is ze beide.

Twyla Thackeray staat op en strijkt de strakke rok glad die haar welgevormde, bruine benen omsluit. Ze loopt naar het dressoir en pakt een foto in een zilveren lijst. 'O, wat mooi. Was dit je huis?' Ze houdt het lijstje op met de foto van een pastelkleurig suikerwerkachtig huis, compleet met torentjes, galerijen en balkons, rijk bewerkte zuilengangen die naar dubbele deuren voeren. Achter het huis ligt een breed, geel strand en daarachter de zee.

'Jazeker.'

'Je mist het zeker wel?'

'Misschien.' Iris zuigt op haar onderlip, kwijlt een beetje terwijl haar ogen de foto volgen.

De directrice keert Iris haar rug toe en fronst haar voorhoofd. Dit gaat niet goed. Het kreng is bij de tijd vandaag, te goed bij de tijd. Ze laat haar blik over het dressoir dwalen en vindt de foto waarvan ze weet dat die er moet staan. Ze draait zich om, gaat weer op de rand van het bed zitten en houdt Iris de foto onder haar neus. 'En wie is deze knappe man? Je hebt het me wel eens verteld, maar ik ben het compleet vergeten.'

Er trekt een waas over de bleekblauwe ogen en Iris wordt weer als een kind, bijna koket zelfs. 'Hoe kun u dat nou v'rgeten?' Ze grijpt de foto en legt hem in haar schoot en wrijft zachtjes met haar enige wijsvinger over het gezicht van de man, zoals ze de nek van een kat zou aaien. De man ziet eruit alsof hij elk ogenblik kan gaan lachen, alsof hij een aanstekelijk geluid hoort. Hij is knap – slank en onverschrokken, met lange ledematen en een gebeeldhouwd gezicht. Zijn lichtblauwe ogen staren in die van Iris. Een voet rust op de glanzende, stijlvolle chromen bumper van een auto, zijn handen losjes langs zijn zij. 'Hoe kunt u dat hebben vergeten? Dat is Charlie Kane – hij is deze wereld niet binnengestapt, maar binnengegleden.'

De directrice slaat haar benen over elkaar, steekt een sigaret op en weet dat ze Iris heeft waar ze haar hebben wil. Het kon nog wel eens een probleem worden haar weer haar mond te laten houden.

'Charlie Kane kwam blauw en koud ter wereld, bedekt met een laag slijm. Ademhalen interesserde hem niet tot de verpleegster hem een tik op zijn achterste gaf. Toen spuugde hij een beetje en hoestte. Ik kan me herinneren dat hij om zich heen keek alsof hij nog niet zeker wist of hij nog een keer zou ademhalen. Hoe dan ook – hij moet iets gezien hebben dat hij interessant vond, want op het volgende moment begon hij te gillen en hing vervolgens aan mijn tepel als het kwastje van een stripteasedanseres.'

De directrice rolt met haar ogen en tikt een perfecte kegel van warme as in haar zachte witte handpalm.

Iris stopt met de foto te aaien en kijkt ernaar. 'Hij was me er een, Charlie Kane. Een paar jaar later kreeg ik er nog een – Lydia. Maar ja, dat is een ander geval... ik wil het er niet over hebben. Maar Charlie, dat was iets bijzonders. Hij deed me denken aan sorbets en bladeren en fluweel. Ik kon niet genoeg van hem krijgen – ach, ik knuffelde hem iedere dag.' Iris staart uit het raam naar de ziekelijke bomen. 'Ik had hem wel voor altijd in m'n armen willen houden als ik had gekund.'

De directrice kijkt toe terwijl Iris de beelden afspeelt en opnieuw afspeelt op de muren van de nu lege kamers van haar geheugen. Iris zucht en de foto glijdt van haar schoot. De directrice raapt hem op en kijkt naar Charlie Kane, gaat met haar tong over haar lippen.

'Toen we in dat huis bij de zee woonden, dat huis waar u net naar keek – wat waren we toen gelukkig. Charlie rende overal rond en Lydia was nog maar een baby. Maar de moeilijkheden waren toen al begonnen en niets zou ooit nog hetzelfde zijn.'

Twyla Thackeray kijkt met een ruk op. 'Wat voor moeilijkheden, Iris? Wat voor problemen waren er toen je in dat heerlijke huis woonde?'

Iris bijt op haar onderlip en staart terug, alsof ze een oordeel velt, een afweging maakt in haar verwarde geest. Ze wiegt heen en weer en knikt, ze heeft een beslissing genomen. 'Nou ja, er zijn er die zouden zeggen dat het geen probleem kon zijn, een last, een bezoeking, maar ik zeg je, achteraf, dat het net was alsof je een ziekte had.'

De directrice is in verwarring, haar voorhoofd gefronst. 'Iris, waar heb je het over?'

'Een genie. Dat was de moeilijkheid. Hij was geniaal. Vlak voor we naar dat huis verhuisden, toen we nog in Manhattan woonden, kwam ik op een dag terug in het appartement van wat boodschappen en het enige dat ik wilde was lekker gaan zitten met een kop koffie – u weet hoe dat gaat.'

De directrice knikt, ziet het eerste kristallen glas vol ijskoude wodka voor zich dat ze bij het ontbijt neemt, de wodka zo koud dat hij net zo stroperig beweegt als de oceaan rond de zuidpool.

'Ik kwam die dag thuis in het appartement en Charlie zat de *New York Times* te lezen. Nou, wij hadden altijd de *Post*, dus ik zag meteen dat er iets niet klopte. Charlie Kane stond in de keuken, op zijn kleine dikke beentjes, en deelde me mee dat de *Post* erg "beperkt" was en "plaatselijk" en hij hoopte dat ik niet boos zou worden, maar hij wilde liever *The Times*.' Iris zuigt haar wangen naar binnen en leunt achterover. 'Ik kan u wel vertellen dat ik die kop koffie toch genomen heb, maar wel met een flinke scheut bourbon.'

Twyla Thackeray zwaait met de peuk van haar sigaret en vraagt: 'Wat heb je met hem gedaan?'

'Ik wilde helemaal niets met hem doen. Ik had het idee dat hij gelukkig was zoals hij was. Het kon mij niet schelen dat hij *The New York Times* las, hoewel het mijn krant niet was – te veel woorden. Hoe dan ook, ik vertelde niemand iets; ik zorgde er alleen maar voor dat Charlie Kane het zoveel mogelijk naar zijn zin had. Dat kon niet goed blijven gaan, natuurlijk. Op de dag dat hij naar school ging barstte de hel los. Voor ik het weet heb ik psycho-zus en psycho-zo over de vloer die allemaal tests willen uitvoeren met Charlie Kane, alsof hij een auto of zoiets was. Ik werd gebeld door mensen die hem op televisie wilden, op de radio en ik weet niet wat. Ik kreeg aanbiedingen van universiteiten. Universiteiten.' Iris haalt haar neus op en wrijft over haar stompje. 'Het knulletje was nog maar vier. Wat moest hij nou op de universiteit?'

'Wat vond Charlie ervan? Ik bedoel, wilde hij naar de universiteit?'

Iris glimlacht verontrust. 'Nee. Hij wilde gewoon thuisblijven bij zijn moeder en zus. Hij zei dat hij school leuk vond en hij kon 's avonds lezen wat hij wilde. Hij zat altijd gewoon maar in zijn kamer, alleen maar te lezen. Ik begreep uiteraard maar de helft van wat hij me vertelde, maar ik kon wel naar hem luisteren en dat is bijna net zo goed als begrijpen. En wat Lydia betrof, nou ja, die had gewoon pech. Daar was niks aan te doen. Ze kon niet eens "Charlie" zeggen. Ze noemde hem altijd Chum en voor ik het wist noemde iedereen hem Chum Kane. Als ik had gewild dat ze hem Chum noemden had ik hem die naam wel gegeven.' Iris haald diep en hortend adem. 'Arme Lydia.'

Twyla Thackeray zit, as van haar sigaret in de ene hand, foto van Charlie in de andere; ze zit en wacht tot Iris verdergaat met praten. Maar de gedachte aan Lydia knijpt Iris de keel dicht. Ze jammert en strekt haar hand uit naar de afbeelding van Chum. De directrice vraagt: 'Waar is Chum Kane nu?'

Iris gooit haar hoofd in de nek en schreeuwt: 'Ik weet het niet! *Ik weet het niet!*'

'En hoe zit het met Chums vader? Je man? Waar is die, Iris? Je hebt het nooit over hem.' Iris heeft nog nooit over iemand anders gesproken dan over Charlie Kane, denkt ze.

De mond van Iris gaat met een klap dicht en ze schudt haar hoofd.

'Kom op, Iris. Mij kun je dat wel vertellen.'

Iris schudt weer met haar hoofd.

Twyla Thackeray steekt nog een sigaret op. Ze loopt naar het raam, doet het open en klopt haar handen af. Ze kijkt naar de grijze lucht en draait zich dan weer om. 'Ik heb me altijd afgevraagd, Iris, ik heb me altijd afgevraagd wie jouw rekeningen betaalt. Waar komt dat geld vandaan? Ik bedoel, je bent hier nu al jaren en ik weet maar al te goed dat je het hier nauwelijks goedkoop kunt noemen. En toch ligt er elke maand een bankafschrift. Heb je dat heerlijke huis verkocht? Komt het geld daar vandaan?'

Iris kin steekt vastberaden naar voren. 'Nee. Ik zou dat huis nooit verkopen. Stel je voor dat Charlie Kane thuiskomt en erachter komt dat thuis niet meer bestaat? Dat zou verschrikkelijk zijn. Nee – het staat daar net zo als hij het al die jaren geleden heeft achtergelaten. Ze kunnen het zonder mijn toestemming niet verkopen. Hij komt ooit nog eens terug. Dat weet ik. Hij zal komen om afscheid te nemen van zijn moeder.'

'Wie betaalt de rekeningen, Iris?'

Iris haalt haar schouders op en begint weer te kwijlen. Twyla Thackeray kijkt koeltjes op haar neer. Zij weet net zo goed als Iris dat deze terugval gespeeld is, een toneelstukje, want Iris' ogen zijn vast op het gezicht van de directrice gericht. Twyla Thackeray pakt de foto en zegt: 'Kan ik deze een tijdje van je lenen? Een paar uurtjes maar? Vind je dat goed, Iris?'

Iris hijst zichzelf met een kreet uit de stoel en graait naar de lijst, terwijl het stompje wild in het rond zwaait, probeert de directrice te raken, maar de directrice duwt het iele lichaam terug in de stoel. Iris begint te schreeuwen, begint met haar mond wijdopen heen en weer te wiegen terwijl Twyla Thackeray zich omdraait en Bronwen in de deuropening ziet staan.

'Ah, Bronwen. Goed dat je er bent. Iris heeft vandaag een slechte dag en ik heb geprobeerd haar te kalmeren. Wil jij het van me overnemen?'

Bronwen knikt en waggelt de kamer binnen.

'Geef Charlie Kane terug! *Geef Charlie Kane terug!*' De aderen in Iris' nek zijn gezwollen, ze is rood aangelopen.

'Maar,' zegt Bronwen, 'ze wil alleen maar haar foto terug, dat is alles.' Ze pakt hem voorzichtig uit de handen van de directrice en geeft hem aan Iris. 'Alsjeblieft, schat, daar heb je je foto.'

Twyla Thackeray kijkt woedend naar Bronwen die gebogen staat over de stoel en loopt de kamer uit. Bronwen heeft niet in de gaten dat de directrice weggaat. Bronwen heeft niets in de gaten; ze is zich zelfs niet bewust van haar eigen ademhaling, ruikt zelfs de geur van Iris' huid niet. Het enige dat Bronwen kan zien – het enige waar ze ooit nog naar wil kijken – is het beeld van Charlie 'Chum' Kane die met zijn voet op de chromen bumper van een verder onzichtbare auto leunt.

Malibu, CA – januari

M –

Het is een uur of vier 's ochtends. Ik weet het niet precies. Ik kan niet slapen. Ik ben vandaag gaan vissen voor het avondeten. Alles bij elkaar niet meer dan drie happen. De elektriciteit begaf het toen ik zat te eten en ik heb wat kaarsen aangestoken. Ik voelde me belachelijk terwijl ik de graten zat af te kluiven, helemaal in mijn eentje bij kaarslicht. Ik voelde me in de steek gelaten. Als de laatste eter aan het Laatste Avondmaal. *L'Ultima Cena.*

Ik kan niet slapen omdat ik weer zo'n gevoel heb waar ik – terecht – beroemd om ben. Ik heb het gevoel dat iets wegglipt, van kaken die zich sluiten. Iemand heeft ergens een beslissing genomen waardoor het net zich sluit. Misschien ben ik paranoïde. Denk het niet. Ik weet het niet zeker. Sommigen worden geboren met eindeloze bergen aan de rand van hun geest. Een gevoel van ruimte. Ik ben geboren met een troep achtervolgers aan de rand van de mijne; ik kan ze horen.

Liefs,

C

'Inspecteur Flanagan, alstublieft.' De directrice staat voor de spiegel in haar kamer, een borrel in haar ene hand, draadloze telefoon in de andere. Ze laat het bandje van haar jurk van haar gebruinde, zijdezachte schouder glijden en likt haar vermiljoenkleurige lippen. Terwijl ze wordt doorverbonden, denkt ze terug aan de opwindende ontmoeting met de inspecteur, hoe ze, bijna, overweldigd werd door zijn omvang, zijn aanwezigheid, de scherpe geur van zijn testosteron. Ze was bijna flauwgevallen toen ze aan elkaar werden voorgesteld, en sindsdien heeft ze zichzelf iedere avond gestreeld en zich voorgesteld dat de handen van de inspecteur haar bewegingen nadeden.

'Met Flanagan.'

'Maar, inspecteur, u klinkt zo nors aan de telefoon!' De directrice draait zich om en kijkt hoe de sierlijke lijnen van haar bordeauxrode jurk langs haar rug vallen.

'Met wie spreek ik?'

'Met Twyla Thackeray. Ik weet niet of u het zich kunt herinneren, maar we hebben elkaar een paar weken geleden ontmoet op het liefdadigheidsbal in Naples?' De directrice bijt op haar lip. 'Ik ben directeur gezondheidszorg van het Emerald Rest Home.'

'Natuurlijk, dat herinner ik me heel goed. U droeg een rode jurk.'

De directrice glimlacht en voelt aan de rode stof. 'Dat klopt. U heeft een goed geheugen.'

'Wat kan ik voor u doen?'

De directrice stapt vastberaden haar zitkamer in en gaat, knieën stijf tegen elkaar, rug kaarsrecht, op de rand van de bank zitten. 'Het is een beetje moeilijk uit te leggen.'

'Probeert u het eens.'

'Nou, ik weet niet of u het zich kunt herinneren, maar toen we kennismaakten was u in gezelschap van hoofdinspecteur Brannigan. U had het met hem over die verhalen over die man, een soort burgerwacht, een man die wordt gezocht. Klopt dat?'

'Jazeker, dat klopt. In de krant noemen ze hem Mister Candid.'

'Die bedoel ik.'

Inspecteur Flanagan zucht, en een windvlaag dringt door in de van wodka doordrenkte geest van de directrice. 'Wat kunt u me vertellen? Neem me niet kwalijk, maar ik heb het erg druk.'

'Nou, ik heb gelezen dat de psychologische evaluaties wijzen op een man van in de dertig. En dat sommige psychologen hebben gezegd dat hij buitengewoon begaafd is.'

'Dat klopt.' Inspecteur Flanagan onderdrukt een geeuw en dat geluid klinkt oorverdovend in de oren van de directrice.

'Waar het om gaat is dit, en ik denk dat er hier sprake is van het synchroon lopen van dingen of gewoon een gave om bij toeval iets belangwekkends te ontdekken, maar de volgende ochtend, het was zondag – dat weet ik omdat ik alleen op zondag de krant bezorgd krijg – stond er een artikel in over Mister Candid. Er stond een politieschets bij het artikel, zo'n potloodtekening, weet u wel?'

Inspecteur Flanagan gromt.

'Waar het om gaat is dat die tekening precies lijkt op een foto die een van onze patiënten, neem me niet kwalijk, cliënten, in haar kamer heeft. Maar dan ook *precies*. De tekening had wel met de foto als voorbeeld gemaakt kunnen zijn. Volgt u me nog?'

'Een beetje.'

'Hoe dan ook, mijn interesse was gewekt omdat ik naar u had geluisterd en zo, en omdat ik het artikel had gelezen, en toen ben ik naar haar kamer gegaan – en wat denkt u?'

'Wat?'

'Ze heeft inderdaad een zoon.' De directrice glimlacht zoals alleen een kat dat kan.

'Jezus – sorry, neem me niet kwalijk, mevrouw Thackerby. Maar een heleboel mensen hebben zoons.'

'Dat weet ik wel; natuurlijk weet ik dat. Maar haar omstandigheden zijn anders dan anders, die van de cliënt bedoel ik. Om een voorbeeld te noemen – hoeveel mensen zijn er van wie de rekeningen voor hun zorg door een onbekende bron worden betaald?'

'Misschien heeft ze geld van zichzelf.'

'O, nee. Ze heeft nog geen nagel om aan haar...' De directrice glijdt van de bank op de vloer en morst wodka op de roodgelakte nagels van haar tenen. Ze is zich ervan bewust dat ze een beetje met dubbele tong praat. Ze zit recht overeind, zet het glas op tafel en steekt een sigaret op. 'Nee, ze heeft geen eigen bron van inkomsten. En toch heeft ze nog steeds haar huis en dat is niet een van de kleinste, kan ik u verzekeren. Ik heb gewoon het gevoel dat er iets niet klopt. Ze krijgt nooit bezoek. Niet één keer in al die tijd dat ze hier al is.'

'Uh huh.'

'Het is gewoon raar – weet u, met die foto en zo.' De directrice fronst haar voorhoofd, ze weet dat ze dit niet zo goed aanpakt. Dit gesprek is bedoeld om de inspecteur aan haar kant te krijgen.

'Nou, misschien komen we een keer langs om met haar te spreken als we tijd hebben. Dank u wel voor uw betrokkenheid, mevrouw Thackerby. Heel betrokken van u.'

Ze moet hem nu snel aan de haak slaan. Nu. 'Kijk, het grootste deel van de tijd komt er niet veel verstandigs uit Iris. Ik bedoel, het is erg moeilijk haar aan het praten te krijgen – ze heeft jaren geleden iets ergs meegemaakt dat haar erg in de war heeft gebracht. Niemand weet waar ze vandaan komt. Ze is hier gekomen met een naamplaatje, een brief waarin stond hoe het allemaal met de bank was geregeld, en twee foto's en geen geheugen.'

'Hoe lang geleden was dat?' De nieuwsgierigheid van de inspecteur is een beetje gewekt.

De directrice glimlacht, neem een grote slok en slikt. 'Nog voor ik hier werd aangesteld. Ik denk dat ze ongeveer zestien, zeventien jaar geleden is opgenomen. Dat kan ik wel voor u opzoeken. Waar het om gaat is dat ik dacht u te kunnen helpen, dus heb ik vandaag geprobeerd met haar te praten. Om te beginnen zijn er die tekening en die foto. En er was nog iets dat ze me vertelde. Haar zoon werd beschouwd als geniaal. Hij kreeg een plek aangeboden op de universiteit toen hij nog maar vier was.'

'Hoe heet hij? Mevrouw Thackerby – hoe heet hij?'

'Charlie Kane. Ook bekend als Chum Kane.'

Malibu, CA – januari

M –

Het gaat de laatste dagen niet zo goed. Ik kan niet slapen. Het gevoel overheerst dat een einde nadert, een vluchtweg wordt afgesloten, een keerpunt is bereikt. Misschien moet ik verder. Ik verwacht een telefoontje van iemand uit L.A. Het is moeilijk uit te leggen, maar ik heb een naam en een telefoonnummer nodig, dus ik heb hier en daar geïnformeerd en alles wat ik nu kan doen is wachten.

Dat ben ik nog vergeten te vertellen – toen ik aan het vissen was en daar zat, omringd door stilte, heb ik mezelf voor het eerst in jaren, en ik zweer je dat ik niet weet hoe lang dat geleden was, weer eens getest. Vierkantswortel uit 68.000. Als je het tweede priemgetal neemt uit een redekundige reeks van het tientallig stelsel en dat vermenigvuldigt met het aantal priemgetallen uit de serie die bepaald wordt door pi en vervolgens de uitkomst in je reet steekt, wat zou er dan gebeuren? Welk getal zou de uitkomst zijn als je het met acht vermenigvuldigde, daar de wortel uit trok, de cijfers zou optellen en daar tien van aftrekken? Zeventien. Net zoveel als het aantal jaren dat ik je niet heb gezien. Dat blijft me dwarszitten.

Liefs,

C

Het Emerald Rest Home is gebouwd in het moerasgebied waar de kleuren van de Golf van Mexico komen waaien om vervolgens gebleekt te worden in de zon die over de Kreeftskeerkring piept. De wind komt aangestormd over de Keys en voert herinneringen aan zweet en slangen, malaria, kaaimannen en mangrove met zich mee. De tuinmannen hebben rond het tehuis de strijd aangebonden met het moeras en hebben palmbomen geplant die het brakke water opzuigen en daardoor ziekelijk en vervormd zijn. Inspecteur Flanagan kijkt naar de misvormde bomen die lusteloos wuiven in de wind, wacht in haar kantoor op de directrice en probeert zich een ongezondere plek voor te stellen om te sterven. Terwijl het hem niet lukt om zich een dergelijke plek voor te stellen, zwaait de deur fluisterend open en de directrice stapt de kamer binnen.

'Nee maar, inspecteur Flanagan, hoe lang zit u al te wachten? Niemand heeft tegen me gezegd dat u hier was,' liegt ze, want ze heeft de afgelopen tien minuten haar best gedaan de kreukels uit haar jurk en gezicht te strijken.

'Geen probleem.' Inspecteur Flanagan hijst zijn grote lichaam uit de stoel en schudt haar uitgestoken hand.

De directrice lacht zelfvoldaan en glipt in haar stoel. 'Waarmee kunnen we u van dienst zijn?' Ze schikt haar goedverzorgde, dure coupe soleil.

'Ik vroeg me af of ik zou kunnen spreken met de patiënt –'

'Cliënt.'

'Neem me niet kwalijk, met de cliënt over wie u me heeft gebeld.'

'Natuurlijk kan dat. Ik moet u wel waarschuwen dat ze soms behoorlijk vreemd kan doen. Hoewel,' en hier verschijnen verrukkelijke kuiltjes in de wangen van de directrice, 'soms denk ik wel eens dat ze maar net doet alsof. Aandacht trekken. Hier in het Emerald geloven we niet in het zomaar verstrekken van medicijnen, dus moeten we een beetje tolerant zijn.'

'Bewonderenswaardig.' De inspecteur gluurt op zijn horloge, en naar de verwrongen palmbomen.

'Ik denk dat u een drukbezet man bent. Wilt u me maar volgen?'

De directrice gaat voor door de naar desinfecterende

middelen ruikende gangen, haar wiegende achterste lokt hem voort. Flanagan vermijdt in de kamers te kijken, doodsbang dat hij een leven ontdekt dat op z'n einde loopt. Zijn angst voor de dood wordt slechts geëvenaard door zijn verlangen dingen *recht* te zetten, ze in hun verband te zien, altijd te handelen – altijd – ten bate van het grote geheel. Zo lang dat vreemde Ierse nuttigheidsstreven maar niets met zijn eigen dood te maken heeft.

De directrice gaat de kamer aan het einde van de gang binnen waar ze Bronwen in het dressoir van Iris ziet snuffelen. Bronwens puddingbroodjesgezicht keert zich naar haar toe, geschokt, en ze stopt haar handen in haar zakken, buigt haar hoofd en schommelt naar de deur waar op dat moment Flanagan verschijnt.

'Bronwen? Hoe gaat het met Iris?' vraagt de directrice.

'Prima, hoofdzuster, het gaat prima met 'r.' Bronwen blijft in beweging, gaat in de richting van de deur.

'Inspecteur Flanagan,' zegt hij en steekt zijn hand uit.

'... kennis te maken,' mompelt Bronwen en loopt door.

Bronwen en Flanagan versperren elkaar de weg in de deuropening en Bronwen schuift langs hem heen. Terwijl ze probeert haar lichaam te bevrijden, wrijft haar buik hard langs de zijne. Deze onverwachte intimiteit verrast hen beiden en ze staren elkaar aan, blozend. Een rommelende lach welt op uit Flanagans binnenste, maar Bronwens gezicht staat strak van schaamte terwijl ze zich bevrijdt. Ze kreunt en stapt met wiebelende billen de gang door.

De inspecteur blijft even in de deuropening staan, haalt diep adem en probeert zich voor te bereiden op de aanblik van slechtziende ogen en levervlekken. Waar hij niet op is voorbereid is de aanblik van Iris' stompje, roze en glimmend aan het uiteinde, onbedekt omdat ze in haar nachtjapon in de stoel zit. Hij draait zich naar het raam om zich te vermannen terwijl de directrice hen aan elkaar voorstelt.

'Iris, dit is inspecteur Flanagan. Inspecteur, dit is Iris.'

Hij draait zich weer om, zijn hand uitgestoken, een glimlach op zijn gezicht, een glimlach die snel verdwijnt wanneer hij zich realiseert dat hij zijn rechterhand heeft uitgestoken. Maar geen haar op z'n hoofd die er aan denkt dat restant van Iris' arm aan te raken. Iris negeert zijn uitgestoken hand.

'Nou, waar ben je van? Het leger, of zoiets?'

'Mag ik gaan zitten?' Hij laat zich voorzichtig op het bed zakken en staart Iris aan; hij wil onder geen beding naar haar oude verwonding kijken. 'Nee, nee. Ik zit niet in het leger. Ik ben politie-inspecteur.'

Iris werpt een snelle blik op de directrice. 'Wat wil je van me?'

'Niets, Iris. Gewoon even babbelen, dat is alles.' Er woedt een strijd in het binnenste van de inspecteur, tussen het overwinnen van de aandrang om weg te rennen van deze beschadigde, stervende vrouw en het onderdrukken van de impuls om haar lijden te verlichten en zich over haar te ontfermen.

'Waarover?' snauwt Iris, haar lippen getuit, als een snavel.

'Nou nou, Iris,' sust de directrice, 'de inspecteur is een vriend van me en ik vertelde hem laatst over het gesprek dat wij hadden, weet je wel, over Charlie Kane en zo. Dat interesseerde hem echt, op het persoonlijke vlak, dat Charlie een genie is. Weet je nog? Want' – en de directrice krijgt een ongewone vlaag van inspiratie, ongewoon, omdat er een grote leegte is waar haar verbeelding hoort te zitten – 'want hij heeft zelf ook een kind dat de gave heeft.' De directrice glimlacht samenzweerderig naar de inspecteur, die nog steeds gebiologeerd in Iris' ogen kijkt.

'Hoe heet hij?' vraagt Iris.

'Declan,' flapt de inspecteur eruit en vraagt zich af waar in hemelsnaam die naam vandaan komt.

'Hmm.' Iris is niet overtuigd en kauwt bedachtzaam op haar toch al gevoelige onderlip. Ze wil de inspecteur graag aardig vinden; ze wil hem aardig vinden omdat hij van die grote handen heeft en er vermoeid uitziet.

'Mag ik de inspecteur de foto van Charlie Kane laten zien? Mag dat, Iris? Gewoon, zodat hij weet over wie we het hebben? Zodat hij een gezicht bij de naam kent? Is dat goed?' De directrice loopt naar het dressoir, zich bewust van haar slanke, verleidelijke gestalte, afgetekend tegen het oogverblindende zonlicht.

Iris fronst haar wenkbrauwen. Er klinken geluiden in haar hoofd, gepiep en gekreun. Zachte, versplinterende geluiden. Ze wil daar over nadenken, ze wil nadenken over dit nieuwe bewijs dat haar lichaam in verval raakt, maar ze weet dat ze de directrice in de gaten moet houden, want haar vertrouwt ze niet.

'Waar *is* die prachtige foto, Iris?'

'Gewoon daaro, waar-ie altijd staat. 'N kweenie offik wel wil dat 'dreen d'r naar kijk.' Iris luistert, verward, naar haar eigen stem en woorden die afbreken, verbrokkelen.

'Hij staat er niet, Iris. Hij staat niet op dat verd– op het dressoir. Heb *jij* hem soms?' De directrice draait zich met een ruk om en staart woedend naar het kleine, uit elkaar vallende kreng. 'Hij staat er niet, Iris. Hij staat er niet.'

Terwijl ze staat te kijken, strijkt er iets – de hand van het kwaad, wellicht – over het gezicht van Iris. De vrouw krimpt voor hun ogen ineen, verschrompelt, sterft een beetje. Flanagan komt naar voren en strekt een van zijn enorme kolenschoppen naar Iris uit. 'Wat is er in hemelsnaam met haar aan de hand?'

De directrice loopt kalm naar de rode knop aan de muur naast Iris' bed en drukt er op. De inspecteur hoort in de verte een bel rinkelen, eindeloos. Vanuit de overige kamers komen gedempt gillen en kreten terwijl de overige stervenden huilen om een van hen. De directrice duwt Iris terug in haar stoel en maakt de knopen rond Iris' verschrompelde keel los. Ze kijkt naar het verwoeste, wasachtige gezicht. 'Het lijkt erop dat ze een beroerte heeft gehad,' snauwt ze, terwijl de deur openvliegt en een dokter en een verpleegster binnenkomen.

'Verdorie. Het spijt me geweldig, inspecteur. Ik weet niet waar de foto is en ik heb zo het gevoel dat we daar nooit achter zullen komen.'

Hij kijkt haar onderzoekend aan. 'Ik denk eerlijk gezegd niet dat dat iets is waar we ons nu zorgen over hoeven te maken.'

Iris verzet zich zwakjes wanneer ze voelt dat de dokter haar nachtjapon open wil maken en haar aanrandt door een koud schijfje op haar borst te drukken en naar het wegvloeiende leven luistert. Hij kijkt haar in de ogen, probeert haar ene goede arm te bewegen.

De directrice tikt de jonge verpleegster op haar arm. 'Iris windt zich op. Haal alsjeblieft Bronwen, die zuster uit Wales – zij verpleegt Iris en zij kan haar misschien een beetje kalmeren.'

De dokter kijkt op, haar koude vingers op Iris' pols. 'Bronwen is net vertrokken. Ze heeft vanmorgen ontslag genomen. Vraag me niet waarom, dat heeft ze niet gezegd.'

De opluchting van de directrice bij het horen van dit nieuws – weer een loonpost minder, geen lange monologen meer over het weer – is van korte duur. Want die middag, terwijl Iris in de ziekenafdeling in bed ligt en woorden probeert te vormen in de chaos tussen haar geest en haar mond, beseft de directrice, die een verpleegster heeft gevraagd even naar het winkelcentrum te wippen en een kleine fles wodka voor haar te kopen, (nog voor ze de la heeft opengetrokken weet ze het eigenlijk al zeker) dat niet alleen Bronwen-met-de-grote-boezem vertrokken is, maar dat dat ook geldt voor de vierduizend dollar in de kleine kas.

Malibu, CA - februari

M –

Twee dagen later: ik trek verder. Ik heb nog steeds niets van die knaap in L.A. gehoord en ik voel me een stilstaand doelwit. Ik kreeg laatst een vreemd gevoel. Ik lag in mijn hangmat en staarde in het niets en ik kreeg het gevoel dat iemand zijn hand in me stak en iets van me wegnam. Niets materieels, niks bloederigs, maar gewoon iets van mij. Iets dat lag te sluimeren en de enige reden dat ik weet dat het er was, is dat het er niet meer is.

Ik blijf je schrijven, ik ben er nu aan gewend geraakt. Maar ik denk wel dat het moeilijker wordt en misschien kan ik niet meer zo vaak schrijven. Het is alsof het schrijven op zich me kalmeert, me het gevoel geeft dat ik een gesprek met je voer.

Geloof jij dat je geluk op kan raken? Ik wel. Ik wens zoveel dingen. Ik wou dat ik wist hoe dit afloopt.

Liefs,

C

IRIS

Iris Chandler was een dot van een kind, zo klein en zo fijn dat haar moeder zelf kleren voor haar moest maken, die op hun beurt weer zo klein waren dat ze steeds kwijtraakten. De moeder van Iris was naaister, meesteres van het plooien en innemen, zomen. Soms had Iris het gevoel dat haar moeder haar zover had ingenomen en geplooid dat ze onbetekenend werd. Mevrouw Chandler werkte in de achterkamer van een huis in Hoboken, New Jersey, waar het altijd schemerig was door de schaduw van de omringende gebouwen. Ze zat dan over de oude Singer trapnaaimachine gebogen en verdeed haar leven onder de staccato begeleiding van de naald die op en neer ging, het geratel van de klosjes garen, het gehamer van garen en naald. De kamer hing altijd vol met stof; dat gaf een blauwe tint aan het licht en maakte de kamer nog donkerder. Mevrouw Chandler was jaren bezig geweest meters en balen stof te verzamelen. Had haar leven besteed aan naaien en rijgen, lostornen van naden, wegnemen van plooien, afhechten van knoopsgaten, innemen en uitleggen. Er waren doopjurken door haar handen gegaan, broeken die moesten worden uitgelegd, verleidelijke blouses, positiekleding, broekbanden die te krap waren geworden; ze had de stijfheid gevoeld van het laatste pak dat naar de begrafenisondernemer moest worden gestuurd. Het hele leven was door haar handen gegaan en misschien had ze daarom niet in de gaten dat Iris' leven voorbijging, onbetekenend als ze leek.

Iris ging altijd naar haar moeders atelier wanneer ze uit school kwam, sloffend over het versleten kleed in de gang. Ze deed dan de deur open, met moeite, want het was een zware deur om het geluid van de naaimachine binnenskamers te houden, en zocht haar moeder in de mist van stof. En altijd zat haar moeder gebogen, haar schouders gespannen door de concentratie en iets van woede uitstralend.

'Hoi, mam. Ik ben thuis.' Iris klonk verlegen, terwijl ze met haar hese stem tegen haar moeders rug sprak.

'Is het alweer zo laat?' Dat zei haar moeder elke dag; elke keer weer klonk ze verrast en pakte dan allerlei stukjes stof en liet ze weer vallen, alsof ze er niets mee kon. 'Iris, het duurt nog wel even voor ik klaar ben. Ga maar vast naar de keuken en neem wat melk. Denk aan je vitamines. Ik kom zo gauw ik kan.' In al die jaren veranderde er nauwelijks iets aan dit toespraakje wanneer Iris thuiskwam en moeizaam de deur naar de werkkamer opendeed. Als haar moeder uitgesproken was, draaide ze zich om en glimlachte naar Iris, nauwelijks zichtbaar in de stoffige kamer, en Iris zag er dan in haar ogen uit als een elfje, zoals ze daar tegen de deurpost stond geleund.

De verf in de keuken was afgesleten op die plekken waar handen en heupen langsgleden. Het zeil krulde aan de randen, het glazuur van het aanrecht was gebarsten en het email van het fornuis was dof geworden door duizenden krasjes. Iris deed dan de deur van de voorraadkast open en hoopte iedere keer weer dat er meer in zou zitten dan de dag ervoor, een traktatie, een breekbare lekkernij die heerlijk uit elkaar zou vallen in de palm van haar petieterige handje. Iedere keer weer werd ze teleurgesteld. Dan rekte ze zich uit om bij de plank te komen waar de melkkan vol barsten stond, doodsbenauwd dat ze zou knoeien. Vervolgens pakte ze de vitaminepillen uit de pot bij het fornuis, schonk een glas melk in en hees zich op een stoel bij de tafel, haar voeten bungelend boven het linoleum. Ze kon de vitaminepillen, groot en ruw, slechts met de grootste moeite doorslikken, kokhalzend van de gistachtige smaak, en spoelde ze weg met grote slokken melk.

En dan volgde de stilte. Altijd die doodse stilte, altijd en iedere dag. Het zitten in de stilte – wachtend. Het tafelblad opwrijvend met zenuwachtige handen terwijl melk en pillen in haar maag rondwervelden. Wachtend. Wachtend waarop? Niet op haar moeder, die zou in haar werkkamer blijven, mompelend en mopperend. Zelfs niet op haar vader. Het was niet dat de leden van de familie Chandler niet van elkaar hielden: het was meer dat ze allemaal ergens op leken te wachten, op troost, veiligheid, lengte, wat dan ook. Ze zaten gewoon allemaal ergens op te wachten. En Iris, al die tijd wist Iris dat dit de mooiste tijd was. Deze tijd, deze namiddagen werden verondersteld de beste tijd te zijn, een tijd die je je zou herinneren wanneer je oud en vormloos was geworden, en op de schommelbank op de veranda zat. Dit waren de zondagen, nostalgische dagen die je doorbracht met het pellen van maïskolven, tikkertje spelen, koekjes bakken, rondrennen in de tuin, sleetjerijden, schaatsen.

Soms, waneer haar handen het tafelblad poetsten, deed ze haar ogen dicht en probeerde zich voor te stellen hoe Peking eruitzag, probeerde zich voor te stellen hoe de besloten leegte van een kubus aanvoelde, hoe het was om viool te spelen; allemaal gedachten die opgewekt waren door een leraar. Iris probeerde zich los te maken van de keuken; stelde zichzelf voor terwijl ze door de straten van Peking liep, zag kippen voor zich op straat, schalen vol eten met onuitspreekbare namen, kleine, tovenaarachtige mannen gebukt onder een zwaarbeladen juk. Maar ze putte er geen hoop uit en de beelden vervlogen. Er kon misschien wel iets gebeuren, maar niet in Hoboken, New Jersey. In Hoboken, New Jersey, zat je met je voeten te bungelen en wachtte je in de stilte, wachtte je tot er iets zou gebeuren. Wachtte je tot je groot zou worden. Vocht je – als ze het had geweten – tegen de kanker van het noodlot die in haar woekerde.

De avond kwam altijd binnenglippen terwijl ze zat te wachten en dan hoorde ze de hordeur achter hem dichtslaan. Haar vader kwam de gang doorgelopen en de keuken binnen om naar het aanrecht te gaan, in het voorbijgaan even haar kruin aaiend met zijn eeltige vingers. Dan waste hij zijn handen met het stuk gebarsten desinfecterende zeep dat daar lag en droogde ze zorgvuldig, nooit in staat de olie onder zijn nagels vandaan te krijgen. Vervolgens deed hij zijn blauwe overall uit, gooide die over een stoel en ging tegenover Iris zitten, afwezig glimlachend. 'Moeder! Ik ben thuis!' riep hij dan, en maakte Iris aan het schrikken, hoewel hij iedere avond dezelfde begroeting riep wanneer hij tegenover haar zat. Daarna sloeg hij zijn handen vol sproeten voor zijn gezicht en wreef in zijn ogen, trok aan de roodomrande oogleden, rekte ze uit.

Iris keek naar zijn nagels, ruw, vierkant en vuil, de eeuwig zwarte tatoeage van de automonteur. Ze wist dat haar vader nauwgezet was; hij waste zich, schraapte en boende, en deed zijn uiterste best met een schoon gezicht een wereld tegemoet te treden die het helemaal niks kon schelen. Ze zat tegenover haar vader aan de keukentafel en zag hoe hij oud werd.

Iris groeide op een manier die haar ouders niet zagen. Op een manier die maar weinig mensen zagen, want ze bleef klein. Mevrouw Chandler zag nog steeds het elfje in het stof, meneer Chandler zag nog steeds haar voeten boven het linoleum bungelen en ze hadden niet in de gaten dat de jaren voorbijgingen. Meneer en mevrouw Chandler brachten hun leven door met pogingen machines nog even aan de praat te houden – zij wanneer ze merkte dat het pedaal van de naaimachine stroef begon te lopen, hij terwijl hij knutselde aan de auto's in de verarmde wijk. Beiden probeerden de schaamte weg te slikken die armoede met zich meebracht, steeds opnieuw, tot hij in hun keel bleef steken en ze nauwelijks nog in staat waren met elkaar te praten.

Op een koude decembermiddag, terwijl mevrouw Chandler de kou die haar stramme, verkleumde vingers verstijfde, vervloekte met een mantra van gekwetste trots, telde ze de jaren en wist dat Iris ouder was geworden. Ze was tien jaar ouder dan toen ze geboren werd. Het was Iris' tiende verjaardag en zij, mevrouw Chandler, haar moeder, had niets voorbereid om het te vieren. Ze liet het pedaal tot rust komen, stond op en duwde haar stoel naar achteren zodat het stof door de kamer wervelde. Ze bleef staan en knipperde met haar ogen, tikte met de zilveren vingerhoed tegen haar tanden. '...achtenveertig, negenenveertig, vijftig. O, lieve hemel.' Het was 1950. 'O, lieve hemel.' Ze draaide de jurk in haar hand tot een knot en hoorde de voordeur dichtslaan toen Iris thuiskwam uit school.

Mevrouw Chandler rechtte haar schouders, stapte de gang in, spreidde haar armen en riep: 'Hartelijk gefeliciteerd, Iris.' Iris schrok toen ze haar moeder in de enorme deuropening afgetekend zag staan, bleek en onder het stof van de lappen die ze had genaaid. 'Kom 's hier, schat.' Mevrouw Chandler ging op haar hurken zitten en strekte haar armen uit. Iris ging naar haar toe en ze omhelsden elkaar onhandig, voorzichtig. Iris kon de eeltplekken op haar moeders duim en wijsvinger over de kraag van haar jurk horen raspen. Haar moeder leunde een beetje achterover en keek haar glimlachend aan. 'Kom, laten we iets gaan eten.'

Eenmaal in de keuken overwon mevrouw Chandler de aandrang Iris op te tillen en in een stoel te zetten. Ze draaide zich om en keek hoe Iris zich op een stoel hees en probeerde zich te herinneren of Iris was gegroeid. Een beetje misschien, een centimeter of twee, drie. Misschien. Mevrouw Chandler zuchtte terwijl ze de koekjestrommel opendeed, vervolgens twee mokken warme chocolademelk maakte en naast Iris ging zitten en haar arm om de vogelachtige schoudertjes sloeg. 'Nou, schat, ik heb me suf gepiekerd wat ik je voor je verjaardag moest geven. Maar volgens mij ben je nu een grote meid' – daar moest Iris om glimlachen – 'en ik vind dat je zelf maar iets moet uitzoeken.' Mevrouw Chandler liep de kamer door en pakte een versleten handtas van gebarsten leer. Ze ritste een verborgen vakje open en haalde er voorzichtig twee dollarbiljetten uit en streek ze glad. Ze keek naar de blauwe sneeuw buiten, gekleurd door de wolkeloze, donker wordende hemel. Ze keek weer naar haar kleine elf op de stoel en probeerde zich voor te stellen dat ze alleen door de sneeuw liep. Want Iris mocht nooit alleen naar buiten, had altijd gewandeld met de zelfverzekerdheid van een meisje dat de handen van haar ouders op een paar centimeter afstand weet.

Was dit het moment dat ze alleen naar buiten kon? Mevrouw Chandler keek weer door het raam, net op tijd om de straatlantaarns te zien aanfloepen zodat de schaduwen op de sneeuw vielen. Een paar huizen in de straat hadden feestverlichting aan, sissend en flikkerend door de gebrekkige stroomvoorziening. Ze probeerde zich haar dochter voor te stellen die alleen door dit weer liep, hoe lang de tocht in beslag zou nemen zonder sturende handen, welke gevaren er niet allemaal op de loer lagen. Ze streek de biljetten nog een keer glad en nam een besluit.

'Hier, schat, hier heb je twee dollar. Helemaal van jou, je kunt het uitgeven of bewaren. Wat je maar wilt.'

Iris stak haar hand uit en nam de biljetten aan, vouwde ze zorgvuldig op. 'Kan ik het besteden aan wat ik maar wil?'

'Jazeker. Of je kunt het opbergen en bewaren voor een andere keer.' Mevrouw Chandler keek haar glimlachend aan, hopend dat dat was wat Iris zou doen. Hopend dat ze er voor koos de biljetten in een blikje te stoppen en te wachten. Maar Iris had al een eeuwigheid gewacht in Hoboken, New Jersey. Ze liet zich van haar stoel glijden, kuste haar moeder, bedankte haar en liep naar de gang om haar jas en wanten aan te trekken, zich de hele tijd afvragend wat ze voor het geld zou gaan kopen en hoe het zou zijn om maar één paar voeten in de sneeuw te horen kraken.

Nog jaren later, elke keer dat ze dollarbiljetten in handen had, zou mevrouw Chandler zich herinneren hoe Iris de keuken uitliep, het geluid van haar voeten op het linoleum, haar rug naar haar moeder gekeerd. Iris liep weg en sommigen zouden zeggen dat ze nooit meer omkeek.

1997

Montana – februari

M –

Ik ben al een paar dagen aan het rijden – een merkwaardige route die je nooit zou nemen als je iets te doen had, ergens moest zijn. Ik ben gelukkiger nu ik op pad ben. Malibu begon me op het laatst echt op m'n zenuwen te werken. Het is een on-plaats, er gebeurt niets, behalve praten over geld. Dus ik ben naar L,A. gelift en heb een auto gekocht.

Montana is een maffe plek. Shit – soms denk ik wel eens dat het hele *land* maf is. Ik schrijf dit in mijn motelkamer ergens in Nergenshuizen. Kan me de naam van de plaats niet eens herinneren. Als je hier een bar binnengaat, stopt iedereen met praten en keert je de rug toe. Maar dat komt me geloof ik wel goed uit. Dus toen heb ik een fles bourbon gekocht en ben teruggegaan.

Het wordt makkelijker om te schrijven, ik doe het nu zo vaak. Ik hoop dat je dat niet erg vindt. Ik heb niemand anders om mee te praten. Het probleem is dat ik daardoor veel begin na te denken. Vanwege de stilte. Ik wil eigenlijk niet dat het terugkomt. Ik wil niet dat het terugkomt. Helemaal niets. Ik dacht laatst op een avond toen ik in bed lag ineens aan Gödels theorema. Ik had een paar lijntjes gesnoven en het leek opeens glashelder. Weet je wel, alsof ik dacht dat ik Gödel *was*. Dat zal de coke wel zijn. Ik hoop tenminste dat het de coke is, want anders komt het echt terug.

Liefs,
C

Bronwen heeft niet veel bagage om in de taxi te stoppen die haar naar het busstation brengt, een kleine koffer en een grote portefeuille is alles wat ze nodig heeft. Terwijl ze in de bus stapt, vechten angst en opwinding om voorrang in haar omvangrijke binnenste en ze moet ervan boeren. Ze bloost en laat het hoofd hangen. Ze perst zich door het gangpad, telt de stoelen, en ziet wanneer ze bij haar zitplaats komt, een vrouw, zo groot, dat Bronwen bij haar in het niet valt. Haar medepassagier loopt over tot op Bronwens stoel, lijkt uit haar kleren te barsten, één massa golvend vlees. Bronwen knippert met haar ogen.

'Neem me niet kwalijk. Is dit nummer eenenvijftig?' Bronwen wijst naar het kleine stukje blauw-met-grijze bekleding dat nog over is.

De vrouw draait haar hoofd op haar opgeblazen nek en bekijkt Bronwen van top tot teen, als een rechter, jury en slachtoffer in één. 'Zeker weten.'

En wanneer Bronwen haar stem hoort weet ze waarom deze vrouw het zover met zichzelf heeft laten komen. Want haar stem is als ochtenddauw, als rokerige whisky, als de honing van bijen die zich tegoed hebben gedaan aan granaatappel, sterrenvrucht en nectarines. Haar stem voert de luisteraar in het Greyhound-busstation naar waar hij maar wil. Bronwen staart haar aan, gebiologeerd, en probeert iets te bedenken dat ze kan zeggen, wat dan ook, een of andere vraag, zodat deze vrouw moet antwoorden.

'Mijn kaartje – daar staat op dat dit mijn stoel is.'

Bronwen wordt opgeschrikt door het gekakel dat van de stoel direct achter haar opklinkt. Ze draait zich zo snel om als maar mogelijk is in de beperkte ruimte van de bus en ziet drie vrouwen van lichte zeden, zoals haar moeder zou hebben gezegd, slap van het lachen over de bank rollen.

De Stemvrouw zucht en zegt: 'Geen schijn van kans, liefje, met geen mogelijkheid passen jij en ik samen in deze stoelen. Als jij hier komt zitten hebben we straks allebei een zere kont.'

Dit is niet wat Bronwen wil horen, maar zo lang deze vrouw praat, is Bronwen gelukkig.

'Pardon, meneer?' Stemvrouw buigt zich voorover en tikt op de schouder van de man voor haar. 'Meneer? Neem me niet kwalijk.'

De man draait zich om, hij heeft een pezig voorkomen en een cynische uitdrukking op zijn gezicht. 'Ja?'

'Meneer, we zitten met een probleem.'

'Ja?' Zijn hoofd draait soepel op zijn kippennek zodat hij tussen de stoelen door kan gluren. 'Wat is het probleem?' Een wezelachtige tong komt tevoorschijn en likt zijn lippen.

'Tja, hoe moet ik dat nu eens netjes formuleren?' De Stemvrouw verschuift een beetje in haar stoel en de vering kreunt uit protest. 'Deze jongedame hier heeft de stoel naast mij en we zijn geen van tweeën ballerina's, zal ik maar zeggen, hmm?' De passagiers zwijgen; heel Florida lijkt er het zwijgen toe te doen terwijl de Stem als fluweel door de bus klinkt. 'Het lijkt me een goed idee, u zou ons zelfs een dienst bewijzen, wanneer u met haar zou willen ruilen. U en ik vullen samen misschien net twee stoelen.'

De man beweegt zich als in een droom, langzaam, behoedzaam, als een Siamese kat die zijn weg zoekt over een muur met kantelen. 'Het zou me een waar genoegen zijn, mevrouw,' zegt hij en glipt in de stoel.

Bronwen is gelukkiger dan ze zich kan herinneren ooit te zijn geweest terwijl ze naar het noorden hobbelt in de richting van New York. Ze kan de Stemvrouw achter haar horen, ze hoort het doorrookte lachen van de hoeren (uit Reno, zoals ze ontdekt) terwijl ze hun lijntjes en van afkeuring snuiven; ze ziet de vleesgeworden Amerikaanse Droom terwijl ze door Orlando, Jacksonville, Savannah, Fayetteville, Richmond, Washington, Baltimore, Philadelphia rijden: de hoorn des overvloeds van revisionistische heerlijkheden, als dat haar al iets had gezegd.

Montana – februari

M –

Ik heb het wel gehad met deze plek. Het lijkt verdomme wel of iedere gek uit de VS er door wordt aangetrokken – niemand ziet je, niemand praat, niemand kijkt je aan. Ik weet niet wat ze denken. Misschien dat we buitenaardse wezens zijn. Misschien dat we van de FBI, CIA, KGB, IRA of de belastingdienst zijn – wie weet? En het is zo verdomde koud. Luister, als je hier een tijdje doorbrengt kom je er wel achter dat de heuvels niet bevolkt worden door de Waltons. In plaats daarvan zit je hier met een zooitje bebaarde mislukkelingen die in de weer zijn met zakken kunstmest en dieselolie, die met wat nog over is van hun hersenen waanideeën koesteren over een grootscheepse samenzwering van de federale overheid. Ik weet wel dat ik ook niet altijd het gevoel heb dat de overheid doet wat ze kan, en daarom doe ik wat ik doe. Maar deze gasten zijn woest kijkende gekken die het armageddon voorbereiden en denken dat ze een van de ruiters van de Apocalyps zijn. Ik zweer je, als je dicht genoeg bij ze staat kun je het hoefgetrappel horen.

Maar het is hier *wel* mooi – eindeloze vlakten en een hemel zo blauw en zo uitgestrekt als in een droom. Maar de afwezigheid van bewolking betekent dat de nachten koud zijn, de wind die van de noordpool komt blaast elke gedachte aan hier blijven weg. Je rijdt maar en je rijdt maar en alles wat je ziet is een steenwoestenij met hier en daar de overblijfselen van een boerderij. Misschien ben je hier ooit geweest. Ik weet het niet. Als dat het geval is kun je het wel voor de geest halen – het is allemaal zo verdomd zielig, dat ik er niet goed van word. Al die arme drommels die hier naartoe gekomen zijn en dachten dat het allemaal wel goed zou komen. Het is zo ongeveer het meeste trieste schouwspel dat je je kunt voorstellen, een huis dat iemand midden in de rimboe heeft gebouwd en dat langzaam wegrot. En je weet dat de mensen die er hebben gewoond maar bleven wachten en wachten op iets – zon, regen, hoop, liefde. Maar altijd bleven wachten op iets dat nooit komt.

Zoals ik al zei: ik denk dat ze hier allemaal stapelkrankjorum zijn. Het is geen toevluchtsoord, het is een gesticht.

En toch, en toch... Gisteren reed ik rond en ik hoorde op de radio iets over een gevangene in Harrison Penitentiary, Florida, die is vermoord terwijl hij vastzat. Addis Barbar – ik vraag me af of je die naam weleens hebt gehoord? Hij was net begonnen aan zijn straf. Vijfmaal levenslang. Blijkbaar heeft iemand de lokale radio gebeld en een beloning van duizend dollar op Barbers hoofd gezet. Dus, logisch, bediende een andere gevangene hem op zijn wenken, een vent die Ray MacDonald heet. Addis Barbar zat vast omdat hij een vrouw had vermoord en vervolgens haar dochtertje – ze was nog maar zes – drie dagen lang seksueel had misbruikt voor hij haar ook vermoordde. Dus misschien wil je er één nemen op de gezondheid van Ray MacDonald, misschien vind je zelfs dat hij een medaille verdient, of vervroegd moet worden vrijgelaten, of in ieder geval die duizend dollar moet krijgen.

Maar – en dit is een grote maar – zo simpel ligt dat niet. Ik volg Ray MacDonalds levensloop nu al een tijdje. Hij weet het niet, maar ik hou hem in de gaten. Hij is echt een aardige vent – blank, vijfenveertig jaar, een echt familiemens. Ray MacDonald werd uiteindelijk naar Harrison gestuurd (met een strafblad wegens twee verkrachtingen en aanranding met geweld waarvoor hij tot zeven jaar werd veroordeeld) omdat hij zijn *eigen* dochter herhaaldelijk heeft verkracht en vervolgens heeft vermoord. Je leest het goed – zijn eigen dochter.

Dus wat moet je dan? Nou, het eerste dat ik deed was proberen uit te vinden hoe MacDonald in de buurt van Addis Barbar heeft kunnen komen – in Harrison Pen zitten de gevangenen drieëntwintigeneenhalfuur in eenzame opsluiting – en ik weet het nog steeds niet. Dus ik reed over de een of andere naamloze weg en schakelde van het ene naar het andere radiostation om tot rust te komen. En wat denk je dat er toen gebeurde? Ik hoorde dat een projectontwikkelaar een supermarkt wil bouwen in Auschwitz.

Gisteren reed ik langs een bevroren modderpoel bij de Missouri en toen kwam ineens het getal 0,6180339 bij me op. Maar ik ben wat uit vorm en ik kan me de betekenis niet herinneren. Maar dat komt wel. Ik weet zeker dat het komt.

Liefs,

C

Inspecteur Flanagan perst zich achter zijn bureau, terwijl zijn buik de papieren die er liggen meeneemt en in een niet zo fraaie boog op de grond veegt. 'Shit.' Hij probeert te bukken, grabbelt naar de stapel vol informatie, maar hij is te groot, te stevig gebouwd om zich in zo'n benepen ruimte goed te kunnen bewegen. 'Shit.' Hij schuifelt opzij, probeert zijn bureaustoel weg te rijden, maar die zit vast achter het haakje van het raam. 'Shit.'

Inspecteur Flanagan zit vast, geklemd tussen een kopieerapparaat en het uitzicht op het centrum van Miami, wat dat ook mag inhouden. Het liefst van al zou hij brullend overeind komen, het bureau omgooien om zich te bevrijden, maar hij houdt zich in. Hij kijkt neer op de politiefoto van Addis Barbar, die boven op de stapel papieren op de grond ligt, en zucht. Hij kijkt naar de telefoon en overweegt om hulp te bellen; maar hij kiest ervoor de telefoon ongemoeid te laten. Zijn enige gezelschap is Addis Barbar. De inspecteur kijkt in de ogen vol waanzin die hem vanaf de vloer aanstaren en stelt ze zich voor op een tafel in het lijkenhuis, dood, in het pikdonker, niet langer nodig. Geen enkel doel dienend. Alleen maar in de oogkassen liggende, blinde, doffe knikkers. Hij kijkt weg, ongemakkelijk gemaakt door de starende blik. Hij vraagt zich af wat hij precies verondersteld wordt te doen aan Addis Barbar. Deze zaak gaat godbetert om een onderzoek naar de moord op een kindermoordenaar, een pedofiel en gewelddadige psychopaat, door een gewelddadige psychopatische meervoudige verkrachter, die zijn eigen dochter heeft misbruikt en vermoord. Flanagan weet dat hij het onderzoek zorgvuldig moet uitvoeren, de beschuldigingen moet onderzoeken dat de radiopresentator geweld heeft uitgelokt, stapels rapporten in drievoud schrijven. En waarvoor? Het enige dat hij op dit moment wil doen is het bureau omgooien, naar Harrison Penitentiary rijden en Ray MacDonald overhoopschieten. Een kogel door z'n kop jagen. Dan kan hij z'n pistool opbergen, naar huis rijden en gaan slapen met het idee dat hij goed werk heeft verricht. Want hij weet wat er gaat gebeuren: hij zal worden opgeroepen om te getuigen in het proces dat de familie van Addis Barbar zal aanspannen tegen de staat omdat ze hem onvoldoende hebben beschermd; of in het proces dat ze misschien aanspannen tegen Ray MacDonald wegens moord. Hij zucht diep – niet vanwege al het papierwerk dat op hem afkomt, maar omdat hij wou dat hij zelf Addis Barbar had doodgeschoten. Toen hij daar de kans voor had, toen hem een reden werd geboden – verzet bij aanhouding. In plaats daarvan had hij Addis Barbar in de boeien geslagen, naar het bureau gebracht en de hele weg de onder de invloed van drugs geuite scheldkannonades aangehoord.

De inspecteur kijkt hoe het verkeer onder hem met horten en stoten vooruitgaat. Afgezien van de fysieke beklemming knaagt er nog iets aan zijn samengeperste ingewanden, want in een tehuis honderdvijftig kilometer verderop ligt de gebroken Iris te kwijlen en te ijlen over haar zoon. En de enige die naar haar luistert is de dronken, sexy directrice. Inspecteur Flanagan houdt het voor mogelijk dat ergens diep in Iris, ergens diep verborgen in dat verwoeste lichaam, de sleutel ligt. Een woord, een boodschap, een sleutel. Iris weet niet dat ze die bezit, maar zal hem op een dag ophoesten, roestig en ongebruikt, en hij, Flanagan, zal er niet zijn om hem op te vangen. Iris kan – misschien – het raadsel van Mister Candid ontrafelen, die nu blijkbaar al jaren op het verkeerde pad is. De inspecteur weet dit en kan niets uitrichten.

Hij is hulpeloos. Hij zit vast tussen een kopieerapparaat en het uitzicht op Miami.

Inspecteur Flanagan weet ook – zonder enige twijfel – dat Mister Candid rechtstreeks naar Harrison Penitentiary zou rijden, op een een of andere manier naar binnen zou glippen en Ray MacDonald overhoop zou schieten.

De directrice zit aan het bed van Iris en pept zichzelf op met nog maar een slok uit haar zilveren heupflacon met monogram – een cadeautje van haar moeder, die het zou besterven als ze zag hoe ver heen dochter is. Want de directrice drinkt tegenwoordig op haar werk, thuis, 's nachts, overdag, in de auto. Ze heeft zelfs uit de fles staan lurken toen ze onder de douche stond en het water om haar heen spetterde. De gedachte aan die heerlijke beer van een inspecteur Flanagan heeft de directrice het laatste zetje gegeven. Pas toen hij naar Miami was vertrokken had de directrice beseft hoezeer ze had gehoopt dat de inspecteur haar tegen de ronding van zijn trotse buik zou trekken en haar stevig vast zou houden. En nu was hij weg.

'Wat is hij in Miami aan het doen dat hij hier niet kan?' Ze verrast zichzelf iedere keer weer als ze hardop praat, verwacht dat niet. Ze neemt nog een slok en staart glazig naar de palmbomen die buiten staan dood te gaan. De tuinlieden zijn allemaal weg – hebben al twee maanden geen geld gehad. De bedden raken leeg. Terwijl de hopeloze gevallen sterven, kan zij niemand vinden die wanhopig genoeg is om ze te vervangen: het tehuis zelf sterft onder haar handen. Ze troost zichzelf met ijskoud vuurwater terwijl de doktoren, verpleegsters, conciërges klagen en vertrekken.

Ze hijst zich overeind en begint te ijsberen. Wanneer is dit begonnen? Wanneer heeft dit verval ingezet? Ze blijft staan voor de spiegel op het dressoir en kijkt naar haar verlopen gezicht. In de spiegel ziet ze hoe Iris oppervlakkig, piepend ademhaalt terwijl ook zij ligt te wachten tot ze sterft, op de dood wacht en droomt van Charlie Kane.

'Kreng,' mompelt de directrice. Ze draait zich om naar de vrouw in het bed. 'Dit is met jou begonnen en bij jou zal het eindigen ook. Jij hebt iets losgemaakt met die foto. Die hoort hier te staan – ik had hem aan hem moeten kunnen laten zien, dan was hij wel gebleven.' Terwijl ze haar eigen woorden hoort trekt de directrice een gezicht bij de herinnering aan Bronwen. Ze schudt de gedachte van zich af en neemt een flinke slok wodka. Redding: dat is het enige waar de directrice naar op zoek is. En ze weet dat die komt als, en alleen dan, ze inspecteur Flanagan iets te bieden heeft. Dan komt hij misschien terug en kan hij haar redden.

Ze gaat weer bij het bed zitten en kijkt met afschuw naar het stompje dat op de lakens ligt. 'Jij en ik gaan eens met elkaar praten, Iris. Je gaat me dingen vertellen die je nog nooit aan iemand hebt verteld.'

IRIS

Iris deed de deur achter zich dicht, sloot haar moeder op in het huis met haar angst als haar enige gezelschap. Iris stak haar kleine hand in haar zak en voelde aan de dollarbiljetten. Dit, dacht ze, deze stukjes papieren kunnen me bezorgen wat ik wil hebben. Ze haalde de biljetten uit haar zak en hield ze onder het gele licht van de lantaarns, bekeek hun afmetingen en hun structuur. Ik kan deze inruilen voor iets beters, iets anders. Ze vouwde ze zorgvuldig op en stopte ze terug in haar zak.

Ze keek de straat in en zag de feestverlichting, het trottoir met de sneeuwtroep aan de rand, de bomen die diep doorbogen onder hun sneeuwlast. Ik moet dit al honderden keren hebben gezien, maar nooit zo, nooit in m'n eentje. Ze glimlachte haar vreemde, scheve glimlach, op een vreemde manier alwetend, en stapte het trottoir op. Een nieuwe gedachte kwam bij haar op en ze bleef weer staan. Ik kan deze biljetten besteden aan wat ik maar wil. Ik kan er uren over doen om iets uit te zoeken. Ik kan *kiezen*. Ik kan iets kiezen dat slecht voor me is en geen mens houdt me tegen. Is dat nou vrijheid? Is dat wat vrijheid betekent? Is dat wat de slaven zo graag wilden?

Iris begon weer te lopen, haar voeten klotsten in de halfgesmolten sneeuw op het trottoir. Ze probeerde haar nieuwverworven definitie van vrijheid te vergelijken met dat wat mevrouw Gerrink haar had geleerd over Lincoln en de slaven, probeerde zich voor te stellen hoe het was om slaaf op een plantage te zijn, of een slaaf waar dan ook. Zou een dollarbiljet toen voor hen verschil hebben gemaakt? Iris fronste haar voorhoofd en zag hoe de grijze modder haar laarzen vuil maakte. Mischien was kiezen niet het belangrijkste. Ze zuchtte en keek op van haar kleine voeten.

En wat zag ze?

Wat zag Iris op die wolkeloze avond terwijl de feestverlichting de sneeuw kleurde? Wat zag ze op dat plein in het licht van de grote kerstboom, terwijl ze zich afvroeg wat keuzes maken betekende voor iemands leven?

Ze zag een man, zo onguur, zo beheerst, zo zeker van het feit dat hij er prima uitzag terwijl hij daar stond te stralen in het licht, dat ze stokstijf stilstond en hem aangaapte. Hij had een glas in zijn ene hand, zijn astrakan jas hing losjes over zijn brede schouders en zijn andere hand lag op zijn slanke heup. De stof van zijn pak viel zo, zo, zo messcherp en toch soepel, schuin gesneden. Zijn inktzwarte haar was zwierig achterovergekamd en hij kneep zijn blauwe ogen tot spleetjes terwijl hij een bulderende lach liet horen, zijn glas leegdronk en het in een berg sneeuw liet vallen waar het bleef liggen, onbeschadigd. Een elegante, in leer gestoken voet rustte op de bumper van – van wat? De meest begerenswaardige, de meest luxueuze, meest sexy auto die ze ooit had gezien.

Iris liet de veiligheid van haar moeders armen achter zich en rende rechtstreeks in die van Luke Kane.

1997

Bronwen is niet helemaal zeker van New York, daar is ze nog niet uit. Ze loopt door de straten van de bevroren stad en vraagt zich af wat ze van dat lopen moet vinden, van deze stad, van die stapel verkreukelde dollarbiljetten die ze in de safe van het hotel op West 32nd Street heeft achtergelaten. Ze heeft zich nog nooit zo alleen gevoeld, maar ook nog nooit zo tevreden. De hele tijd sinds de hobbelige, vet-schuddende rit in de Greyhound-bus uit Miami leeft ze al op de toppen van haar zenuwen. De Stemvrouw praatte en praatte terwijl de bus naar het noorden reed, weg van de zon en naar de winter, en had Bronwen gerustgesteld met haar honingachtige klanken, had haar zelfs gecomplimenteerd met haar eigen zangerige tongval. En toch, toen ze bij het busstation waren aangekomen, was de Stemvrouw in rook opgegaan; zelfs een vrouw zo omvangrijk, zo overweldigend, zo lijfelijk aanwezig als de Stemvrouw, werd opgeslokt door de stad.

Bronwen vond een oase van rust, een herinnering uit het verleden, in een hotel dat uitsluitend bestemd was voor vrouwen. De ernstige en stoffige atmosfeer was onmiddellijk vertrouwd uit de tijd dat ze in de verpleegstersflat verbleef. Ze betrok een eenpersoonskamer, betaalde twee weken huur (en was overdonderd door het bedrag dat ze voor dit voorrecht moest overhandigen aan de heks achter de balie) en pakte haar kleine koffer uit. Toen ging ze op het doorgezakte bed zitten en telde het geld dat nog over was van het spaarpotje dat ze uit de la van de hoofdzuster had gepikt: $3646. 'Een leuk bedrag,' zei ze tegen zichzelf, terwijl ze het geld in een envelop deed en die dichtplakte.

Bronwen kwam van een klein eiland vol bevroren meren, een paar bergen en kale akkers vol stenen. Ze spraken daar een andere taal, een taal die gebukt ging onder de afwezigheid van klinkers, gesproken door mensen die gekweld werden door de afwezigheid van geld. Het was mogelijk, als je dat zou willen, om in twee dagen van de ene kant van het eiland naar de andere te lopen, zonder iemand tegen te komen. Het was een eiland dat hulpeloos, doelloos, ronddobberde in de Straat van Menai, zo onbeduidend dat het kasteel dat ter bescherming moest dienen nooit was afgebouwd. Ynys Môn – een halfvergeten gedachte. Bronwen had er inderdaad weinig aan gedacht in de maanden sinds ze er was vertrokken. Florida, New York, zelfs Amerika zelf, waren zo vreemd dat de Bronwen die ze was geweest voor ze Ynys Môn had verlaten, niet langer bestond. Ze was nu een andere Bronwen, een Bronwen die naar de delicatessenzaken en koffiehuizen in de buurt van West 34th Street ging, die elke dag door Macy's slenterde, die met de eindeloze roltrappen ging, die naar de rolschaatsers in Rockefeller Plaza keek, die keiharde pretzels verslond; nou – de oude Bronwen kon haar niets meer schelen, werd niet betreurd. Want de oude Bronwen zou nooit het geld uit de la van de hoofdzuster hebben gestolen, zou zijn gebleven en in het tehuis hebben gesloofd om de kost te verdienen. Maar *deze* Bronwen, de Bronwen die op een dag per ongeluk een bioscoop achter Times Square was binnengelopen, die nu iedere dag in duistere zaaltjes zat met een emmer popcorn op schoot en gulzig zat te knagen terwijl ze naar pornofilms keek, gaf geen moer om de hoofdzuster of het tehuis. Deze Bronwen – sterke, onverzettelijke vrouw – gaf al helemaal niks om het schoongewassen meisje dat van Ynys Môn was weggetrokken om haar geluk, haar man, haar plaats in deze wereld te zoeken. Waarom zou ze, ze had het allemaal gevonden – ze had het geld in de kluis, ze bewaarde de foto van Charlie 'Chum' Kane op haar hart en ze had haar stoel in de pornobioscoop op West 41st – en kwam het daar niet allemaal op neer?

Op een botverkleumend koude middag, terwijl de lucht

geel en grijs ziet van wolken en sneeuw, waggelt Bronwen de bioscoop binnen, groet de man aan het loket en zeilt het warme binnenste van de zaal binnen. Ze nestelt zich in de stoel die ze als de hare is gaan beschouwen, scheurt de verpakking van een van de vele repen die ze in haar zak heeft gepropt en kijkt verwachtingsvol naar het scherm, klaar om vermaakt te worden. Enkele ogenblikken later verschijnt een penis, gezwollen en geaderd, in een oogverblindende close-up en een fraai gemanicuurde hand glijdt langs de stijve schacht op en neer terwijl Bronwen het laatste stukje chocola ongekauwd doorslikt en in haar stoel heen en weer schuift. Ze kijkt ingespannen naar het scherm terwijl geoliede roze huid op en neer gaat, gevangen in ruw, krullend haar. Bronwen heeft deze film al eens gezien, en ze weet nog dat ze er geweldig van heeft genoten. Waarom kan ze zich dan niet concentreren? Ze merkt dat haar gedachten afdwalen van de soppende geluiden, de zwoegende, zwetende heupen.

Bronwen maakt zich zorgen om geld, haar puddingbroodjesgezicht heeft rimpels van de zorgen. Elke dag neemt ze wat van de biljetten in de envelop en de stapel wordt kleiner. Wat moet ze doen? Wat *kan* ze doen? Ze kan de verpleging in. Bronwen kijkt afwezig naar weer een enorme borst die verschijnt en probeert zichzelf weer als verpleegster voor te stellen. Het meisje van Ynys Môn kon zorgen en voeden, verplegen en troosten. Maar hoe zit dat met deze vrouw hier in de bioscoop? Kan die dat? Bronwen wordt plotseling misselijk van het gekreun en het ritmische wrijven over het vlees in de stoel achter haar. Ze draait zich om om er iets van te zeggen, maar ziet een man die zo opgaat in zijn eigen lust, zo diep geraakt door wat hij ziet, dat zijn ogen stijf dichtgeknepen zijn terwijl zijn adem met horten en stoten tussen zijn opeengeklemde kaken klinkt. Bronwen vindt het onbeleefd om zo'n intens persoonlijk moment te onderbreken, maar ze is zo geïrriteerd geraakt door het geluid dat ze zich uit de stoel

hijst, daarbij een regen van snoepwikkels op de grond gooit, en vertrekt.

Zelfs in de korte tijd dat ze binnen is geweest, is het al donkerder geworden en Bronwen staat in de kale foyer, onzeker wat nu te doen. Rommel wervelt op straat, lichten flikkeren, auto's spetteren zure sneeuwmodder op het trottoir.

'Vond je de film niet leuk?'

Bronwen schrikt op, kijkt achterdochtig om zich heen.

'Je blijft meestal tot het hele programma is afgelopen.'

Bronwen weet niet zeker waar de stem vandaan komt, en of de vraag inderdaad voor haar is bedoeld. Het is al te lang geleden dat ze een gesprek heeft gevoerd.

'Hé – hier.'

Bronwen draait zich om en kijkt naar het loket en de kaartverkoper lacht naar haar, tikt tegen zijn pet. 'Hoe gaat het?'

'Goed, dank u.'

Hij laat zich van zijn stoel glijden en komt uit het hokje tevoorschijn, loopt naar Bronwen, wrijft in zijn handen en blaast warme lucht uit zijn doorrookte longen. 'Het is nu niet erg druk. Het wordt rond deze tijd altijd een beetje stiller.'

'Ja, dat had ik wel gedacht.' Bronwen fronst haar voorhoofd.

'Sigaret?' De man houdt een verkreukeld pakje Winston op.

'Nee, dank u.'

'Dus je vond er niet veel aan vandaag? Ik bedoel, je bent eerder weggegaan, voor het was afgelopen.'

'Nee, nee, de film was prima.' Bronwen fronst weer haar voorhoofd. 'Ik heb gewoon het een en ander aan mijn hoofd.'

'Dat ken ik.' Sam de Scharrelaar glimlacht, en zijn lippen ontbloten witte, puntige tanden. Hij steekt zijn hand uit. 'Sam is de naam.'

Bronwen kijkt naar de roerloze uitgestoken klauw die flikkert in het felle neonlicht in de foyer. Langzaam steekt ze haar bleke, mollige hand uit en schudt de klauw. 'Bronwen. Bronwen Jones.'

'Aangenaam kennis te maken, Bronwen. Je bent een van onze beste klanten. Heb je zin in koffie? Of misschien een glaasje van het een of ander? Ik heb het allemaal prima voor elkaar daar in dat hokje. Weet je – ik heb zo'n gaskacheltje en koffie, bourbon, wat je maar wilt. Het is echt knus daar.'

Bronwen kijkt weer naar de straat. Terwijl de avond over de stad valt en de nachtmensen uit hun schuilplaatsen lokt, werpt angst wellustige blikken om de hoek. 'Ja, dank u, waarom niet. Ik heb wel zin in koffie.'

Het is inderdaad knus in Sams hokje, intiem zelfs. Bronwen zit op een versleten, roodleren fauteuil. Dicht bij de gloeiende kachel. De combinatie van geuren van sigaretten, gasdampen, zuurgeworden melk en bittere koffie doet haar denken aan het personeelsverblijf in het Swansea General Hospital, waar de verpleegsters tegen de muur leunden om hun voeten rust te gunnen, terwijl zij zich een paar minuten onttrokken aan de doden en stervenden. De muren van de verpleegsterskamer waren bedekt met vergeelde, gescheurde posters van het urinekanaal en het binnenoor. Bronwen kijkt rond in Sams hokje terwijl hij bourbon inschenkt en het valt haar op dat de muurversieringen hier niet zóveel afwijken. Ze kijkt ongeïnteresseerd naar een foto van de vagina van een anonieme vrouw. De lens moet zo dichtbij zijn geweest dat de tere huid er koud van werd, zo opdringerig dat alle gevoel uit de vrouw is verdwenen. Het effect, is Bronwens conclusie terwijl ze haar lippen tuit, is nogal klinisch.

Sam geeft haar koffie en een glaasje bourbon. 'Ik dacht wel dat je van gedachten zou veranderen wat betreft de bourbon.' Hij gebaart naar de posters. 'Storen die je?'

Bronwen haalt haar schouders op. 'Ik ben verpleegster.' Ze kijkt door de gevlekte ruit van het loket en ziet de man die in de bioscoop achter haar zat voorbijkomen. Hij hijst zich in zijn jas en houdt het handvat van zijn aktetas tussen zijn tanden. Hij kijkt chagrijnig.

Sam gaat op de draaistoel bij het kaartjesapparaat zitten en leunt op de balie. 'Nou – waar kom je vandaan?'

'Dat zegt je waarschijnlijk niks – van een eiland ten noorden van Wales. Anglesey, of Ynys Môn zoals het eigenlijk heet.'

Er verschijnen denkrimpels in Sams voorhoofd. 'Ynys Môn?' Hij schudt zijn hoofd. 'Is dat in de buurt van Londen?'

'Meer in de buurt dan hier.'

Bronwens gedachten nemen een onverwachte wending wanneer ze haar weerspiegeling in de ruit ziet. Ze ziet een dikke vrouw uit Wales met een gezicht als een puddingbroodje die bourbon zit te drinken met een pooier – want dat is Sam toch zeker? – in een hokje in een seksbioscoop, één blok achter Times Square in New York. Een golf van twijfel en afkeer overspoelt haar en is weer verdwenen: het laatste bolwerk van de Welsh Puritan Methodist is geslecht.

'Je hebt een leuk accent, heel mooi. Nog een?' Sam houdt de fles Jim Beam omhoog en Bronwen knikt. Ze zitten in stilte, voelen zich al bij elkaar op hun gemak, en kijken hoe het gedoe begint, het harde gesjacher op het trottoir waar iedereen een prooi vormt voor de nachtjagers. Folders dwarrelen in het rond, kleine plastic zakjes verwisselen van eigenaar, taxi's staan even stil en handen steken naar buiten en ruilen dollarbiljetten voor de een of andere droom. Een man op de hoek van de straat gilt zonder te stoppen om adem te halen, een veelkleurige zelfgebreide das wappert om zijn nek. Vrouwen verschijnen, hun gezichten woedend van haat en make-up, hun benen tot aan het kruis gehuld in netkousen. Bronwen kijkt toe terwijl Sam rookt en kaartjes overhandigt voor de voorstelling binnen in de bedompte, warme zaal. Hier voelt ze zich veilig, zo veilig heeft ze zich nog niet gevoeld sinds ze uit de bus is gestapt.

'Hoe ben je hier beland? In New York?' Sam neemt een slok uit de bruingeworden kop met bourbon en morst een druppel op zijn smetteloze overhemd. Hij dept zorgvuldig en kijkt bedenkelijk naar de vlek.

'Ik vond een baan in een tehuis in Florida. Een goede baan, weet je. In de verpleging, voor oude mensen zorgen.' Bronwen vult haar mond met bourbon, laat het daar even rusten, een gesmolten bal, tot het begint te prikken en dan, pas dan, slikt ze het door. 'Eigenlijk was het een verdomd waardeloze baan.' Bronwen heeft nog nooit hardop verdomd gezegd; ze heeft het misschien wel eens gedacht, maar nooit hardop gezegd. Ze komt tot de conclusie dat ze het leuk vindt. 'Het was verdomd waardeloos. Pispotten leeggooien, doorligwonden schoonmaken, teennagels knippen, hun uitgezakte achterwerken afvegen.' Bronwen kijkt weer naar buiten, ziet hoe de hoeren heen en weer lopen op hun stukje trottoir, draaien met hun strakke in leer gestoken kontjes, terwijl de rook van hun sigaret uit hun mond en die van woede uit hun oren komt. 'En elke dag die gezichten.' Bronwen denkt voor het eerst sinds ze weg is uit het Emerald Rest Home weer aan Iris, denkt aan het lege, invallende gezicht van Iris. Herinnert zich de passiviteit van Iris' leven, de leegheid vanbinnen; herinnert zich wat zij, Bronwen, van haar heeft gepikt.

'Wanneer ben je er weggegaan?' Sam ziet hoe Bronwen in haar herinnering graaft en maakt een snelle berekening.

'O, ongeveer twee weken geleden.'

'Je hebt nu geen baan?' Hij pulkt stiekem aan een sliert pastrami tussen twee oogverblindend witte tanden terwijl hij verdergaat met zijn berekening.

'Nee, nee, dat heb ik niet.' Bronwen neemt een flinke slok terwijl Sam zich omdraait naar het met gaas afgeschermde spreekgat en twee kaartjes overhandigt.

'Je bent hier zeker om je vriend op te zoeken of zoiets?'

'Nee, eigenlijk niet.' Bronwen doet het knotje in haar driedubbele nek goed. 'Hij is er op het moment niet. Het duurt wel even voor hij weer terug is.'

'Hoe lang?'

'O, ik weet het niet precies. Ik bedoel, hij heeft geen vastomlijnde plannen.'

Daar kun je donder op zeggen, schatje, denkt Sam de Scharrelaar, wiens muzikale smaak naar country-and-western neigt.

Bronwen kijkt naar hem door de trillende hitte van de gaskachel, door de slierten sigarettenrook, en meent medelijden in zijn ogen te zien. Ze wendt zich af, zoekt in haar blouse en haalt een polaroidfoto tevoorschijn. 'Dit is hem. Dit is Chum. Chum Kane.'

Sam neemt de foto van haar aan en bestudeert die een tijdje in het flikkerende licht van de tientallen lampen die de ingang van de bioscoop verlichten. Hij kijkt naar de bumper van de auto, naar de verbleekte kleuren, de snit van de spijkerbroek en ziet wat de foto inhoudt. Dit is geen retro. Dit is de foto van een knappe man die misschien twintig jaar eerder is genomen. Hij houdt hem tussen zijn wijs- en middelvinger en geeft hem terug aan Bronwen. 'Een knappe vent. Hoe zei je dat hij heet?'

'Charlie Kane. Maar iedereen noemt hem Chum. Chum Kane.' Bronwen vindt het geweldig om zijn naam hardop te zeggen. 'Chum Kane,' zegt ze nog een keer, geheel overbodig.

Sam kijkt Bronwen aan en knikt. Hij friemelt in het pakje verkreukelde Winstons en haalt er een sigaret uit. Wat hij hier voor zich ziet is een vrouw die compleet anders is dan alle vrouwen die hij ooit heeft ontmoet. Dit is een vrouw die iedere dag naar de rotzooi komt kijken die hij in een van zijn vele bioscopen vertoont, die geen spier vertrekt bij het zien van meer dan levensgrote kutten, die ongeïnteresseerd naar de hoeren kijkt. En toch durft hij er een stapel geld op te zetten dat ze 's nachts haar deur op het veiligheidsslot doet om zich te beschermen tegen alle gevaren, dat ze met een teddybeer naast zich op het kussen slaapt. Met zijn geoefende blik ziet Sam dat Bronwen een leegte heeft, waar bij de meeste mensen het gevoel voor wellust, voor fatsoen, huist. Hij vindt haar ook op een vreemde manier aantrekkelijk, niet seksueel of zo – hij houdt gewoon van donkerharige, grote vrouwen; ze doen hem aan Belinda denken. Hij knikt nog eens terwijl zijn berekeningen tot een slotsom leiden. 'Je zei net dat je een boel aan je hoofd hebt?'

'Wat?'

'Weet je nog, toen je de zaal uitkwam zei je dat je de film niet leuk vond omdat je zat te piekeren. Dat je dingen aan je hoofd had?'

Bronwen zucht terwijl ze zich de almaar leger wordende envelop herinnert. 'Ja, dat is zo.'

'Heeft het met geld te maken? Ik bedoel, weet je wel, nu je wacht op je vriendje en niet werkt als verpleegster, heb je misschien te maken met wat financiële problemen.'

'Nou, ik zou het niet direct *problemen* noemen.'

Sam de Scharrelaar leunt voorover en druppelt nog wat bourbon in haar kopje. 'Ik heb een voorstel, Bronwen Jones.'

Seattle – maart

M –

Het begint een beetje beter te gaan. Ik voel me echt in de gloria. Eerlijk gezegd – ik voel me écht, punt. Ik zal je vertellen waarom. Ik zat gisteren in een McDonald's en ineens wist ik het – wat 0,6180339 te betekenen heeft. Of liever gezegd, waar het aan refereert. Ik zat daar op een van die vastgebakken stoelen een vastgebakken Egg Muffin te eten en naar mijn servet te staren en daar stonden ze. De gouden bogen. Het was alsof er een handvol dobbelstenen over tafel rolde. Ze bleven maar rollen en het waren allemaal zessen. X= (-1+5) /2=0,6180339. Of, als je dat liever hebt, punt C op een lijnstuk AB als AC/AB=CB/AC. Om kort te gaan, de Gulden Snede: een meetkundige verhouding waarbij een lijnstuk zo wordt verdeeld dat de lengte van het langste deel zich verhoudt tot de lengte van het totale lijnstuk als de lengte van het kortste stuk tot de lengte van het langste deel. Ik vond dat ik het even duidelijk moest stellen. Neem het me alsjeblieft niet kwalijk. Ik kan me voorstellen dat je dit verscheurt en ondertussen schreeuwt Wie Kan Dat Een Reet Schelen?

Mij. Mij kan het wat schelen. Het waren de verhoudingen uit de Gulden Snede die Pythagoras in staat stelden de onvergelijkbare lijnen te ontdekken. Het meetkundige equivalent van irrationele getallen, nu je er toch over begint. Zoals je misschien al vermoedt, heb ik een paar glazen bourbon gedronken sinds ik terug ben van McDonald's. Ik lig languit op bed in een smerige kamer op de hoek van Virginia en 2nd en overal om me heen liggen vellen en vellen vol berekeningen. Het is vreemd, net als vroeger. De Gulden Snede. De Goddelijke Verhouding. De onvergelijkbare lijn. Het onuitsprekelijke gevoel. De redeloze dronkaard.

Ik heb net geprobeerd te lezen wat ik gisteravond heb geschreven en ik kan het nauwelijks ontcijferen. Mijn verontschuldigingen voor mijn handschrift, maar de getallen hebben me opgewonden. Ik denk dat het nooit is weggeweest, die drang om af te maken waar zovelen aan zijn begonnen. Om in staat te zijn op de een of andere manier alles uit te drukken. Want dat kan. Alleen denk ik nu niet dat het niet te maken heeft met hoe iets wordt uitgedrukt. Het heeft te maken met hoe je je probeert het voor te stellen. Probeert iets anders te zijn. Snap je wat ik bedoel? Twee Russische wetenschappers zitten ergens in New Jersey in een achterafkamertje met een gigantische computer en proberen de exacte waarde van pi te bepalen. Ze zijn hier naartoe gekomen en in plaats van een paar meiden op te scharrelen of het strand van de Maagdeneilanden op te zoeken of zich tegoed te doen aan fruit en wijn, hebben ze zichzelf opgesloten in New Jersey. *Dat* noem ik nog eens toewijding. Ik noem dit alleen maar omdat het aangeeft waar ik naartoe wil: sommige dingen die je niet kunt zien en je niet kunt voorstellen zijn belangrijker dan wat je ook maar kunt uitdrukken.

Liefs,

C

De directrice zit op haar hurken, met haar rug tegen de muur in Iris' kamer. Haar handen hangen slap tussen haar knieën, hun greep om de hals van de wodkafles los. Het uiterlijk van de directrice heeft de laatste paar weken ernstig geleden. Ze is nog steeds slank, maar het is een slankheid die wordt veroorzaakt door te veel drank, een spichtig lichaam dat lijkt te zijn gevuld met druppels drank, een tanige zak botten. Haar huid is gevlekt, haar wangen bezaaid met streepjes rood waar de adertjes zijn bezweken onder de hete druk van de ijskoude Absolut. Haar kleren zijn gekreukt, vies. Er zitten ladders in haar panty, haar blouse steekt slordig uit de band van haar met as besmeurde rok. Er ligt een waas over haar ogen, alsof de wodka eruit lekt, opwelt uit haar overvolle binnenste. De directrice kijkt langzaam op van de stoffige, met etensresten bezaaide vloer, kijkt op naar het lichaam van Iris op het bed. Iris leeft nog steeds: de directrice kan de lichte beweging onder de grijs wordende dekens zien.

Het Emerald Rest Home is verder leeg. Achter de beslotenheid van deze kamer zijn alleen maar lege gangen en lege bedden. De operatiekamer ligt geluidloos onder een laag stof; de wasserij, de kantine, de kantoren, allemaal leeg. Machines ratelen en zoemen, de airconditioning drupt, de post valt op de mat, maar de telefoons blijven stil. Het mausoleum dat het tehuis nu is, wordt langzaam opgeslokt door het weelderige, opdringerige moeras.

De directrice is nog niet zover heen dat ze denkt dat ze altijd met rust gelaten zal worden. Ze weet dat dit voorbijgaat, dat andere mensen de plaats zullen komen innemen van diegenen die zijn weggegaan: politiemensen, inspecteurs, advocaten zullen met zijn allen het overblijfsel van het tehuis binnenstebuiten keren, op zoek naar restanten, op zoek naar bloed, op zoek naar schuld. Het kan nu niet lang meer duren. Het kan toch zeker niet lang meer duren?

De directrice gorgelt wodka en gaat staan, onvast ter been. Binnenkort zal ze in de keuken op zoek moeten naar eten. Er is niet veel meer – een paar pizza's, een paar blikken vlees. Een diepgevroren kalkoen. Ze weet dat dit voedsel nauwelijks geschikt is voor de vrouw op het bed, maar wat moet ze dan? Ze is geen dokter. Ze dient zo goed als ze kan medicijnen toe, maar daar zijn er ook niet veel meer van. Ze laat zich in de stoel bij de deur vallen, gaat in de houding zitten die ze altijd aanneemt wanneer ze Iris ondervraagt, schijnbaar ontspannen en kwaadaardig. Soms vergeet ze wat de vraag was, of als ze zich de vraag wel herinnert, weet ze niet meer waarom die zo belangrijk was.

'Iris?' De directrice stoot het armstompje op de vuile deken aan. 'Iris – wakker worden.'

Iris kreunt, gevangen in het web van geestelijke desoriëntatie. Dat ze zich daarvan bewust is, is voor haar het wreedst van alles, de diepste wond. Iedere dag maakt die dronken lor haar wakker en stelt haar vragen. Als Iris had kunnen antwoorden, zou ze het doen. Want het enige dat ze wil is rust, rust waarin ze, als ze dan toch niet sterft, in ieder geval ongestoord kan denken aan Charlie Kane, hoe hij de wereld kwam binnengegleden. Ze probeert een woord te vormen, maar ze produceert niet meer dan een vreemd geluid.

'Irisj. Irisj, vertel het me.'

Wat moet ik vertellen? kreunt het onaangetaste deel van Iris' hersenen.

'Irisj, waar is Chum Kane?'

Ik weet het niet! schreeuwt Iris, en wordt niet gehoord. Als ik het wist, zou ik het zeggen. God sta me bij.

'Irisj. Irisj, tut tut. Als jij me wat vertelt maak ik de heerlijkste maaltijd voor je klaar die je ooit hebt geproefd.' De directrice leunt achterover in haar stoel en doet haar ogen dicht.

Plotseling vliegt Iris' hoofd omhoog van het kussen, de pezen in haar magere nek tot het uiterste gespannen. 'Luke Kane!' brult ze. 'Luke Kane – vuile klootzak!'

De directrice opent van schrik haar handen en de fles valt

op de vloer, stuitert waardoor de wodka eruit spuit, komt dan weer op de vloer terecht en er vormt zich een plas wodka onder het bed. *Luke* Kane?

IRIS

Iris bewonderde het beeldhouwwerk van vlees en bloed voor zich, bont en stof, groter dan het plein, groter dan Hoboken, groter dan de wereld zoals ze die heeft gekend. De dollarbiljetten in haar zak zijn vergeten, haar gedachten aan keuzes en vrijheid vervlogen toen Luke Kane naar haar glimlachte. Hij stak een sigaret op en Iris keek aandachtig toe terwijl het vlammetje zijn gezicht verlichtte en symmetrie, perfectie onthulde. Hij liet de lucifer vallen die siste in de sneeuw, toen draaide hij zich om en wenkte Iris, de hele tijd glimlachend. Iris slikte en wist niet wat ze moest doen. Binnen in haar kleine lichaam woedde een strijd toen de verhalen hun lelijke kop opstaken die haar moeder vertelde over wolven in de nacht, van het onbekende, onuitsprekelijke lot dat meisjes was beschoren die door vreemden werden meegelokt. Maar deze man, met zijn glimlach en zijn auto, was toch zeker geen vreemde van dat soort?

Iris stak het plein over naar het feestelijke midden en ging naast Luke Kane staan, keek naar hem op, haar gezicht strak en ernstig. Luke Kane ging op zijn hurken zitten, zonder acht te slaan op de modder die de zoom van zijn prachtige jas doordrenkte. 'Vrolijk kerstfeest, kleine meid.' De geur van eau de cologne en sigarettenrook omhulde Iris en ze deed haar ogen dicht en haalde diep adem, proefde de geuren met haar longen. 'Hoe heet je?'

'Iris.' Ze deed haar ogen open en keek in de zijne.

'Wat ben je aan het doen, Iris? Ben je in je eentje op pad?'

'Ja. Ik ben jarig en ik ga mijn cadeautje kopen.'

'Je bent jarig!' Luke Kane sprong op en maakte een pirouette, juichend, om vervolgens weer te hurken en de lange vingers van zijn hand op haar schouder te leggen. 'Nou, is me dat even wat? Maar ik denk dat het niet zo fijn is om zo vlak voor Kerstmis jarig te zijn. Helemaal niet, eigenlijk. Ik denk bijvoorbeeld dat je niet zoveel cadeautjes krijgt als wanneer je midden in de zomer jarig zou zijn.'

Iris voelde in haar zak en viste er de verkreukelde biljetten uit. Ze was zich er ineens op een vreemde manier van bewust hoe ontoereikend ze waren.

'Wat is dat?' vroeg hij.

'Daar mag ik m'n cadeau van kopen.'

Luke Kane ging op zijn hurken zitten en bekeek het vakkundige verstelwerk aan haar jas, het geschaafde, doffe leer van haar laarzen, de rechtschapen blik van lang lijden in haar ogen. 'Ik denk dat een meisje dat jarig is, dat vandaag haar verjaardag viert, zo vlak voor kerst, nog een cadeau verdient.' Iris hoorde een wolf huilen en koos ervoor – *koos ervoor* – het te negeren. 'Ja – ik denk dat een cadeau hier wel op zijn plaats is. Hoe zou je het vinden een ritje in mijn auto te maken?' Luke Kane ging staan en gaf een klap op het portier, deed hem toen open en maakte een uitnodigend gebaar. 'Heb je al eens in een auto gezeten?'

Iris knikte.

'Heb je ooit wel eens in zó'n auto gezeten?'

Iris dacht aan de kuchende, hobbelende, roestige vehikels waar haar vader in reed, die haar vader – vetslaaf – repareerde. Ze schudde haar hoofd.

'Niet veel mensen hebben in zoiets gereden, Iris. Eerlijk gezegd zijn er gewoon niet veel mensen die ooit in zo'n auto hebben gereden.' Hij begroef zijn neus in het rode leer en snoof diep. 'Hij is zo nieuw, zo gloednieuw, dat je je vingers er bijna aan brandt.'

Iris keek bedenkelijk. 'Als hij zo heet is, waarom smelt de sneeuw dan niet?'

Luke Kane lachte. 'Goeie vraag. Goeie vraag, Iris. Hij is niet echt heet, weet je, het is gewoon een uitdrukking die we gebruiken om aan te geven dat iets zo nieuw is dat het bijna pijn doet. Kijk, ik zal het je laten zien.' Hij stak zijn hand uit, pakte Iris' minuscule hand in de zijne en trok haar zachtjes naar het geopende portier en legde de palm van haar hand op het metaal.

Haar kleine vingers gloeiden van de kou en ze vertrok haar gezicht terwijl ze haar hand snel terugtrok. Ze keek op naar zijn verbazende gezicht en lachte. 'Jeetje – dat is koud.'

'Nou, wat denk je? Is een ritje een mooi cadeau?'

Iris knikte verlegen en lachte weer toen Luke Kane de deur wijdopen deed en haar met een zwierige buiging naar binnen loodste. Iris gleed op het rode leer, streek haar verschoten jas glad en vouwde haar handen. Ze was zo klein dat de aanblik van haar op die grote stoel onwerkelijk aandeed, bijna verontrustend was. Hoe oud was ze?

'Hou oud ben je, liefje?'

Iris probeerde zichzelf groot te maken, trok aan de pianotoetsen van haar ruggengraat, probeerde de beenderen van haar geraamte groter te maken. 'Ik ben tien,' zei ze zachtjes, zich bewust van het feit dat haar gestalte daar niet aan voldeed.

'Tien?' Luke Kane floot. 'Jee, je bent dus eigenlijk al een oude vrouw.' Hij sloeg het portier dicht, trok zijn astrakan jas goed aan, liep om de auto naar de bestuurdersplaats en liet zich met een plof in de stoel vallen. Toen de Eldorado startte en brullend tot leven kwam, tuimelden twee jonge mannen joelend uit de drankwinkel, hun jassen wapperend achter zich aan. Ze draaiden rondjes in het sneeuwlandschap en grepen in de sneeuw en bekogelden elkaar met handenvol tegelijk. Terwijl zij op de auto kwamen af gerend, drukte Luke Kane op een knopje op het dashboard en het rode linnen dak vouwde zich in dikke rollen op. En toen het dak zich terugvouwde zag Iris de hemel boven zich verschijnen terwijl de lichtjes van de kerstboom spookachtige schaduwen op haar armen en benen wierpen.

'Een beetje kou vind je toch niet erg, hè, liefje?' vroeg Luke

Kane terwijl hij de auto in de versnelling zette.

Ze schudde haar hoofd en stopte haar handen diep in haar zakken. De auto schommelde toen de twee jonge mannen op de motorkap bonsden en de voorruit besloeg door hun adem terwijl ze aan elkaar trokken en duwden. Iris schrok en drukte haar stekelruggetje dieper in het leer. Luke Kane ging staan en brulde. 'Hé. Hé! Kijk een beetje uit voor de lak! Jezus!'

De twee jonge mannen staakten hun quasi-ruzie en keken hem vol ontzag aan, tot ze Iris' doodsbleke gezicht, als een geest afgetekend tegen het rode leer, in de gaten kregen. Ze lieten elkaar los en sloegen de sneeuw van hun jassen terwijl ze elkaar vriendschappelijke duwtjes gaven.

'Gaan we nog, of hoe zit dat?' vroeg de langste van de twee.

Luke Kane ging met een plof zitten en liet de motor brullen. 'Natuurlijk gaan we. Ik ga alleen met deze prinses hier een ritje maken. Ze is jarig.'

Iris dwong zichzelf naar hen te kijken, probeerde hun gezichten te zien achter de wolken warme alcoholadem die uit hun verkleumde, kersenrode monden ontsnapten. Ze dacht, dat verbeeldde ze zich toch zeker?, even, heel even maar, een zekere angst, misplaatst en onverwacht, te zien in het gezicht van de langere man. Hij gluurde even naar Luke Kane en keek toen weg, wendde zijn ogen af, naar het lege plein, keek weg om maar niet naar Luke Kanes prachtige gezicht te hoeven kijken. Hij mompelde een wolk mistige lucht.

'Wat? Ik kan je niet verstaan!' Luke Kane brulde, terwijl hij zijn hand achter zijn oor hield en met een saterse glimlach overeind kwam.

'Hoe oud is ze?'

Luke Kane glimlachte en stak een nieuwe sigaret op. 'Nou, ze is vandaag tien geworden. Vandaag. Dus, als jullie me niet kwalijk nemen, heren?' Hij gaf gas en de motor brulde in de stilte van het plein.

De lange man liep naar Iris' raampje en keek op haar neer. 'Geniet maar van je ritje. En denk eraan, we staan hier op je te wachten als je terugkomt. Dan kunnen we misschien nog een milkshake of zoiets gaan halen.'

De Eldorado reed slippend weg bij de slungelachtige mannen die zich hulden in bezorgdheid. De auto spoot door de blubber, glijdend, slippend, af en toe vervaarlijk overhellend. Misschien, dacht Iris, niet helemaal onder controle? Luke Kane rommelde in het handschoenenvak en haalde een fles whisky tevoorschijn, klemde die tussen zijn dijen en draaide de dop eraf. 'Ik zou je best een slok willen aanbieden, maar ik denk dat je daar toch te jong voor bent.' Iris balde haar handen tot vuisten zo groot als een mandarijn toen de auto de hoek om racete. 'Vertel eens,' zei Luke Kane gemoedelijk, 'woon je in deze buurt?'

'Ja.' Het was zo koud dat Iris voor het eerst in haar leven haar kaakbeen kon voelen.

'Wat een plek.'

Iris zag de straten voorbijflitsen, keek hoe de maan cirkels beschreef. Luke Kane dronk en stuurde, terwijl zij zich verbaasde over de kou in haar botten, over het feit dat ze niet kon praten en vragen waar ze naartoe gingen. De Eldorado reed een heuvel op en kwam tot stilstand.

'Alsjeblieft. Je verjaardagscadeau.'

Iris zag voor het eerst de stad – en wat voor een stad! Het wilde kralensnoer van Manhattan hing om de nek van New York, het neonlicht gebroken door vorst, door afstand, door verlangen. Iris vergat haar kaakbeen, vergat de pijn in haar vingers. Niets had haar hier op kunnen voorbereiden.

'Dat is New York City,' zei Luke Kane.

'Dat weet ik.' Iris schoof een beetje dichter naar het schouwspel en haar botten kraakten. 'Dat weet ik wel.'

'Heb je dit ooit zo gezien?'

'Nee. Nooit.'

'Het beste cadeau dat je ooit hebt gekregen?'

'Ja. Ja. Het beste cadeau.'

Een hand nestelde zich achter haar op de stoel, een hand zwaar van geld, belast met privileges, gevormd door afkomst; hij bewoog langzaam naar haar nek. Iris verwelkomde de warmte, negeerde de aanraking, te zeer in beslag genomen door het schitterende schouwspel voor zich.

Luke Kane was zachtaardig die avond. Hij dook niet over de lange rode bank op haar af. Hij verpletterde Iris' snelkloppende, steeds kouder worden hart niet onder het gewicht van zijn hand. Zijn vingers aaiden haar benen, zijn hand open en onbedekt. Hij keek naar Iris, die werd beschenen door de lichtjes in de verte, en nam een van haar poppenhandjes in de zijne. Luke Kane was zachtaardig die avond, maar was dat een excuus?

1997

De directrice kijkt geschokt hoe de plas wodka zich als een virus onder het bed van Iris verspreidt. Ze schrikt op, laat zich op haar knieën op de vloer vallen en grabbelt naar de fles, probeert te redden wat er nog over is. Ze hijst zich weer in de stoel en wendt zich naar Iris, van wie het gezicht doorgroefd is van... van wat? Ouderdom, verlangen, afkeer? De directrice weet het niet. 'Irisj, Iris – wie is Luke Kane? Je man? Is dat wie hij is? Je echtgenoot?'

Iris hoofd valt terug op het kussen nu de golf van woede wegebt. Ze weet nu dat ze *kan* spreken, het enige wat ze hoeft te doen is het voldoende te *willen*. Ze slist en mompelt, maar ze kan zichzelf verstaanbaar maken. 'Ja,' slist Iris. 'Ja, mijn echtgenoot.'

'Is hij de vader van Charlie? Was hij Chum Kanes pappa?

Iris staart een tijdje naar het plafond, staart ernaar met haar arme, vermoeide ogen, probeert erachter te komen wat deze vrouw nou eigenlijk wil. Probeert zich te herinneren waarom zij, Iris, nooit over die dingen heeft willen praten. Maar ze weet het niet meer. De stomp van haar arm beweegt op de sprei. Ze kan zich niet herinneren waarom het al die jaren zo belangrijk is geweest niets te zeggen, te liegen, te huichelen. Daar was een reden voor – die moet er zijn. Wat is er gebeurd? Wat is er *gebeurd*? Er is iets gebeurd in een grote kamer met een koude vloer. 'Ja, hij was Charlies pappa.'

De directrice komt dichterbij, komt op Iris af en brengt haar wodkadoordrenkte gezicht met de wodkadoordrenkte adem zo dicht bij Iris' oor dat ze het zou kunnen kussen. 'Waar is hij, Iris?'

'Wie?'

'Luke Kane. Je man. Waar is hij?'

Iris lacht kakelend en een ademtocht, zuur van ouderdom, dringt in de neus van de directrice. 'Luke Kane? Die's weg. Allang weg.'

De directrice beseft dat Iris weer wegglipt, uitglijdt op de olievlek van haar taal. Plotseling herinnert ze zich de foto van die prachtige creatie van het peperkoekhuis aan de waterkant. 'Iris, Iris, luister naar me. Weet je nog die foto die je me hebt laten zien? Die foto van dat huis, een geel met blauw huis, heel mooi, met torentjes en zo? Weet je dat nog?' De directrice merkt plotseling met een golf van afschuw dat ze het paarse, gerimpelde stompje van Iris arm vastheeft. Ze wordt even misselijk, maar herstelt zich. 'Weet je dat nog, Iris? Herinner je je het huis?'

'Jasjeker.' Iris weet nog zoveel vreemde dingen, onbelangrijke dingen. Het zijn de belangrijke gebeurtenissen die door de vingers van haar geheugen zijn geglipt.

'Waar staat het, Iris?' De directrice raakt hierdoor uitgeput, door overmatig drankgebruik, door zorgen. Ze laat het stompje los en legt haar dronken hoofd op Iris' warme, rommelende maag. 'Waar staat het huis, Iris? Waar? Staat? Het? Verdomde? Huis?'

'Hoesjo?' zegt Iris. 'Dat staat in East Hampton, Long Island.'

En dat is de laatste zinnige opmerking die Iris ooit nog maakt.

Portland, Oregon – maart

M –

Een paar maanden geleden, vlak voor ik uit New York City naar Malibu vertrok, zat ik in Central Park en deed mezelf een belofte. Eerlijk gezegd beloofde ik mezelf verschillende dingen. Ik beloofde mezelf dat ik zou ophouden met wat ik aan het doen was. Ik beloofde mezelf dat ik zou stoppen coke te gebruiken. Ik zwoer dat ik nooit meer een druppel bourbon zou aanraken.

En er was nog iets. Ik zat in het park en keek naar het Pan Am-gebouw, naar al die leuke moedertjes met hun skates en buggy's en walkmans die om me heen zwierden, naar de lucht om me heen en ik voelde me, ik weet het niet, triest? Ontroerd? Bedroefd? Ik weet het werkelijk niet. Het enige dat ik weet is dat ik, terwijl ik daar zat, voor het eerst sinds ik die avond in Plymouth bij je wegging, aan je dacht. Nou ja, niet dat ik voor het eerst aan je *dacht*, maar dat ik voor het eerst vond dat ik contact met je moest zoeken en daarom schrijf ik deze brieven.

En nu denk ik iedere dag aan je. Terwijl ik hier lig, denk ik aan de eerste keer dat we naaiden. Neukten? De liefde bedreven? Hoe moet ik het in hemelsnaam noemen? Weet jij het nog? Het was in dat hotel in Provincetown. Ik wilde het al zo lang met je doen, wilde al bij je zijn vanaf het moment dat ik je voor de eerste keer zag, als je de waarheid wilt weten. En daar lag ik dan op dat bed; ik had het gevoel dat het haar van m'n hoofd gleed, dat m'n handen kolenschoppen waren, ik het niet waard was, je niet waardig was. Jij lag naast me, je spijkerbroek lag op de grond, ik voelde je adem in m'n oor. Je zag er in het winterlicht nog mooier uit dan ik je ooit had gezien, zoals je daar lag in de schaduw van mijn lichaam. Je legde je hand op mijn mond, en hield me tegen. Stopte me. Zelfs in het licht waren je ogen nog donker. Weet je nog wat je tegen me zei? Ik lag daar met mijn ballen op knappen en een lul als een lantaarnpaal. En jij zei tegen me: 'Kan ik je vertrouwen?' en ik gaf geen antwoord en jij zei weer 'Kan ik je vertrouwen?' Toen kwam je met je stem in mijn hoofd en vroeg: 'Kan ik je vertrouwen?'. En ik zei: 'Ja.' En jij geloofde me. Ik schrijf je om je te vertellen dat ik het niet meende toen ik 'Ja' zei. Ik loog. Ik bedoel te zeggen dat ik door wat ik toen voelde, op dat moment, daar op het bed met jouw huid tegen de mijne, alles zou hebben gezegd. Alles. Maar als je me later had gevraagd, als je me dan had gevraagd 'Kan ik je vertrouwen?', dan had ik 'Ja' gezegd en het gemeend. Maar dat was nauwelijks genoeg geweest. Want wat ik toen voelde was niet in woorden uit te drukken. Ik kon de woorden niet vinden om je te vertellen wat ik voelde. Ik heb die woorden nooit gevonden. Ik ben bij je weggegaan zonder ook maar werkelijk iets te zeggen. Het spijt me zo.

Liefs,

C

Inspecteur Flanagan zit weer klem, maar deze keer zit zijn buik vastgeklemd achter een tafeltje in een koffiebar op het vliegveld Opa Locka, Miami. Op het bord boven zijn hoofd komen de namen van steden voorbij, de letters klappen heen en weer als een rij dominostenen. Flanagan zit met een hand om zijn koffiekop, die daardoor heel klein lijkt, terwijl de stad boven hem roezemoest en hem doet denken aan een troep vogels. Hij ziet dat de vlucht uit Minneapolis is geland en daarmee de ouders van Addis Barbar. Zoals hij al had voorspeld, is de dodelijke ontmoeting tussen de twee psychopaten uitgedraaid op aanklachten, tegen-aanklachten en geveinsde woede. Het lijkt alsof de ouders van Barbar uit zijn op bloed, net als – of misschien wel meer – hun zoon was geweest. Ze wilden Ray MacDonald in de stoel zien, wilden hem zien bakken, knetterend van elektriciteit. Echter niet voor ze de staat zoveel geld als maar mogelijk was afhandig hadden gemaakt om hen te compenseren voor het vroegtijdig verlies van hun geliefde zoon.

Flanagan zucht, voelt aan het zachte puntje van zijn neus. Van hem wordt verwacht, als vertegenwoordiger van het politiekorps van Florida dat hun zoon heeft gearresteerd, dat hij hen ontvangt, zijn deelneming betuigt voor de dood van de moorddadige klootzak van een kinderverkrachter die zij zo nodig moesten voortbrengen en ze vervolgens door de stad begeleidt naar de kantoren van de FPD. Hij zal ze dan in contact brengen met de directie van Harrison Penitentiary en *les parents* Barbar behulpzaam zijn bij het doorlopen van het labyrint van juridische procedures om de aanklachten te deponeren tegen Ray MacDonald, de politie van Florida, Harrison Penitentiary, Bill Clinton, de federale regering en godweet wie nog meer. Inspecteur Flanagan is niet blij met deze gang van zaken. Zijn pieper piept en hij grijpt naar zijn strak zittende riem. Hij komt erachter dat hem gevraagd wordt contact op te nemen met ene mevrouw Thackeray. Mevrouw Thackeray? 'Wie is mevrouw Thackeray nou weer?' mompelt hij. Hij zit met zijn koud geworden koffie en wou dat hij in een wereld leefde zoals die waarover zijn grootmoeder hem als kind had verteld. Een wereld van hurley, het Ierse balspel, en Guinness, van sjaals en met mos bedekte pleinen, van armzalige hutjes op de hei. Hij neemt zich, niet voor het eerst, voor om op een dag een bezoek te brengen aan Ierland.

Om de overpeinzingen van een andere inspecteur Flanagan van zich af te schudden, pakt hij een krant die een andere reiziger heeft laten liggen, de *LA Times* van twee dagen oud. En dit is wat hij leest:

DE DOOD VAN HET RECHT ZELF?

Gerechtigheid is niet iets dat op de beurs verhandeld wordt, het is geen voorwerp dat tussen twee doelen heen en weer moet worden getrapt, het is geen tastbaar goed. Toch is het een goed dat gekoesterd dient te worden door een ieder die de democratie een warm hart toedraagt, door een ieder die de wetten van Staat, Kerk en gerechtigheid respecteert.

Gerechtigheid bestaat in vele gedaanten, kan zelfs op het eerste gezicht niet als zodanig herkenbaar zijn. Het systeem zucht onder de last die het op zijn schouders krijgt en soms – niet vaak – gaat er iets mis. We kennen allemaal voorbeelden van vonnissen die niet waren wat velen (ex-beroepsvoetballers uitgezonderd) ervan hadden verwacht.

De middelen waarmee recht wordt gedaan, hebben altijd een probleem gevormd – is de doodstraf het antwoord? Is de elektrische stoel, de dodelijke injectie, het vuurpeloton de oplossing? Mag de staat een leven nemen als wraak omdat een ander leven vroegtijdig is beëindigd? Dit zijn zaken waarover steeds weer gediscussieerd moet worden en die steeds aan herijking dienen te worden onderworpen.

Maar er zijn ongetwijfeld maar weinig mensen die vinden dat het vonnis moet worden uitgevoerd door mensen die zelf schuldig zijn bevonden aan misdaden waar onschuldigen het slachtoffer van zijn geworden. Dat mogen we veilig aannemen.

Toch wijzen gebeurtenissen in Florida er op dat veel verstandig denkende mensen ervan overtuigd beginnen te raken dat alle zware misdadigers maar in gevangenissen moeten worden gestopt, waar ze verder zelf maar moeten uitzoeken wie mag blijven leven en wie niet. Dat ze hun eigen volksgericht maar moeten houden.

De feiten:

In Harrison Penitentiary had de negentwintigjarige Addis Barbar net twee maanden uitgezeten van een straf van vijfmaal levenslang wegens de moord op Maria Sanchez (24) en haar zesjarige dochter Christina. Barbar verkrachtte Maria voor hij haar de keel doorsneed. Vervolgens verkrachtte hij Christina drie dagen achter elkaar in een vervallen drugspand alvorens haar te doden en te verminken. Het is tenminste te hopen dat de verminking plaatsvond na haar dood.

Ray MacDonald zat eveneens opgesloten in Harrison. De vijfenveertigjarige meervoudige verkrachter en moordenaar vermoordde zijn eigen dochter. Zijn andere misdaden zijn te talrijk om op te noemen.

Op een avond in februari hoorde MacDonald een radioprogramma waarin de misdaden die Barbar had begaan werden opgesomd en met overbodige aandacht voor de details werden beschreven. Een luisteraar belde en loofde een beloning van $1000 uit voor de dood van Barbar. Ray MacDonald voldeed aan het verzoek.

De $1000 doen er hier niet toe. Wat onze aandacht verdient zijn de duizenden die het radiostation hebben gebeld, ingezonden stukken hebben geschreven, contact hebben gezocht met de gevangenis, hebben gedemonstreerd en de dood van Barbar hebben gevierd en de rol die Ray MacDonald heeft gespeeld, bijna, hebben toegejuicht.

De tijd van het Wilde Westen ligt ver achter ons, maar toch zijn we terug bij de premiejagers. Waar houdt dat op? Waar ligt de grens van wat nog acceptabel is bij acties van burgers? Mogen we – als 's werelds grootste democratie – de daden van een veroordeelde pedofiel, verkrachter en moordenaar goedkeuren, of zelfs toejuichen?

Het antwoord lijkt bevestigend.

Inspecteur Flanagan fronst zijn voorhoofd. Wat moet hij doen? Meelopen in het spoor van papierwerk dat de Barbars naar de rechtbank leidt? Of moet hij zijn gebruikelijke instinct, zijn *rechercheurs*instinct, gebruiken? Wat? Hij laat de krant zakken, gooit zijn koffie om. Terwijl hij achteruit krabbelt om de koffie te ontwijken en de tafel schoonveegt met de krant, valt zijn oog op een slechte tekening van het gezicht dat hij wil ontmoeten – daar, boven een artikel, staat de impressie die de politietekenaar heeft gemaakt van het gezicht van Mister Candid.

OVER MISTER CANDID

Zo – dus jullie maakten maar een grapje, hè? Jullie mááktem toch maar een grapje? Al die jaren, al die kolommen die jullie hebben volgeschreven, al die nachten dat jullie worstelden met de deadline – en waarvoor? Vanwege een of andere vaag idee over een twintigste-eeuwse Colonel Custer, Judge Dredd, Luke Skywalker die door Amerika trekt en de zaken rechtzet. Een man die de zaken in balans brengt, de cirkel rondmaakt, het verschil betekent. Ik heb het natuurlijk over Mister Candid – De Gesel van de Criminele Wereld (waarvoor Onderklasse gelezen dient te worden).

Wees nu even serieus. Dit is de vervulling van een nationale wens. Wanneer mensen iets zo lang en zo sterk wensen, kan het een nationaal verlangen worden.

Waar gaat het om?

We hebben te maken met een of ander idioot idee over een vent die Amerikanen tegen zichzelf beschermt. Als een drugsorganisatie wordt opgerold, is het Mister Candid die de politie op het spoor heeft gebracht. Als de leiders van de maffia in New York worden neergeknald is het Mister Candid die het nog rokende pistool in de hand heeft. Als de prijs van verdovende middelen de pan uit rijst, komt dat omdat Mister Candid alles heeft opgekocht en vernietigd. Wanneer een grote dealer aan zijn auto geboeid voor het politiebureau wordt afgeleverd, wanneer pedofielen thuis worden vermoord, verkrachters worden gecastreerd in hun eigen keuken, is het steeds Mister Candid die achter deze opluchting veroorzakende daden zit.

Er zijn mensen die menen hem te hebben gezien – een grijze schim, ongrijpbaar, het knaagdier in ons collectieve geweten. Volgens deze betrokken, maar misleide burgers is hij gezien in New York, Malibu, Montana, Seattle en zelfs in het trieste oude Portland, Oregon.

Ik bedoel, wees nu even serieus. Hoe kun je een ijdele hoop identificeren?

Ziet u hem niet voor u? Een doordringend kijkende, stoere Errol Flynn, de Custer van de jaren negentig. Als Mister Candid zijn zin had gekregen, zou Jacky O nog steeds onder ons zijn, Marilyn Monroe een jaar of zeventig en bevriend met Roseanne. Aids zou niet erger zijn dan een gewoon koutje, Jeffrey Dahmer zou de kans niet hebben gekregen te sterven; Thomas Jefferson III zou de kans niet hebben gekregen te leven...

En wat de rest van ons aangaat – wij zouden opgewekt door onze witsgeschilderde hekjes wandelen om een appeltaart naar dat oude vrouwtje verderop te brengen.

Amerika, word wakker! Die dingen worden nooit werkelijkheid. *Mister Candid bestaat niet.* Hij komt *niet* binnengeglipt door uw achterdeur, of door uw schoorsteen om alles in orde te brengen.

Ik zeg dit als een waarschuwing voor de babyboomers overal in Amerika – Mister Candid zal jullie niet redden. Blijf dat traangas kopen, blijf muren optrekken, blijf pillen slikken. En wat jullie ook doen, blijf achter die beschermende barricades, want jullie zijn aan het dromen, jullie wachten op Clark Kent gekleed à la Calvin Klein. Hij komt niet, want hij bestaat niet.

De inspecteur kijkt nog eens naar de vage houtskooltekening. *Kan* het Charlie 'Chum' Kane zijn, besmeurd met drukinkt en koffie? Als hij Iris' foto had kunnen zien, had hij het geweten. Als de directrice haar belofte had waargemaakt, zou hij het antwoord weten.

Na al die jaren die zijn verstreken sinds hij in het klaslokaal zat, dingen uit het hoofd moest leren, komt een gedicht bovendrijven, een stukje van een gedicht, halfvergeten, tot nu. Iets over dat er tijd is, tijd genoeg om jezelf voor te bereiden op doden en scheppen. Tijd genoeg ook voor een vraag die je krijgt voorgeschoteld en die een antwoord vereist. De halfvergeten woorden brengen hem tot een besluit. Hij frommelt de doorweekte krant tot een bal en gooit hem in een vuilnisbak. Dan draait de inspecteur zich om en loopt weg uit de koffiebar, weg uit de aankomsthal, weg van het vliegveld van Miami. Weg, in feite, van de Barbars, die op dat moment op hun bagage wachten terwijl ze dromen over het geld dat voor hen in het verschiet ligt.

Portland – maart

M –

Ik denk dat ik op mijn gevoel had moeten vertrouwen. Ik moet altijd op mijn gevoel vertrouwen. Weet je nog dat ik vertelde toen ik uit Malibu schreef dat ik dacht dat zij – iemand – mij op het spoor was, naar me zocht? Ik had geen bewijs, alleen maar een gevoel, als een openbarstende maagzweer, nekharen die overeind gaan staan. Nou, geloof me, ik ben te gemakzuchtig geworden. Ik sloeg laatst de krant open en daar stond het. De vraag en het antwoord. De *tekening*. Hij is goed gelukt. Gerechtigheid en Mister Candid. En de artikelen zijn godweetwaar verspreid. Shit.

Dus ik heb de auto ergens achtergelaten, nieuwe kleren gekocht en mezelf maar weer eens een ander uiterlijk gegeven. De kameleon duikt op of verdwijnt, het is maar hoe je het bekijkt. Het enige wat je hoeft te doen is je loop te veranderen, de manier waarop je staat, eet, ademhaalt, ontspannen zit, alles. Ontspan je gezicht, laat maar gaan, en zoek dan een nieuwe gelaatsuitdrukking. Haar is makkelijk, zelfs je lengte. Maar er komt meer bij kijken. Alles aan me schreeuwt nu mislukkeling, totale mislukkeling.

Het spijt me – ik ben nooit van plan geweest hier over te schrijven. Ik had nooit gedacht dat Mister Candid hierin zou opduiken, maar dat doet hij blijkbaar wel. Je vroeg me eens of je me kon vertrouwen. Wat ik toen niet heb gezegd, is dat ik altijd heb geweten dat ik jou kan vertrouwen, daarom schrijf ik je ook.

Toen ik las wat die knaap in de krant te zeggen had over Mister Candid die niet echt zou zijn, werd ik kwaaier dan een dolle stier. Ik weet dat het gek klinkt – ik ben per slot van rekening jaren bezig geweest een rookgordijn te leggen, ervoor te zorgen dat er boven alles twijfel bestond, maar wanneer ik lees dat het bestaan van Mister Candid wordt ontkend... Dat klopt niet. Ik weet dat hij bestaat, want ik heb hem gecreeërd. Hij *bestaat*. Ik ben Mister Candid, zoals je ongetwijfeld allang hebt geraden. Misschien zelfs al voor ik het wist – gezien je scherpzinnigheid zou dat best eens kunnen.

Ik heb je geschreven over de beloftes die ik mezelf heb gedaan toen in New York. Geen coke meer, geen bourbon, geen Mister Candid meer, maar wel brieven aan jou. Eén uit vier is geen goed resultaat. Maar ik heb nog één karwei af te werken. Nog één, dan kan ik Mister Candid opbergen bij al die andere kinderachtige dingen.

Het ziet ernaar uit dat ik terug moet naar L.A. om persoonlijk een ontmoeting te regelen en dan ga ik oostwaarts. Misschien kom ik wel naar jou toe. Ik weet het niet. Misschien woon je in Portland en zit je hier om de hoek op deze brief te wachten. Misschien ben je wel getrouwd en bezorgen je kinderen je een rottijd. Misschien ben je wel je eigen idee van volmaaktheid. Misschien ook niet. Misschien ben je ook eenzaam. Ik mis je.

Liefs,

C

Inspecteur Flanagan transpireert terwijl hij zijn koffer inpakt, overhemden verkreukelt, sokken in elkaar propt, schoenen buigt. Eén armzalige koffer is alles wat hij nodig heeft om de wereldse bezittingen in te doen die hij nodig heeft op zijn zoektocht. Dat, een boekje met adressen, een dikke portefeuille en een oneindig geduld. En terwijl de lamp boven de gevlekte spiegel knippert en hij zijn opgeblazen, vermoeide gezicht voor zich ziet flikkeren, weet hij plotseling weer wie mevrouw Thackeray is. Hij hobbelt naar de telefoon, werpt zich op het bed dat kreunt onder zijn gewicht en belt het bureau. 'Harris, ben jij dat?'

'Ja, dit is inspecteur Harris.'

'Met Flanagan.'

'Waar zit je verdomme?'

'Heeft de baas je dat niet verteld?'

'Nee – me wat verteld?'

'Ik had nog een paar weken vakantie tegoed en die neem ik nu op.'

'Wat? Heb je ineens een onbedwingbaar verlangen om in de zon te liggen, of zoiets? Ik bedoel, is dit niet een beetje plotseling?'

'Ja, ik denk van wel. Maar er zijn een paar zaken waar ik echt even de tijd voor moet nemen voor ik weer kan... voor ik weer wat dan ook kan, snap je.'

Harris kreunt en inspecteur Flanagan ziet hem voor zich, hoe hij zijn voeten op het bureau legt dat ze met z'n tweeën delen en langzaam, maar zorgvuldig, in zijn neus begint te peuteren. 'Waar gaat het om? Vrouwenproblemen?'

Flanagan trekt een gezicht. 'Nee, absoluut niet.'

'Oké, oké. Nou, wat kan ik voor je doen?'

'Ik heb een boodschap gekregen dat mevrouw Thackeray heeft gebeld en ik moet haar telefoonnummer hebben. Ik ben niet meer terug geweest en ik denk dat het op m'n bureau ligt.'

Harris kreunt opnieuw. 'Dat zei ik toch, vrouwenproblemen.'

'Pak dat verdomde nummer nou maar.' Inspecteur Flanagan hoort hoe Harris zijn voeten op de grond zet en in papieren rommelt.

'Hebbes. Zes een acht nul drie drie negen.'

'Bedankt, Harris'

'Hé, Flanagan – kan ze lekker pijpen?'

Met een zucht legt de inspecteur de hoorn op de haak en draait vervolgens opnieuw.

De toestand in het Emerald Rest Home is er niet beter op geworden. De grond wordt langzaam maar zeker moeras, nu de drainage verstopt is geraakt en de pompen het niet meer doen. Zorgvuldig gekweekte bloemen rotten aan hun steel; schimmel en verval doen hun sluipende werk, bedekken de muren van het tehuis terwijl het gras eromheen woekert. In de stille vijvers en stinkende plassen hangen muskieteneitjes, een slijmerige laag die wacht, met het geduld dat uit eeuwen wachten is geboren, op het moment dat ze kunnen uitkomen en wegvliegen. Slechts de palmbomen hebben het overleefd, doen het nu zelfs goed, gevoed door een mengeling van het slijk uit het mangrovebos en chemicaliën, en groeien spiraalvormig omhoog met bladeren waarin hier en daar rode vlekken zijn te zien.

De directrice heeft zich nu permanent in de kamer van Iris teruggetrokken; ze zit op haar hurken en bijt met gele tanden op haar nagels terwijl ze wacht tot Iris sterft, wacht tot inspecteur Flanagan belt. Ze wacht ook op de politie, want zelfs de door wodka aangetaste hersenen van de directrice, aangevreten door de honger door haar schedel dwalend, weten dat er een einde aan zal komen. Zoveel is zeker. Ze slaat haar bloeddoorlopen ogen op en kijkt met de blik van een gewond schaap de kamer door. Er is geen eten meer: de kalkoen is van zijn vlees ontdaan en de botjes zijn afgekloven. De wodka is op, alleen een spoor van lege flessen resteert en ze heeft geen sigaretten meer. De directrice durft het tehuis niet te verlaten, bang als ze is dat inspecteur Flanagan zal bellen, dus zit ze in de kamer met de stervende vrouw omdat ze, nu, niet alleen durft te blijven. De twee overleven op poederkoffie en gezinspakken Oreo's, opgezwollen kussens vol zwartigheid.

De telefoon die ze in de kamer heeft aangesloten begint plotseling schril te rinkelen, waardoor Iris begint te kreunen en te steunen. Het kleine stukje van haar brein dat nog een beetje werkt is doordrenkt van alcohol; de directrice weet niet wat ze moet doen. De telefoon gaat nog een keer over en ze neemt op.

'Hallo?' krast ze.

'Mevrouw Thackeray? Kan ik mevrouw Thackeray spreken, alstublieft?'

'Hallo?' krast ze nog een keer omdat ze niets anders kan bedenken.

'Bent u dat, mevrouw Thackeray? Met inspecteur Flanagan. Ik weet niet of u zich me nog herinnert – we hebben elkaar een tijdje geleden ontmoet, op het politiebal in Naples. Daarna ben ik nog een keer in het tehuis geweest. Weet u dat nog? Het schijnt dat u een boodschap voor me hebt achtergelaten. Klopt dat?'

De directrice knikt, schraapt haar keel. 'Ja, dat klopt.' Haar stem klinkt als gemalen glas, versplinterd hout, vervlogen dromen. Het is zo lang geleden dat ze iets heeft gezegd dat het lijkt alsof haar strottenhoofd vol zit met lijm. Ze krijgt een onbedwingbare hoestbui, slijm van duizenden sigaretten vult haar keel.

'Mevrouw Thackeray? Alles goed met u? Dat is een lelijk hoestje.'

De directrice haalt diep adem en weet eindelijk iets uit te brengen. 'Dank u dat u terugbelt, inspecteur.' Als de stem inderdaad de spreekbuis van de ziel is, dan kan de inspecteur er een aanwijzing in vinden dat het leven van de directrice steeds trager verloopt, dat haar leven langzaam uiteenvalt. Ze vervaagt tot grijs, lekt langzaam weg. 'Inspecteur, ik heb u gebeld om te zeggen dat ik erachter ben gekomen waar Iris woonde. Chum Kane heeft daar ongetwijfeld ook gewoond.' Bij het woord 'gewoond' breekt haar stem en ze barst weer in een hoestbui uit.

De inspecteur wacht, durft nauwelijks adem te halen: Iris heeft de roestige sleutel tevoorschijn gehaald. Terwijl het gehoest weerklinkt in de kamer van de stervende vrouw, weerklinkt door de telefoon, wacht de inspecteur.

De directrice haalt reutelend adem. 'Ik wilde het u zo graag vertellen. Weet u dat wel? Ik wou zo graag degene zijn die het u zou vertellen, en nu kan ik me niet meer herinneren waarom het zo belangrijk is. Ik denk dat ik... ik denk dat ik u wilde.'

Inspecteur Flanagan fronst zijn voorhoofd. 'Neem me niet kwalijk, wat zegt u?'

'Niks. Het is niks. East Hampton, daar staat het huis van de Kanes. Het staat in East Hampton, Long Island.'

'Dank u, dank u. O jee, dank u.' De inspecteur glimlacht en geeft een klap op de koffer op bed. 'Directrice – kan ik u in vertrouwen nemen?'

De directrice lacht, een geluid van een krijtje op een schoolbord. 'Waarom niet? Wat kan ik nou doen? Waarom niet?'

'Hoofdzuster...'

'Neem me niet kwalijk, directeur gezondheidszorg, als u het niet erg vindt.' Dit is haar laatste kans.

'Mijn verontschuldigingen, mevrouw Thackeray. Dat was me helemaal ontschoten. Ik vroeg me af of u dit gesprek als vertrouwelijk zou willen beschouwen. Het zou om verschillende redenen het beste zijn als u er met niemand over sprak.'

De directrice kijkt naar het zielige hoopje mens onder de dekens dat Iris Chandler is, haar hersenen zo geklutst als een half dozijn in melk geroerde eieren die boven een laag vuur worden gebakken. Ze glimlacht, haar lippen wijken uiteen. 'Ik zal het tegen niemand zeggen, inspecteur. U kunt op me rekenen.'

'Nou, mevrouw Thackeray, ik kan u niet zeggen hoezeer ik dat waardeer.'

'Graag gedaan.'

De inspecteur gaat verliggen op het bed en rolt zachtjes heen en weer. 'Misschien, als u het goed vindt, kan ik u bellen wanneer ik eens in de buurt ben?'

'U kunt het altijd proberen.'

'Dat zal ik doen. Pas goed op uzelf, mevrouw Thackeray. U moet wat aan die hoest laten doen – die klinkt niet best.'

De directrice legt voorzichtig de hoorn op de haak en staart naar de kast in de hoek. Ze strekt haar benen, de enkels over elkaar geslagen, ontspant zich voor het eerst in wat wel een paar weken lijkt. Door het raam kan ze de verwrongen palmbomen zien, scherp afgetekend in de middagzon. Ze kijkt er uren naar en piekert over haar voedselprobleem. Ze wil, nu, dat dit afgelopen is, wil dat de politie komt. Dat *iemand* komt.

De nacht valt alsof iemand het licht heeft uitgedaan en ze richt haar aandacht op de kast. Ze komt tot het besef dat ze al dagen in deze kamer zit en de kast nauwelijks echt heeft gezien, en er zeker niet *in* heeft gekeken. Ze wordt overvallen door een gevoel van haast, weet dat haar tijd ten einde loopt, dus sleept ze zich voort, emotioneel verlamd, over de stoffige vloer en verzamelt wolken grijs stof in de plooien van haar rok. Wanneer ze de deur opendoet komt een geur van – van wat eigenlijk? – in haar neus. De geur van het leven van een ouder wordende vrouw, de geur die de essentie vormt van jaren van, van wat? Een paar kledingstukken en schoenen, zielige stukjes papier die uit tijdschriften zijn geknipt, onontwarbare bundels koffiekleurige panty's, gebarsten plastic poederdoosjes met verweerde spiegeltjes en de poeder samengeklonterd tot kleine balletjes. Tastbare herinneringen aan een leven. Niet veel, denkt de directrice, als resultaat van een heel leven, zelfs niet voor een leven zoals Iris dat geleid lijkt te hebben. De directrice laat zich tegen de muur zakken en wacht, terwijl beelden in zwart-wit en kleur langs de wanden van Iris' aangetaste geest dansen. De geesten komen in beweging.

IRIS

Iris Chandler stond buiten het gammele hek dat de kale tuin rond haar ouderlijk huis omgaf en probeerde te glimlachen terwijl haar vader haar dicht tegen zich aantrok, zijn huid te dun om een kussentje te vormen op zijn hoekige heupen. Een camera klikte en op dat moment werd Iris voor altijd een stukje van haar ziel ontstolen. Op de foto had ze maar een vage glimlach, niet meer dan een vermoeden, een fluistering, maar haar lippen waren vol en krulden bijna. Toen ze de foto zag, moest ze opnieuw glimlachen, want zij was de enige die wist wat de oorzaak van het krullen van haar lippen was: Luke Kane. Ze droeg zijn geur overal met zich mee, droeg de aanraking van die poederzachte, stevige huid bij zich. Nam de herinneringen mee naar school, naar de winkel op de hoek, naar logeerpartijtjes; nam ze mee naar haar slaapkamer.

Iris Chandler had haar eerste tien jaar gewacht op het einde van de armoede, op het wegsmelten van de verveling, gewacht op verandering. Die verandering kwam precies op het einde van dat eerste decennium en Iris werd een ander mens. Ze had geleund tegen Luke Kane gezeten en gekeken naar de waterval van neon in Manhattan en alles was anders geworden.

Maar Iris werd niet langer; ze groeide nauwelijks, bleef een perfecte miniatuur. Haar huid was bleek, haar haar de rijke kaneelkleur van boze wolvenogen. Er waren er op de middelbare school een paar die haar pestten, haar een pygmee noemden, dwerg, ondermaats. Maar dat zeiden ze niet vaak, want iedereen was onder de indruk van haar houding, door de blik in die blauwe ogen, zo hard als glas, wanneer ze hen aankeek. Ze maakte de jongens verlegen; ze wilden haar aanraken, maar durfden niet met hun vingers aan dat fragiele lijfje te komen. In plaats daarvan hingen ze de clown uit, stoeiden om haar, deden gekke dingen, gedroegen zich belachelijk. Lachwekkende capriolen en gooi- en smijtwerk volgden haar op de voet terwijl zij langzaam maar zeker haar eindexamen naderde.

De meisjes met hun wespentailles en witte sokjes, dikke enkels en opgevulde beha's fluisterden onderling, gaven af op Iris omdat ze bang voor haar waren. Ze wisten het niet, maar waar ze bang voor waren was haar onafhankelijkheid. Want Iris had het niet nodig om die kleren te dragen, had de kauwgom en de sigaretten, de gepikte drank niet nodig. Ze had geen behoefte aan die ongeschreven regels waar haar klasgenoten zich zo fanatiek aan hielden, hoefde zich niet af te vragen of dit het moment was om het goed te vinden dat die van eau de toilette doordrenkte jongen op de achterbank van zijn van pappa geleende auto aan haar tepels kwam. Iris had dat allemaal niet nodig en door dat gebrek aan verlangen werd ze er zelf het onderwerp van.

Mevrouw Chandler stond verbaasd over haar dochters waardigheid, haar perfecte schoonheid. Terwijl mevrouw Chandler ouder werd naarmate de jaren in het achterkamertje verstreken en de naald van haar naaimachine almaar langzamer ging, haar handen haar in de steek lieten omdat de gewrichten ontstoken raakten, verbaasde ze zich. Vaak, wanneer ze bezig was met een gordijn, een doopjurk, zomerjurk, vroeg ze zich af waar Iris die houding vandaan had – hoe was ze daar in vredesnaam aan gekomen in dat vervallen huis met het gescheurde linoleum, versleten vloerkleden en ruiten die in de winter aan de binnenkant bevroren. Waar had ze die innerlijke rust vandaan? Toch zeker niet uit dat huis waar de twee ouders het leven hadden laten wegglippen, verlamd door hun eerlijkheid?

Mevrouw Chandler had gelijk: Iris *was* ergens anders met zichzelf in het reine gekomen. Jarenlang, tijdens haar puberteit, had ze ergens diep in de fluwelen omgeving van haar herinnering een geheim bewaard – of, liever gezegd, iets dat ze verzuimde te vertellen. Ze zei nooit iets tegen haar moeder over die avond van haar tiende verjaardag; ze vertelde het aan niemand. Ze was die avond in 1950 thuisgekomen, terwijl Amerika zich omdraaide, zuchtte en van zichzelf begon te houden, en had de tijd die ze met Luke Kane had doorgebracht ergens diep weggestopt. De reden dat ze dat kon doen was dat ze met zekerheid wist dat ze hem weer een keer zou tegenkomen.

De dagen en de seizoenen gingen voorbij, de zomers in een waas van zweet en wespen, de winters gewikkeld in vuil geworden sneeuw. Hoboken breidde zich als een amoebe uit, weg van Manhattan en Iris wachtte; auto's kregen vleugels en scherpe hoeken, tot afschuw van haar vader, muziek werd zoet en klonk overal, kleren plooiden en werden strakker, waardoor haar moeder in de war raakte. Amerika probeerde Zuidoost-Azië te zuiveren, zoals bleekwater een verstopte afvoer, aangevuurd door zijn nieuwverworven zelfaanbidding. Duizenden dagen, de een vrijwel hetzelfde als de volgende, regen zich aaneen, terwijl Iris het zaad van haar leven zaaide, en luisterde naar het gemompel van haar vader wanneer de radio de nooit eindigende reeks veranderingen in het leven uitbraakte.

Iris deed eindexamen en voegde zich bij haar moeder in de achterkamer zodat ze kon leren hoe je katoen moest naaien. Dit was een bijna kloosterachtige periode; ze at haar ontbijt samen met haar steeds zwijgzamer wordende moeder, kreeg een vluchtige kus van haar vader en stapte vervolgens de kamer binnen waar het stof rondzweefde. De trapnaaimachine bepaalde de uren voor en na de lunch, terwijl de naalden door schering en inslag vlogen, scherp en zilverkleurig. Iris' kleine handen waren vaardig en jong en langzaam maar zeker liet haar moeder het fijnere werk over aan haar dochter, die een schijntje betaald kreeg voor de uren dat ze met haar knieen over elkaar geslagen in het onnatuurlijke licht over de stof gebogen zat. Het kon Iris geen snars schelen dat ze alleen haar gedachten had en een paar dollar, want ze wist dat er een einde zou komen aan deze tijd.

Op een dag, toen ze achttien was, zat ze op de veranda, haar jurk doordrenkt van het zweet, haar haar tegen haar glimmende voorhoofd geplakt, en wuifde zichzelf koelte toe met een krant terwijl Hoboken lag te bakken en te stoven in de vreselijke hitte van de zomer. Haar moeder had een versleten wollen broek neergesmeten en was naar bed gegaan om te ontsnappen aan de bakoven die de achterkamer was geworden en had Iris de rest van de middag vrijaf gegeven. En terwijl de elektriciteitsdraden zoemden en de telefoonlijnen gonsden, hoorde ze het. Ze legde de krant op de stoffige planken van de houten verandavloer en streek haar haar goed, maakte het los uit haar plakkerige nek. Het was zo duidelijk als de schreeuw van een haas. Het klonk nog ver weg, straten ver, en ze deed haar ogen dicht en stelde zich voor hoe die afstand tot nul gereduceerd werd. Toen ze haar ogen weer opendeed, kwam de auto met een hoop lawaai de hoek om.

En daar zat hij, Luke Kane, aan het stuur van de open Cadillac Eldorado. Hij parkeerde in het krakende grint naast de weg, glimlachte en legde zijn uitgestrekte arm op de rugleuning van de voorbank. Iris en Luke Kane keken elkaar enkele ogenblikken aan, bekeken elkaar door de trillende lucht die opsteeg van het oververhitte asfalt en zwanger was van benzinedampen.

'Ik heb naar je lopen zoeken,' zei hij.

'Ik ben de hele tijd hier geweest,' zei Iris.

'Wat een plek.'

'Wat een plek,' beaamde ze.

Luke Kane leunde opzij en duwde tegen het portier aan de passagierskant, dat door zijn eigen gewicht openzwaaide. 'Klaar om te vertrekken?'

Iris keek omlaag langs de versleten treden naar de veranda

en in zijn mooie gezicht, mooier nog dan ze zich herinnerde, keek toen naar de donkere ramen van het enige thuis dat ze ooit had gekend, stelde zich voor hoe haar moeder zachtjes hijgend op het hobbelige bed lag. Iris dacht aan het kleine stapeltje verkreukelde, vette bankbiljetten dat ze in een blik onder haar bed had gestopt. Zevenentwintig dollar in totaal. Was dat een keuze?

'Ik ben zover.' Ze ging staan, streek haar katoenen zomerjurk glad en liep naar de auto. Ze ging met een ernstig gezicht zitten, knieën tegen elkaar en haar handen trillend op haar dijen, en de auto reed langzaam weg, haar met zich mee voerend. Hoboken vloog voorbij terwijl zij zich probeerde te herinneren wat de laatste woorden waren die ze met haar moeder had gewisseld. Ze was bang dat dat niet meer was geweest dan: 'Ik haal de uitjes straks wel.'

1997

Los Angeles – maart

M –

Het spijt me dat ik er al een paar dagen niet toe gekomen ben je te schrijven. Ik ben een tijdje onderweg geweest vanuit Portland en het enige waar ik aan kon denken terwijl de wielen over het wegdek zoemden, was hoe graag ik je hier bij me zou willen hebben. Ik weet het niet. Ik zeg dat nu wel, maar ik heb geen idee hoe je nu bent. Maar misschien toch wel. Bestaat er misschien toch zoiets als universele waarheden? Absolute waarheden? Als dat zo is, denk ik dat jij er daar één van bent. Als ik onderweg ben, probeer ik me altijd voor te stellen hoe het zou zijn als jij naast me zat. Ik ben dan altijd zielig bezig – weet je wel? – dan heb ik een heel gesprek met iemand die er niet is. Ik bedoel, niet dat ik dan hardop praat of zo, gewoon in mijn hoofd. Maar jij weet hoe het er in mijn hoofd aan toe gaat. Daar moet zo'n beetje elke nutteloze gedachte die maar bestaat in rondwaren – samen met elk belangwekkend idee. Ik bedoel, het ene moment probeer ik een gedegen analogie in de echte wereld te vinden voor een hypothetisch concept en het volgende moment probeer ik me jou voor te stellen terwijl je tegenover me aan een tafel in een restaurant zit. Dus ik denk dat ik wel kan zeggen dat jij een hypothetisch concept bent.

Maar op een bepaalde manier is dat waar het nu op neer komt: tafeltjes in een restaurant. Ik denk dat ik nu op een leeftijd ben gekomen waarop je je in een restaurant verheugt op – wat eigenlijk? Op mosselen misschien, of eendenborst, een gegrilde vis; het tafelkleed zo wit en met van die scherpe vouwen, de zee zo dichtbij – dat lijkt me allemaal prima. Ik heb zeventien jaar doorgebracht, o god, bijna achttien, met alleen maar pizza's eten in de auto, bami uit karton, Big Macs in motelkamers. Ik begin het beu te raken. Ik weet wel, ik heb het me altijd kunnen veroorloven om bij Morton, of Quatre Saisons, of waar dan ook te eten, maar daar had ik nooit tijd voor. Of, liever gezegd, als ik al de tijd had, dan had ik er gewoon geen zin in. Er waren altijd zoveel andere dingen die gedaan moesten worden. Zoals ik al zei, dit verlangen naar restaurants en schone lakens, een huis van mezelf, de tijd om te eten wat ik wil, tijd misschien ook om met anderen door te brengen – dat verlangen wordt steeds sterker.

Er is werk aan de winkel, hier in Venice Beach. Ik heb eindelijk het telefoontje gekregen waarop ik zat te wachten en ze hadden de naam en het telefoonnummer voor me – Mister Candid kan over de logistieke munitie beschikken. Ik weet niet hoeveel ik je kan vertellen, maar ik denk dat ik je al zoveel verteld heb dat terughoudendheid niet langer op zijn plaats is. Ik weet niet of je er iets van zult begrijpen, maar ik wil het je toch vertellen, dan begrijp je misschien een klein beetje van wat ik allemaal heb gedaan sinds de laatste keer dat ik je zag. En, wat nog belangrijker is, waarom ik dat heb gedaan. Vandaag heb ik bijvoorbeeld een afspraak met een of andere knaap van de bende uit 21st Street. Ken je ze? Wie niet? De laatste keer dat ik hier was, een paar jaar geleden, kwam ik hem buiten bij een bar tegen. Hij moet toen een jaar of twaalf zijn geweest. Zo mager als een lat en zo cool dat-ie bijna bevroor. En zo ongelukkig dat hij bijna ontplofte. Om een lang verhaal kort te maken, we deden wat zaken – sigaretten – met elkaar en hij is lid van de bende en ze vertrouwen hem en nu is hij mijn contact voor als ik wil weten wat er ergens allemaal gaande is, meestal hier in het westen op straat. Ik bedoel, hij is maar een boodschappenjongen – meestal te stoned om een verstandig woord mee te wisselen – maar hij is een *goeie* boodschappenjongen. Hij heeft een hoop informatie, en ongetwijfeld een heleboel bacillen. Maar hij kan aan allerlei informatie komen, ook over de mensen in de gevangenis.

En dat niet alleen, ook over openbaar aanklagers, corrupte rechters en advocaten, interne zaken, van die dingen. Niemand weet iets van die boodschappenjongens – ze kunnen je alles bezorgen, alles verkopen, alles voor je vinden, je alles vertellen wat je wilt weten, je met wie je maar wilt in contact brengen. Ze zouden jou zelfs kunnen vinden. En ze maken me soms heel erg bang. Veel mensen denken dat de bendes hier – en overal eigenlijk, als het eropaan komt – niet meer zijn dan een troep moordzuchtige jongeren onder de dope, en tot op zekere hoogte zijn ze dat ook. Maar wat mensen zich niet realiseren is dat deze bendes zo verweven zijn met zoveel misdadige praktijken, dat ze in feite onze eerste verdediging vormen. Die gasten lopen over straat boordevol informatie, drugs en schieten mensen overhoop. Maar dat is niet hun keuze – ik bedoel, zij nemen niet de beslissingen. Dat doen anderen. Maar als ze worden gepakt, gaan ze voor schut – ze kunnen worden gemist. De boodschappenjongens zijn de laagste levensvorm in deze wereld – ze kunnen niets vertellen.

Deze knul, degene met wie ik een afspraak heb, is nu zestien en ik kan wel janken. Hij heeft tatoeages, de hoofddoek, het loopje, de brede schouders, en verder geen donder. Ik wil hem morgen iets geven, want dat is de laatste keer dat ik hem zie. Maar wat *kan* ik hem geven? Liefde? Hoop? Hij zou niet weten wat hij daarmee aan moest. Dus ik heb een universiteit gebeld en gevraagd hoeveel het collegegeld bedraagt en dan geef ik hem genoeg voor drie jaar. Een kans om weg te rennen. Ik moet ervoor zorgen dat ik hem gebruikte biljetten geef waarvan de herkomst niet kan worden achterhaald en hij zal me zien wegwandelen en hij zal naar de stapel geld kijken. En dan? Ik weet het niet. Ik wou dat ik het jou kon vragen.

Mijn excuses voor de lengte van dit epistel. Ik heb al vier dagen geen druppel drank aangeraakt – ik zorg er altijd voor nuchter te blijven wanneer iets ophanden is. Probleem is wel

dat ik dan de neiging heb te gaan wauwelen.
Liefs,
C

De Upper East Side is, zo concludeert inspecteur Flanagan, een beetje te bescheiden naar zijn smaak, een beetje te sierlijk, een beetje te *rijk* naar zijn smaak. Ingetogen zou ook het juiste woord zijn. Terwijl hij weer een portier voorbijloopt die onzichtbare stofjes van zijn livrei plukt, trekt Flanagan zijn hoofd tussen zijn schouders en voelt zich een indringer in al die rijkdom. Hij heeft het koud, voelt zijn voeten bijna niet meer door al dat geslof door de vieze sneeuw in weer een winter in New York die te lang duurt. Hij komt bij een groot bakstenen huis met uitbundig beeldhouwwerk waarvan de ingang overdekt wordt door een gestreept baldakijn, en probeert in zijn zak zijn berenklauw van een hand uit zijn handschoen te krijgen. Hij drukt op de ijskoude koperen bel naast de deur en wacht tot er een reactie komt, kijkt naar de taxi's die voorbijsuizen en de uit de putten opstijgende stoom verspreiden.

'Wat kan ik voor u doen?' klinkt een stem uit de metalen luidspreker.

Maar Flanagan is even ergens anders met zijn gedachten. Hij kijkt naar een vrouw op het trottoir, die als een kat zo voorzichtig door de sneeuw loopt, een roodbruine bontmantel om zich heen geslagen. De vrouw wordt omlijst door weer een ander baldakijn, deze mint en roze gekleurd; ze wordt in dit winterlandschap omlijst door een belofte van zomer. Een krant die ze onder haar elleboog had geklemd glipt op de grond en ze blijft voorzichtig stilstaan, terwijl ze haar klikkende hakken voorzichtig op het beijzelde trottoir zet. Flanagan kijkt naar haar terwijl ze daar staat en zich opwindt. De krant is doorweekt en zwaar geworden door de smeltende ijskristallen. Maar ze kan hem niet laten liggen, ze kan haar rommel niet zomaar achterlaten. Ze draait om het natte, grijze hoopje en bukt zich ten slotte – gracieus, haar hoekige knieën zedig bij elkaar – en probeert de krant met blote handen op te pakken. Maar die is nu zo zwaar dat hij in tweeën scheurt, als pap, als veevoer, als grijs, koppig gips, en de helft blijft achter in de blubber, waar meningen smelten, en de andere helft houdt ze druipend in haar hand. Flanagan voelt haar schaamte, haar problemen, en wil haar helpen.

'Wat kan ik voor u doen?' De stem klinkt weer uit de muur, krast door de lucht.

Inspecteur Flanagan schrikt op en roept zijn gedachten tot orde. Hij keert zich naar de muur, voelt zich belachelijk, en mompelt: 'Bill Casey is een sufkop.'

'Wat? Wilt u dat even herhalen?' antwoordt de muur.

Flanagan hoest even, schraapt zijn keel en blaft: 'Bill Casey is een sufkop.'

De zware, rijkbewerkte deuren zwaaien open en onthullen een lange, bordeauxrode gang met aan de muren zwaar vergulde lijsten en draperieën van fluweel en chintz. Het tapijt is zo dik en zacht dat Flanagan er een beetje in wegzakt wanneer hij erop stapt. Hij begint zijn jas af te schudden en een bleke, gemanicuurde hand wordt uitgestoken. 'Mag ik uw jas aannemen, meneer?' vraagt de keurig in jacket gestoken butler.

'Natuurlijk.' De inspecteur worstelt met de mouwen die blijven steken op de handschoenen. Hij voelt zich jong en weer een kind, wil weglopen, maar blijft toch. De butler glipt achter hem en helpt hem uit zijn verkreukelde regenjas. 'Bedankt.'

'Ik neem aan dat u een van de gasten bent, meneer?'

'Ja, ja dat ben ik.' Flanagan probeert zijn haar glad te strijken, zijn manchetten goed te doen en is zich er andermaal van bewust dat hij maar een indringer is in deze verfijnde, luxueuze omgeving.

'Mag ik misschien weten met wie u een afspraak hebt, meneer?'

'Natuurlijk. Ik eh, eh, ik heb een afspraak met Edison Keeler.'

'Ah – met meneer Keeler. Ja, die is er al. Gaat u maar door die deur aan het einde van de gang.'

'Dank u.' Flanagan loopt met een gevoel van opluchting bij de butler vandaan en voelt zich als een kind dat een volwassene voor de gek heeft gehouden, een kind dat een plannetje heeft bedacht dat is gelukt. Hij loopt de gang door, onder de indruk van, maar ook geïrriteerd door de overdaad, en duwt de dubbele deuren open. Hij heeft geen idee wat hij daarachter zal aantreffen. Hij wordt overspoeld door een golf van geluid en dikke wolken sigarettenrook walmen door de deur naar buiten. Hij doet een stap achteruit en knippert met zijn ogen. Gladde calypsomuziek van koperinstrumenten doet hem nog een stap achteruit nemen, tot hij een hand in zijn rug voelt die hem de deur door duwt. 'Gaat u maar naar binnen, meneer. U kunt meneer Keeler aan het tafeltje daar links vinden,' sist de butler in zijn oor.

De inspecteur voelt hoe de deur hard tegen zijn rug dichtslaat en de adem wordt door zijn neusgaten naar buiten geperst. Hij heeft veel dingen moeten aanschouwen die hij liever niet had gezien: het resultaat van een verkeersongeluk, honden die in bloedhete caravans zijn achterlaten om te sterven en weg te rotten, een kind waarvan de handen ruw zijn afgehakt met een heggenschaar, een politieagente die als een marionet achteruit werd gerukt toen de kogel haar schedel raakte en er vervolgens aan de andere kant weer uitkwam. Maar dat waren dingen die nu eenmaal gebeurden, gebeurtenissen die voor evenwicht zorgden in datgene dat we van anderen kunnen verwachten. Maar nu, nu hij in het vertrek staat, is de inspecteur geschokt. Calypsomuziek dendert in zijn oren, mishandelt zijn kwetsbare trommelvliezen; lichtbundels zwaaien flitsend door de kamer, branden na op het netvlies, draaien als wilden in het rond en een uit lampen samengestelde bal – het lijkt wel een opgerolde egel – draait flitsend en flikkerend langs een spiegelende zuil. Op een mat-geschilderd kaal podium staat een naakte vrouw in een bundel schel licht, kneedt haar met olie ingesmeerde borsten, knijpt in haar tepels en wiegt met haar heupen. Door het langzame draaien worden haar billen bij elkaar geknepen, wordt de beweging van de getrainde spieren in haar benen zichtbaar. Overal in de grote zaal staan tafeltjes, gedekt met zilver en kristal, met fleurige bloemen in vazen die glinsteren in het kaarslicht. Aan elke tafel zitten mannen in maatpakken, een tevreden, maar ongenaakbare uitdrukking op hun gezicht, en hun doordachte manier van bewegen komt voort uit macht. Wanneer Flanagan de zaal rondkijkt ziet hij verschillende bekende gezichten, telgen uit bankiersgeslachten, politieke figuren, dealers, handelaren, industriëlen, regeringskandidaten en senatoren, buitenlandse dictators en helden op hun retour. Hij had gedacht dat het de muziek, de hitte en de borsten die zo uitnodigend voor hem werden uitgestald waren die hem de adem benamen en zijn borst beknelden. Maar nu weet hij dat het het gewicht van de macht is die hem verplettert.

Hij kijkt om naar het podium, kijkt om naar de vrouw als iets dat hij kan bevatten. Haar gezicht is vlijmscherp, gevormd op de slijpsteen, ontdaan van iedere emotie terwijl ze haar heupen laat draaien. Ze buigt naar voren en pakt een bloedrode dildo, zo groot als een honkbalknuppel.

'Jezus christus,' fluistert Flanagan.

Een hand valt met een klap op zijn schouder. 'Hé – Flanagan! Hoe gaat het?'

'Hè?' Flanagan maakt zijn blik los van het podium en ziet Edison Keeler met een brede grijns voor zich staan.

'Ik heb staan kijken hoe je naar haar stond te kijken. Ik dacht dat ik je maar beter kon komen halen, want anders had je hier de hele avond met je pik in je hand gestaan.'

'Keeler – hallo. Hoe staat het leven?' Flanagan steekt zijn hand uit en knijpt Keelers fijngevormde kantoorhandjes bijna tot moes. Hij lacht, slaat Keeler op de schouder en is zich al die tijd bewust van de naakte vrouw met het dodelijke wapen achter zich. Hij wil zich omdraaien en kijken, maar dat doet hij niet omdat hij weet dat een dergelijk gebaar verkeerd zal worden uitgelegd. Hij wil kijken omdat hij bezorgd om haar is. Hij gluurt naar de gezichten die naar het podium zijn gekeerd, maar daaraan valt niets af te lezen, opwinding noch afkeer. Het raakt ze niet.

'Kom.' Keeler loodst de inspecteur door de doolhof van tafeltjes. 'Ik heb hier een tafel voor ons.' Hij gaat Flanagan voor naar een tafel en de inspecteur kiest een stoel die afgewend staat van het podium. Hij probeert er niet aan te denken wat er met de vrouw gebeurt, wat ze aan het doen is. Keeler schenkt hem een glas whisky in uit de fles op tafel en laat er een paar ijsblokjes uit een zilveren emmer in vallen. Hij houdt de fles omhoog voor Flanagan – achttien jaar oude single malt Bushmills. 'Zie je dat? Ik wist het nog.'

Flanagan glimlacht. 'Jee, het is een eeuwigheid geleden dat ik zoiets lekkers heb geproefd. Het lijkt alsof ik tegenwoordig alleen nog maar troep kan betalen.' Hij heft zijn glas. 'Proost.' Hij neemt een slokje van de maltwhisky, laat het door zijn mond walsen en slikt. 'Aah – geweldig.'

'Hoe lang is het nu geleden?' vraagt Keeler.

'Acht jaar? Misschien negen. Die knul van Kowalski, weet je nog?'

'Dat klopt, dat klopt.' Keelers kalende, glimmende hoofd glanst rood terwijl het licht van kleur verandert.

'Hoe is dat uiteindelijk afgelopen?'

'Weet je dat niet? Nee, natuurlijk niet, jij bent toen overgeplaatst naar een of ander gat – Miami toch?'

'Dat klopt.' Flanagan voelt hoe de aangename warmte van de malt zijn maag bereikt en is zich bewust van het feit dat het wat stiller is geworden in de zaal, de atmosfeer is een beetje ijzig geworden. Wat is die vrouw achter hem in godsnaam aan het doen? 'Nou, hoe is het afgelopen? Hoe ging dat?'

'Ik weet niet hoeveel je ervan af weet – het meeste heeft nooit in de kranten gestaan. Hij bekende acht andere gevallen. Shit – hij *bekende* niet, hij was er apetrots op. Alle slachtoffers waren verminkt, bij allemaal waren de handen afgesneden, sommige met een zakmes, andere met een broodmes. Verdomme, bij eentje had hij zelfs een schaar gebruikt. Weet je wel, zo'n schaar die je gebruikt om de heg te knippen. Toen ik hem ondervroeg vertelde hij me uitgebreid hoe hij speciaal op zoek was naar iets bots, maar dat toch scherp genoeg was om in vlees te kunnen snijden. Hij heeft me het van A tot Z verteld, zodat ik goed begreep hoe het in zijn werk ging. Dat zei hij steeds. "Zodat je goed begrijpt hoe dat in zijn werk gaat."' Keeler lijkt bij die herinnering wat in te zakken.

'Heeft hij ze alle negen vermoord? Ik bedoel, heb je ze gevonden?'

'Ja, we hebben ze gevonden. Jezus, Flanagan, ik moest er iedere keer bij zijn. Iedere verdomde keer zeiden ze dat ik erbij moest zijn. Dan gingen we naar een of ander braakliggend stuk grond en groeven en groeven en dan vonden we ze. Acht keer ben ik erbij geweest en heb ik in een gat staan staren naar een kind zonder handen en tegen die tijd ook zonder veel andere dingen. En jij was er niet.'

Flanagan graaft in zijn geheugen en herinnert zich de avond dat ze het eerste kind vonden, Katarina Kowalski. Keeler, van wie zijn collega's zeiden: 'Daar is de Ice Man', wanneer hij op de plaats van de misdaad aankwam; Keeler, wiens bijnaam De Verschrikkelijke Sneeuwman was omdat hij uit een land leek te komen dat zo koud was dat er geen emotie mogelijk was; *die* Keeler was die avond met Flanagan meegegaan naar een klein, triest strand en ze hadden het kleine meisje Kowalski gevonden in een ondiep graf in het mulle zand. Het had ze niet veel tijd gekost om het vochtige zand met hun handen van het gezicht te scheppen en vervolgens van het lichaam. Flanagan was bij het grafje geknield, het zoute water negerend dat in de stof van zijn broek drong. Hij had naar Keeler opgekeken omdat hij Keelers onpartijdigheid, zijn robotachtige efficiëntie nodig had om zich aan vast te klampen, maar Keeler stortte in. Hij stond geluidloos te huilen, zijn gezicht – zo jong en zelfverzekerd nog – was vertrokken van ellende. Terwijl Flanagan keek, zakte Keeler in elkaar en viel met zijn handen gevouwen langzaam voorover tot zijn hoofd op het zand rustte. En hij had gehuild, onstuitbaar gehuild, alsof hij uit louter tranen bestond, alsof hij nooit meer zou lachen. Flanagan had minutenlang naar Keeler gekeken, gewacht tot de Sneeuwman zou terugkeren. Maar hij kwam nooit meer terug, de Verschrikkelijke Sneeuwman; hij liep weg en liet Keeler huilend achter op het vervuilde strand, aangestaard door een nieuwsgierige menigte. Het was het besmuikte lachen van een kleine jongen die zich naar Keeler wijzend omdraaide naar een vriendje en iets zei, waardoor Flanagan zich vermande. Hij stond op en liep om het tijdelijke graf naar Keeler en knielde weer neer. Flanagan had Keeler tegen zich aangedrukt, had hem tegen zijn brede, gulle borst waarin zijn hart tekeerging gedrukt en hem vastgehouden, over zijn haar geaaid en geluisterd naar de snikkende ademhaling. Hij had hem stevig vastgehouden terwijl de sirenes loeiden en de blauwe zwaailichten ronddraaiden, weerspiegelend in het stinkende water; hij had hem vastgehouden terwijl het forensisch team en de journalisten arriveerden. Hij had hem naar huis gebracht en hem weer vastgehouden, over zijn hoofd geaaid, hem zachtjes gewiegd, tot Keeler in slaap was gevallen. Hij had de hele nacht gehuild, de tranen lekten vanonder zijn gesloten oogleden. En in zekere zin hield Flanagan hem nog steeds vast, zou hem ook niet meer laten gaan tot een van hen dood was.

Keeler schenkt hen beiden nog een whisky in. 'Dat deugde niet, mij naar al die plekken sturen nadat ze jou hadden overgeplaatst. Misschien had ik er beter mee om kunnen gaan als jij er ook was geweest. Ik denk nog vaak aan ze – aan de kinderen, bedoel ik. Vaak. Ze waren allemaal zo, je weet wel, zo klein.'

Flanagan fronst zijn voorhoofd. 'Hoe is de zaak afgelopen? Ik bedoel, ik kan me niet herinneren dat ik er nog veel over gelezen heb nadat ik was vertrokken. *Negen* kinderen – dat zou ik toch nog wel weten.'

Keeler kijkt Flanagan scherp aan. 'Die knaap die het heeft gedaan? Hij was de zoon van een politicus. De zoon van een of andere verdomde gouverneur. Gouverneur Thomas Henderson Granby Jefferson de tweede. De mensen wrongen zich in allerlei bochten om hem daarmee goed weg te laten komen. Ik heb weken met die klootzak in de verhoorkamer gezeten, naar hem geluisterd terwijl hij sprookjes vertelde, het deed voorkomen alsof hij een soort kruising was tussen Caligula en de aartsengel Gabriël en niet wist of hij moest proberen me voor het lapje te houden of duidelijk te maken hoe *slecht* hij wel niet was. En ik zat daar en wist dat daarbuiten mensen zich in het zweet werkten om iets te regelen, hem te laten verdwijnen, hem ergens te dumpen. En toen kwam Jeffrey Dahmer op de proppen. En weet je? Ik hoorde iemand zeggen dat dat het beste was wat er had kunnen gebeuren, dat de zaak Kowalski erbij in het niet zou vallen. "Het beste wat had kunnen gebeuren." En ik dacht maar aan die kinderen en hun handen en ik zat maar te luisteren naar die vent die uitlegde hoe de media overgehaald konden worden – dat bleef hij maar zeggen: "overgehaald" – hier goed mee om te gaan.' Keeler doet er het zwijgen toe, verkeert in een andere wereld.

'Ben je toen overgelopen?' Flanagan vult zijn mond met Bushmills, laat het daar even rusten.

Keeler zucht en draait zijn beslagen glas rond tussen zijn vingers. 'Ja, dat was de aanleiding. Ik bedoel, ik wist dat de FBI interesse in me had, altijd had gehad, maar ik dacht dat het politiekorps, wat? eerlijker was. Directer, meer op straat, productiever.' Hij wrijft over zijn glimmende schedel. 'Maar op de een of andere manier is de FBI juist directer. Dat is niet helemaal wat ik bedoel. Ik bedoel, ze zijn effectiever. Ze behandelen eerder grootschalige zaken dan incidenten.' Hij glimlacht, kijkt naar Flanagan. 'Jij vindt dit allemaal maar gelul.'

Flanagan wil wat gaan zeggen, schreeuwt op het moment dat de calypso wegsterft, en zijn woorden blijven in de sigarenrook hangen terwijl hij een beweging hoort op het podium achter hem. Hij bloost en neemt een gulzige slok van zijn whisky terwijl hij de neiging onderdrukt zich om te draaien naar de vrouw, haar te bekijken, er zeker van te zijn dat ze de vernedering heeft overleefd. Hij kucht en zegt: 'Je was altijd de beste, Keeler – altijd. Je bent de beste politieagent die ik ooit ben tegengekomen. De beste rechercheur. Ik bedoel, niets ontging je, niets en niemand kon zich voor jou verborgen houden. Je hield vol, je bestudeerde de zaak, je bleef graven. Je kon iets helemaal stuk of helemaal heel analyseren.' Flanagan gaat verzitten, zodat zijn beerachtige gestalte wat gemakkelijker zit. 'Je hebt gelijk, ik denk inderdaad dat wat je net allemaal zei gelul is, maar als jij het gelooft, en er naar handelt, dan ben je bij de FBI op de juiste plek. En voor je het vraagt, nee, wat er gebeurde toen we het meisje Kowalski vonden maakt je niet ongeschikt voor rechercheur. Je werd er juist een betere van.' Flanagan zucht en gaat weer verzitten. 'Het is allemaal al zo lang geleden, hè? En nu kun je tenminste dit spul voor me kopen.' Hij pakt de fles en schenkt nog eens bij.

Keeler glimlacht aarzelend, hetgeen Flanagan doet denken aan de jonge man op zijn hurken bij het zanderige graf zonder handen. 'Bedankt.'

'Nogal een plek om af te spreken.' De inspecteur maakt een gebaar met zijn glas in de richting van de muren, de tafels, de gezichten. 'Je zei dat het een club was. Nou ben ik misschien een beetje naïef, maar in mijn lekenogen ziet dit er meer uit als een bijeenkomst van de Club van Rome of een vergadering van de wereldtop.'

Keeler haalt zijn schouders op. 'Dat gebeurt. Soort zoekt soort. Hier worden meer zaken geregeld dan in het congresgebouw.'

Flanagan kijkt hem onderzoekend, afwachtend aan. 'En hoe zit het met de floorshow? Ik bedoel, wat heeft dat er mee te maken? Moet een of andere vrouw zich vanbinnen verbouwen, zodat de heren elkaar de kleine lettertjes van de Noord-Amerikaanse Vrijhandelsovereenkomst kunnen uitleggen?'

Keeler glimlacht weer. 'O, o, daar hebben we de Ierse weekhartigheid. Daar had ik niet meer aan gedacht. Flanagan – het gebeurt. Deze dingen gebeuren nu eenmaal. De meisjes worden goed betaald, ze zijn veilig, van de straat. Kom op. Wees nu even serieus. Het gebeurt overal.'

De inspecteur knijpt zijn groengele Ierse ogen samen. 'Dus jij wilt me vertellen dat deze gasten,' hij draait zich om in zijn stoel, opnieuw verbaasd over alle gezichten die hij kent, 'jij wilt me vertellen dat deze gasten iemands achterwerk in hun gezicht moeten hebben om een contract te kunnen sluiten?'

Deze keer lacht Keeler hardop, leunt achterover in zijn stoel en lacht. 'Hé, hang nou niet de binnenvetter uit – ik bedoel, waarom zeg je niet gewoon wat je op je lever hebt?' Keeler lacht weer, de huid op zijn schedel rimpelt er een beetje van. 'Oké, oké. Kijk, het is allemaal heel eenvoudig. Dit is niet een of andere achenebbisj-tent, zoals je ongetwijfeld hebt gezien. De FBI huurt deze zaak en alle... alles wat erbij hoort van een vent die alles weet en iedereen kent. Hij is eigenaar van zo'n beetje de hele stad.' Keeler ziet hoe Flanagan verschiet, ziet hoe hij zit te draaien. 'Ik zeg niet dat het deugt, ik vertel je alleen maar hoe het zit. Deze vent is een zakenman, dat is alles, en hij heeft zaken gedaan met de groten der aarde. Ze vertrouwen hem. De FBI vertrouwt hem. Verdomme, hij is na de kerstman de populairste suikeroom van New York. Vraag me niet waarom. Ik durf er zelfs niet naar te raden wie hij is. Hij kwam een paar jaar geleden uit het niets opduiken. Kijk, er worden altijd zaken geregeld. We gebruiken deze tent om een vinger aan de pols te houden, voor contacten; het is een plek waar we dingen opvangen, dingen zien. Hij verhuurt de tent dus en staat erop dat er ook iets gebeurt, zodat hij ook nog wat verdient. Daar is iedereen bij gebaat.'

Flanagan zit te draaien en recht zijn schouders.

'Kom op, Flanagan, het gaat maar om seks en politiek. Het ouwe kringetje, het ouwe verhaal. Seks en politiek. Zelfs *jouw* hart klopt niet hard genoeg om dat te kunnen overstemmen.' Keeler kijkt naar Flanagan, kijkt naar de man die hem tegen zich aandrukte en hem redde, kijkt hoe hij worstelt met de onontkoombare feiten. Keeler wenste dat hij in een bar had afgesproken, in een pizzatent, overal behalve hier. Maar hij had indruk willen maken, wilde opscheppen met het feit dat hij zich in de wandelgangen van de macht bewoog. Hoe kwam hij daarbij? Hoe had hij kunnen denken dat Flanagan – juist hij – onder de indruk zou zijn? Keeler werpt een blik op het podium en ziet tot zijn opluchting dat het leeg is, maar is zich er tegelijkertijd van bewust dat een andere vrouw in de coulissen staat te wachten. 'Waarom heb je me gebeld? Ik bedoel, ik vind het geweldig weer eens wat van je te horen, maar ik vraag me toch af waarom je hebt gebeld.'

Flanagan richt zijn aandacht op Keeler, houdt hem vast met zijn blik. 'Ik zit verlegen om inlichtingen. Maar ik moet er meteen bij zeggen dat dit tegen alle regels is. Ik ben officieel met vakantie, dus dit is *geen* politiezaak. Als je me geen antwoord wilt geven, hou ik er gelijk over op.'

'Waarom wil je het weten?'

'Dat is persoonlijk.'

Keeler kijkt afwezig naar de tafel naast hen, ziet hoe de vice-president van een oliemaatschappij een paar lijntjes klaarmaakt op een daarvoor gereserveerde spiegel. 'Probeer het eens. Baat het niet...'

'Ik wil meer weten over Mister Candid.' Flanagans stem rommelt over de tafel naar Keelers oor.

Keeler verschiet. 'Mister Candid?'

'Ja, ik moet echt meer van hem weten.'

Keeler kijkt weg, trommelt met zijn verzorgde vingers op tafel, en Flanagan weet ineens weer dat Keeler dat altijd deed, altijd hetzelfde ritme, hetzelfde verhaal, zijn hele leven. Keeler ademt diep uit. 'Mister Candid. Jij wilt meer weten over Mister Candid. Verdomme, Flanagan, daar kan ik je niets over vertellen. Dat ligt te gevoelig.'

'Dus de FBI heeft *wel* interesse.'

'Flanagan, hij is een geest, een droom. Daar kunnen we niet op jagen. Daar is geen beginnen aan.'

'Maar jij weet dat hij bestaat.'

'Als je dat officieel van me wilt weten, dan is het antwoord "nee, hij bestaat niet". De media hebben hem gecreëerd, willen dat hij de wereld redt. Hij bestaat niet.' Keeler pakt een gebruikte lucifer en begint peuken in de asbak rond te schuiven. Alles om Flanagan maar niet in de ogen te hoeven kijken. 'Maar als je vraagt wat ik ervan denk, dan, verdomme, zeg ik je dat hij daarbuiten ergens rondloopt. Soms,' Keeler haalt diep adem, 'soms denk ik dat hij daar is waar ik ben. Begrijp je wat ik bedoel? Hij zou hier kunnen zijn en mij in de gaten houden. Soms denk ik dat hij de vent is die uit de lift komt gestapt en langs me heen loopt terwijl ik instap. Soms denk ik dat hij de conciërge is in mijn flat.'

'En denkt de FBI dat ook?'

'Officieus ja. We weten dat hij ergens uithangt, maar het blijft jagen op een hersenschim. Het spijt me, ik kan er verder niet over uitweiden.'

Flanagan neemt een slokje van zijn whisky en probeert te beoordelen of dit het juiste moment is. 'Ik kan een naam noemen.'

'Wat?'

'Ik kan je zijn naam geven.'

Keeler blijft doodstil zitten, weegt voors en tegens af.

'Ik vertel je zijn naam als jij me vertelt wat je weet.'

Keeler heft zijn verzorgde handen, palmen omhoog. 'Hé,

kom op zeg. Waar heb je die naam vandaan? Wat voor waarde moet ik daar aan hechten? Ik bedoel, heb je een bevestiging?'

'Maak je daar nu maar niet druk om. Vertel me wat je kwijt kunt en ik geef jou een naam.'

Keeler weegt alles weer af en de herinnering aan het moment dat hij tegen Flanagans warme, brede borst werd gedrukt, helpt hem een beslissing te nemen. Hij leunt voorover, schuift de asbak en de vaas met bloemen opzij, en steunt op zijn ellebogen, Flanagan uitnodigend dichterbij te komen. Hij dempt zijn stem, klinkt een beetje hees, een geluid alsof gesteven lakens over een zachte huid schuren.

'Het is zo'n zestien, zeventien jaar geleden begonnen – niet dat we dat toen al wisten. Ik bedoel, wat ik je nu vertel is wat we sinds die tijd te weten zijn gekomen. Voorzover we weten begon het in Vegas. Vier pedofielen werden dood in een huis aangetroffen. Toen werd nog aangenomen dat ze bij een of ander ritueel om het leven waren gekomen. Dus er werd verder weinig aandacht aan besteed.

Toen, een paar maanden later, zei een stille die aan een drugszaak werkte, dat iedereen op straat gek werd. Er kwam wel spul binnen, het kwam wel aan in Vegas, maar dan was het meteen ook weer verdwenen. Het bereikte nooit de straathandel. De prijs van heroïne rees de pan uit en er kwam niks om de markt te bevoorraden. En waar het om gaat is dat het ook nooit ergens anders opdook. Iemand zat ertussen en kocht het allemaal op en vernietigde het. Echt alles – heroïne, cocaïne, pillen, alles. Er was niets meer om te verhandelen, niets meer om aan die jonge gasten te slijten. Dat is, weet je, op zich een goeie zaak, maar *wij* hadden er niets mee te maken, het Bureau kon er niet naar handelen, kon er geen munt uit slaan. Toen gebeurde hetzelfde in Portland, San Diego, in Miami, in L.A. Hij heeft het zelfs hier in New York geprobeerd, maar hier gaat zoveel van dat spul rond dat niemand de hele handel kan beheersen.

Toen ontdekten we een patroon. Daar waar de dopewereld helemaal gek werd, begonnen de lijken zich op te stapelen. Dat waren dooien om wie niemand veel gaf – verkrachters en kinderlokkers, kinderporno, je kent dat wel. Toen werden een paar mensen die in de bak zaten geliquideerd – ook weer kinderverkrachters. Er kwam een groot intern onderzoek, want dergelijke instellingen hielden nu eenmaal geen open huis. Ik bedoel, het ging hier om strengbeveiligde gevangenissen, een Extra Beveiligde Inrichting. Maar het enige dat het onderzoek opleverde was dat niemand binnen de gevangenis iets met die moorden te maken had. Dus er was iemand naar binnen komen wandelen, had die klootzakken vermoord en was weer weggewandeld.'

Keeler stopt even, trekt de huid op zijn voorhoofd strak met zijn vingers. 'Toen werden we echt bezorgd. Toen begonnen ook de geruchten over een man die door muren kon lopen, door afgesloten deuren van staal, langs bewakingsdetectors, alles. De geruchten begonnen in de gevangenissen en iedere keer dat iemand vervroegd werd vrijgelaten, nam hij die geruchten mee naar buiten. Toen kregen de media er lucht van en was het feest echt begonnen. De rest weet je – ergens daarbuiten loopt een vent rond, de Boeman, die je te pakken neemt als je je niet gedraagt.'

Flanagans groengele ogen zijn strak op Keelers gezicht gericht. 'Ik heb in de krant gelezen dat hij maffialui om zeep helpt, wapentransporten onderschept, hele bendes overhoop heeft geschoten. Klopt dat?'

'Nee. Nee, hij pakt alleen de viespeuken. Viespeuken – kinderverkrachters en kindermoordenaars – en drugs. Hij kan de activiteiten van een heel Colombiaans kartel voor maanden in de war schoppen. Het verpest het evenwicht. We hebben geen idee wat ons te wachten staat of wanneer het staat te gebeuren, we kunnen hem niet *voor* zijn.'

'Hoe luiden de beschuldigingen?'

'Meer dan negentig aanklachten wegens moorden waar wij

wat vanaf weten, maar waarschijnlijk zijn er veel meer. Verdomme, Flanagan – negentig. Zoiets is nog nooit vertoond.'

'Wat hebben jullie verder nog?'

'Niets, helemaal niets. We weten dat hij alleen opereert, dat hij veel en snel reist. Hij is een meester in het verdwijnen, niemand kan zich ooit een gezicht herinneren, of als ze zich al iemand herinneren, komen de signalementen nooit overeen. Dus hij is niet alleen een geest, hij is ook een kameleon, een gedaanteverwisselaar.' Keeler steekt een sigaret op, blaast een rookwolk in de richting van het plafond, waar het rood en blauw oplicht door de draaiende verlichting. 'We hebben een psychiater een profiel laten opstellen. Zij zegt dat Mister Candid waarschijnlijk blank is, achter in de dertig, beschaafd, creatief, al dat gelul. En ook dat hij buitengewoon begaafd is. Dat profiel heeft ons duizenden dollars gekost en er staat precies in wat ze altijd zeggen. Ze zei overigens nog wel iets interessants. Ze zei dat hij niet geobsedeerd is – wat ik bedoel is, hij voelt zich wel verplicht die dingen te doen, maar volgens haar is het geen obsessie voor hem. Dat klinkt mij allemaal als een hoop gelul in de oren. Wat ze ook nog zei is dat dit allemaal door een traumatische gebeurtenis kan zijn begonnen. Ik bedoel maar, je vraagt je toch af waarom? Wat heeft zo plotseling iets van deze omvang veroorzaakt? Maar de psychiater zegt dat het van alles kan zijn geweest. De geur van zijn moeders kleren, schaduwen op de muren van zijn slaapkamer toen hij nog een kind was. Van alles.

Ik weet het niet. Ik werk nu al een paar jaar aan deze zaak en ik snap er geen bal van. Ik heb geen beeld van hem, ik heb niet het gevoel dat ik hem ken. Als we maar genoeg van de stukjes in elkaar konden passen, dan waren we een stap verder. Daarbuiten lopen mensen rond die met hem praten, naar hem kijken. Mensen kennen hem, ze weten alleen niet dat hij Mister Candid is. Oké, de meeste van die mensen leven op straat, maar we zijn er in het verleden ook altijd in geslaagd contact met hen te leggen. Kijk, we zitten nu met negentig lijken en de FBI wordt helemaal gek. We kunnen de openbaarheid niet zoeken, want dan staat het publiek op zijn achterste benen. Dan krijgen we alle politici van Washington op ons nek die het allemaal nog een graadje erger maken. Waar het om gaat is dat de psychiater heeft gezegd dat het niet om obsessief gedrag gaat en hij er dus op elk moment mee kan stoppen. Gewoon stomweg stoppen en dan vinden we hem nooit meer.'

'Hoe komt hij aan geld?'

'Wat?'

'Hoe komt hij aan het *geld* om zoiets te doen? Het geld om zulke hoeveelheden drugs te kopen?'

'Dat weten we niet. Hij heeft voorzover wij weten niets te maken met fraude, diefstal of bankovervallen. Er is zeker geen verband met grootschalige beursactiviteiten of bankzaken die samenvallen met de onrust in de drugswereld. We weten het gewoon niet. Het gaat hier om grote bedragen die opduiken en weer verdwijnen.'

Je liegt, denkt Flanagan, je zit tegen me te liegen. Je gaf me een paar minuten geleden een aanwijzing en nu ontken je dat. De goktafels in Las Vegas spelen door Flanagans gedachten. 'Nou, wat nu? Ik bedoel, weet je verder nog iets?'

Edison Keeler buigt zich nog verder over de tafel, hij begint te fluisteren en zijn stem lijkt uit de verte te komen. 'Het laatste wat ik heb gehoord is dat we vermoeden dat hij in L.A. is. We denken dat hij samen reist met iemand, en dat wijkt af van zijn normale patroon. Maar dat zijn maar geruchten, zoals zo vaak.' Hij trekt zijn voorhoofd weer strak en gaat met een witte vinger over zijn bezwete bovenlip.

'Juist. Juist.' Flanagan leunt achterover en weet dat hij verder niets te horen zal krijgen, weet dat het zaadje van paniek is geplant nu Keeler zich realiseert hoeveel hij heeft losgelaten. 'Nog één ding – hoe komt hij aan die naam?'

'Wat?'

Flanagan schenkt nog wat whisky in. Hij heeft Keeler nog even nodig. 'Mister Candid – waar komt die naam vandaan?'

Keeler glimlacht. 'O, dat. Dat is van jaren geleden. Tijdens een evaluatie had een agent het ineens over *Candide*, weet je wel, *Candide* van Voltaire over het beste van alle werelden en meer van die onzin. Toen het verslag van die vergadering verscheen, stond er een typefout in. Dus werd hij Mister Candid.'

Flanagan fronst zijn wenkbrauwen. 'Maar dat was bij de FBI. Ik bedoel, daar werd die naam gebruikt. Hoe kan die dan in alle kranten staan?'

'Kom op zeg, mensen kletsen nu eenmaal. Mensen kletsen altijd hun mond voorbij.' Keeler leunt eindelijk achterover, bij de inspecteur vandaan. 'Verdorie, hoor mij nou toch – ik heb je vanavond over tien jaar FBI-werk verteld. En wat mij betreft heeft dit gesprek nooit plaatsgevonden, oké?'

'Natuurlijk. Maak je maar geen zorgen. Zoals ik al zei: dit zijn geen politiezaken. Ik ben op vakantie.'

'Waarom wil je het dan weten? Je zei dat het persoonlijk was.'

'Het interesseert me. Het heeft al een tijdje m'n belangstelling. Ik lees de kranten, ik hoor het nieuws. Het interesseert me.'

'Gelul. Wat is er aan de hand, Flanagan?'

Flanagan zucht en kijkt weg van Keeler. Hij laat zijn blik door de zaal dwalen en vraagt zich af waarom hij onder de indruk was van alle macht die hier werd uitgeoefend. Wat zou Mister Candid ervan vinden? Wat zou hij doen als hij hier was? 'Ik kom er maar niet uit of wat hij doet nou goed of slecht is.'

'Zeg dat nog eens?'

'Ik kom er maar niet achter of wat hij doet, hoe hij het doet, slecht is of niet. Ik wil hem alleen maar vragen hoe hij met zichzelf kan leven – of hij schuld voelt, of hij zichzelf als een verlosser ziet of zoiets. Ik heb achter een paar kerels gestaan terwijl ze de handboeien omkregen, met mijn pistool in hun nek, en dan dacht ik aan de dingen die ze anderen hadden aangedaan – misschien een willekeurige vrouw, misschien hun eigen vrouw of hun kinderen – en vroeg ik me af of het niet beter was ze op dat moment naar de andere wereld te helpen. En soms kwam ik er later achter dat een van die kerels zijn tijd erop had zitten en weer vrij man was en van voren af aan begon. Of misschien dat zijn advocaat hem vrij had gekregen vanwege een vormfout. En dan vraag ik me af of ik het had moeten doen, of ik gewoon de trekker had moeten overhalen.'

'Kom op, Flanagan. Dat gevoel kent iedereen. Elke agent heeft dat wel eens gedacht, jij vormt heus geen uitzondering.'

Flanagan hoort hem niet eens. Hij praat tegen zichzelf, voor zichzelf. 'Die vent waar we het over hadden? Die gouverneurszoon in de zaak Kowalski? Thomas Jefferson? Mister Candid zou hem gevonden en vermoord hebben. Heel gewoon. Geen twijfels, geen vragen. Geen rechtszaak, geen bewijzen, geen schikking, geen vormfouten, geen tijdelijke ontoerekeningsvatbaarheid, geen psychiatrische onderzoeken. Mister Candid zou er simpelweg voor hebben gezorgd dat die knaap ophield te bestaan. En zou jij hem dat willen beletten?'

Keeler kijkt Flanagan aan, blijft een tijdje stil terwijl er een doordringend gehuil klinkt en voodoodrums een roffel laten horen om aan te kondigen dat de volgende verrassing op het punt staat het podium te bestijgen. Keeler slaat zijn ogen neer. 'Nee, ik zou hem niet tegenhouden. Ik zou hem op alle mogelijke manieren helpen.'

'Nou dan, snap je het dan niet? Keeler? Snap je het niet? Wij zijn er niet bij betrokken. We hebben de afgelopen zeventien jaar *niets* gedaan. Het enige waar we in geslaagd zijn is die zakkenwassers bij de rechtbank af te leveren waar alleen maar juridische haarkloverij plaatsvindt. We hebben niks gedaan. Maar als hij gelijk heeft' –Flanagan fronst zijn voorhoofd en slaat de handen ineen – 'als Mister Candid gelijk heeft, als wat hij doet deugt, dan is alle vertrouwen dat ik ook in het systeem heb gehad volledig misplaatst geweest. Je zegt dat elke politieman het gevoel heeft, dat dit niet belangrijk is, maar voor *mij* is het wel degelijk belangrijk. Ik wil doen wat goed is. Dat is alles. Al die keren dat we *iets* hadden kunnen doen, ergens een einde aan hadden kunnen maken – verdomme, zelfs hadden kunnen *voorkomen dat iets een tweede keer gebeurde* – hebben we dat niet gedaan. Dus jij zit met negentig lijken in het mortuarium. Nou en? Denk je dat iemand een traan om hen laat? Het was uitschot en dat weten we allebei.'

Keeler leunt weer voorover, zijn gezicht strak en scherp, kwaad om zoveel dingen. 'Jezus, Flanagan, waar denk je dat het Bureau mee bezig is geweest? Het keert zichzelf binnenstebuiten, als je de waarheid wilt weten. Het wringt zich in allerlei bochten. De meesten van ons zou het geen reet kunnen schelen als de dossiers over Mister Candid zouden wegraken en we weer van voren af aan zouden moeten beginnen. Dat zou hem de tijd geven om nog een paar mafkezen om zeep te helpen. Maar te veel mensen zijn van de zaak op de hoogte, die kan gewoon niet gesloten worden. Negentig lijken tot nu toe. En ik heb ze allemaal gezien. Ik heb in die mortuaria gestaan en ze bekeken, gezien hoe de mannen in witte jassen ze uit de muur trokken en het laken terugsloegen en ik heb ze bekeken en het kon me allemaal geen ene moer schelen. En weet je waarom?' Keeler is nu opgewonden, hij is zo woedend dat hij sist en speeksel in het rond vliegt terwijl hij zijn woorden onderstreept met een vinger die op tafel tikt en bij ieder contact doorbuigt. 'Weet je waarom?' Natuurlijk weet Flanagan waarom, hij weet precies wat Keeler gaat zeggen. 'Omdat ik iedere keer dat ik in zo'n verdomd lijkenhuis kom en naar zo'n klootzak kijk, herinnerd wordt aan die nacht op het strand, moet denken aan Katarina Kowalski die daar zonder handen in het zand ligt. We hebben hun *handen* nooit kunnen vinden, Flanagan. We hebben nooit ook maar één hand gevonden. En het enige waar ik aan kan denken wanneer ik in het mortuarium naar die kerels sta te kijken, is dat er ergens achttien handen rondzwerven, achttien handen die erop wachten begraven te worden.' Keeler haalt moeizaam adem, alsof zijn longen worden geblokkeerd. 'Ik weet dat ik, als ik zo naar ze sta te kijken, geacht wordt te denken: "Hé, deze jongen heeft ook een moeder gehad, hij had recht op een eerlijk proces, op rechtvaardigheid". Maar dat kan ik niet. Dat lukt me niet omdat Katarina Kowalski de dochter van een moeder was.' Keeler wrijft hard in zijn ogen en neemt een ferme slok whisky terwijl de inspecteur denkt aan hoe hij onaangedaan heeft staan kijken naar Addis Barbars verminkte lichaam. Deze gedachte wordt verdrongen door het beeld van Iris die in haar stoel zat terwijl het bloed door haar hersenen vloeide – de zoon van een moeder. 'Zoals ik al zei, het Bureau ontkent officieel het bestaan van Mister Candid. Wat moeten we anders? Wat kunnen we zeggen? Ik heb gelogen – het heeft niets met Washington te maken. Het heeft te maken met iedereen *buiten* Washington. Als we zeggen dat hij bestaat en we vinden hem, wat dan? Wat moeten we dan doen, Flanagan? Wat moeten we dan *doen*? Vertellen we Amerika dan dat we de knaap te pakken hebben die de straten schoonveegde? Dat we de vent bij de kladden hebben die kans heeft gezien de hele drugshandel in de war te sturen? Dat we de man gevangen hebben genomen die meer verkrachters en pedofielen heeft terechtgesteld dan wij ooit te pakken konden krijgen? Wie gaat ze dat vertellen? Wie gaat de mensen die ervoor hebben gezorgd dat het wettelijk verplicht is dat namen van kinderverkrachters openbaar worden gemaakt, vertellen dat we Mister Candid achter de tralies hebben? *Dat wil niemand doen*. Ik zou het niet doen. Niemand van de aanwezigen hier wil dat doen. Clinton zou het niet doen – shit, misschien zou zelfs jij het niet doen.'

Inspecteur Flanagan kijkt naar de handen die zo vaak een pistool tegen het hoofd van zoveel mannen hebben gedrukt. Hij kijkt langzaam op naar Keeler. 'Snap je nu waarom ik hem moet vinden? Weet je waarom ik dit doe? Waarom het persoonlijk is?'

Keeler knikt één keer. Het lijkt een bevestiging. Hij vermant zich, neemt een andere houding aan, wordt opnieuw de bureaucraat. 'Ik moet het vragen, het spijt me, maar ik moet het vragen. Hoe luidt die naam?'

'Sorry?' De drums zijn op het podium verschenen, klinken zo luid dat de stoel van de inspecteur ervan begint te schudden, te trillen.

'Je zei dat je me een naam zou geven.'

Flanagan wacht even. Hij zou van alles kunnen zeggen, zou een naam kunnen verzinnen en Keeler zou tevreden zijn. Maar dat zou niet de waarheid zijn, dat zou niet goed zijn. 'Chum Kane.'

'Wat?' Keeler houdt zijn hand achter zijn oorschelp omdat de drums nog luider klinken.

'Chum Kane. Of Charlie Kane. Dat is wat ik heb gehoord.'

'Chum Kane?'

Flanagan knikt.

Keelers gezicht wordt uitdrukkingsloos. 'Ik moet het vragen. Het spijt me, maar het moet echt. Heb je in verband met deze zaak nog andere informatie?'

Flanagan kijkt hem aan over de tafel die nu bezaaid ligt met as en stuifmeel, en denkt aan Iris, denkt aan de directrice van het tehuis, denkt aan het huis in East Hampton, Long Island. Ziet voor zich hoe de FBI Mister Candid te pakken heeft voor hij, Flanagan, hem kan vinden en de woede die dat zou ontketenen. 'Nee,' zegt inspecteur Flanagan, 'ik heb geen andere informatie in verband met deze zaak. En nu moet ik naar het toilet.'

De inspecteur gaat staan en beweegt zich zijwaarts tussen de tafels door en zijn buik schuurt langs de schouders van de machtigen der aarde. De vloer trilt, vibreert, op het donkere geluid van de drums, en de inspecteur kijkt aarzelend naar het podium. Een vrouw duikt op uit de coulissen, op een string na volledig naakt. Rollen vet bewegen monter op en neer terwijl zij heen en weer stapt op het podium; ze heeft putten in haar knieën en ellebogen, die door al het vlees een dubbel gewricht lijken te hebben. Afgezien van haar borsten, enorme moederlijke kussens, kon ze een gigantische baby zijn. Flanagan blijft staan en staart, zijn ademhaling oppervlakkig, met stomheid geslagen terwijl langzaam de herkenning daagt. Hij heeft langs de buik van deze vrouw geschuurd – Bronwen Jones staat op het podium, danst voor wat ze waard is en kijkt hem aan.

De directrice ligt op de grond bij Iris' bed wanneer ze komen. Haar haar zit vol klitten, haar kleren zijn smoezelig en gekreukeld. Ze is uitgedroogd, half gek van de dorst, en haar maag voelt aan als een afgelikt bord. Ze ligt op het linoleum, niet in staat te bewegen, en luistert met gesloten ogen hoe de geluiden uit de rest van het tehuis dichterbij komen. Ze herkent geluiden van afschuw en ziet in gedachten dat ze de resten van de kalkoen hebben gevonden. Ze hoort hoe deuren worden opengesmeten terwijl ze de kamers in de gang doorzoeken en uiteindelijk voelt ze de tocht die het stof en vuil doen opwaaien wanneer de deur van Iris' kamer wordt geopend. 'O, mijn god,' hoort ze. En:'Jezus, moet je dit eens zien.' Gevolgd door het geluid van iemand die kokhalst.

De directrice weet dat Iris nog leeft. Ze heeft al te veel dagen met haar in deze kamer doorgebracht en zou haar aanwezigheid gemist hebben als ze dood was geweest. De directrice glijdt weg, glijdt weg in vergetelheid, weet dat er anderen zullen komen om te zorgen, zullen komen en de beslissingen zullen nemen. Ze doet haar gele, bloeddoorlopen ogen open en ziet door de waas van haar eigen wimpers een paar glimmend zwart gepoetste laarzen op zich afkomen.

Iris hoort ook, al kan ze weinig anders; ze kan nauwelijks de kracht vinden om te ademen. Dat ze nog ademhaalt, komt alleen maar omdat ze op Charlie wacht; ze wacht tot Charlie

'Chum' Kane komt om afscheid te nemen. 'Vaarwel,' oefent ze in haar wollige gedachtewereld. 'Vaarwel.' Iris rekent erop dat haar onwillige tong dat simpele woord nog wel aankan.

Iris voelt hoe handen de vettige, zweetdoordrenkte sprei wegtrekken en dan wordt het laken voorzichtig van haar afgetrokken. Als ze had gekund, had ze voorkomen dat ze bloost, want ze weet dat het laken is vastgekoekt van de uitwerpselen, dat het stijf staat van de urine. Maar als Iris de bloedstroom die door het fijngevormde stelsel van haarvaten in haar lichaam vloeide onder controle had kunnen houden, had ze hier niet hulpeloos gelegen. Daarom ontsnapt ze, terwijl de handen haar optillen en hun best doen de doorligwonden niet aan te raken, naar haar geheime plek: haar verleden, dat van haar alleen is. Niemand anders heeft haar leven geleefd. Niemand anders zou het, misschien, ook hebben gewild.

LUKE KANE

Stel je voor: het is 24 oktober 1929 in Amerika. Het is, dat klopt, overal 24 oktober, maar daar lijkt Amerika zich niet van bewust, want de depressie heeft toegeslagen en Amerika denkt niet meer. In de rest van de wereld ploegen naties hun velden, halen de oogst binnen, maaien het hooi en zouten de vis, schieten herten en zegenen stenen; ze voeden hun baby's, begraven de doden, hijsen de vlag, aanbidden de goden. De hartslag van een natie. De wind loeit nog steeds over de eilanden aan de rand van de wereld: over het kale landschap van de Hebriden, het armzalige gras van Chatham, de uitgestrekte, arrogante contouren van Paaseiland. Maar de wind jaagt voort, huilt over oceanen om uiteindelijk in Amerika te belanden, buldert door staten, plukt ze kaal, maakt van struikgewas voortdenderende wagenwielen, verandert akkers in stof, vee in karkassen. En dan keert hij zich af, de wind, en richt zich op Zanzibar, Madagascar, de Balearen, de Azoren, dendert maar voort op jacht naar het geluk.

Amerika pruilt, als het jonge kind dat ze nu eenmaal is. Ze is uitgekleed en toen gevild. In het beschadigde, verdroogde en met stof bedekte land staan gezinnen eenzaam op hun onvruchtbare akkers en wensten dat alles anders was. In de steden staan mannen bij hun ponsbanden en vragen zich af wat deze gezinnen doormaken, terwijl kilometers papier met gaatjes door hun verdoofde vingers glijden. De wereld kijkt toe hoe Amerika worstelt, want dit is nieuw voor haar, deze hoop die de bodem is ingeslagen. De Inca's, de Egyptenaren en de Romeinen halen allemaal hun schouders op en keren zich af. De dynastiën van China veroorloven zich een smalle, nauwelijks waarneembare glimlach. Diep in donker Afrika liggen de contouren van steden, al zo lang geleden gestorven dat hun namen nooit meer zullen klinken, steden, bedekt door de overdadige, weelderige jurken van een nog veel oudere jungle. De heersers van deze steden, de halfgoden van hun tijd, nu vergaan tot stof, grijnzen begrijpend, want zij wisten als eersten hoe vergankelijk macht is.

Amerika echter, is een klein mollig kind met meer dan genoeg reserves. Terwijl de staalfabrieken tot stilstand komen en het graan verdort op het land, bruist het leven. New York begint stiekem te dansen wanneer de zwarte blues in zwang raakt. In Los Angeles maken de schijnwerpers bedriegers tot sterren, meelopers tot vaklieden, dwazen tot filmbonzen. Citrusfruit doet het prima in de niet-aflatende droogte. Een wijnmaker uit Sicilië rolt peinzend een beschimmelde druif tussen zijn eeltige vingers. Amerika mag dan in een depressie zijn geraakt, heeft misschien wel last van een woedeaanval, maar voor een paar mensen blijft het geld binnenstromen.

Twee oogsten doen het goed dat jaar, 1929, en daar heeft niemand enige greep op. Eén is vuurwater, het vocht uit de destilleerderijen op het platteland dat zijn weg vindt naar de clandestiene kroegen, de boerderijen, de huurhuizen, de woningen in de buitenwijken. Destilleerderijen schieten als paddestoelen uit de grond, zonder belemmeringen, gevaarlijk en landelijk, in elkaar geflanste molotovcocktails. De tweede oogst is minder tastbaar en bestaat uit woorden. Het is de legende van gangsters en snollen, van straten geplaveid met goud, van het land van melk en honing dat achter de volgende heuvel te vinden is, de volgende top, de volgende berg. De oude rammelkasten zwoegen voort, krakend en uit balans door hun lading van stapels armzalige huisraad en hoop, en komen alleen maar meer van hetzelfde tegen. Mensenvoeten banen nieuwe paden, nieuwe wegen die het continent doorkruisen, terwijl ze van plaats naar plaats trekken op zoek naar dingen die ze nooit zullen vinden, hun kaken ingevallen waar tanden verdwenen zijn. Harten van kinderen houden op te kloppen door de voortdurende aanvallen van rachitis, tbc, difterie, bloedarmoede, ondervoeding en de cholera in de moerassen.

En toch zijn er nog mensen met een sprankelend leven, die diamanten dragen, maar geen lasten. Kijk hier eens, in dat privé-ziekenhuis in Manhattan, kijk die kerstdag eens door de getinte ramen – ziet het er niet uitnodigend en veilig uit? – en kijk naar de blonde vrouw die daar tussen de satijnen lakens ligt, omringd door een veld geïmporteerde gardenia's, terwijl haar echtgenoot haar hals liefkoost, lieve woordjes fluistert. Zij hebben het warm, zij zijn veilig. Zij zijn rijk. De vrouw keert zich naar haar man en glimlacht. Het gedempte licht valt over haar gezicht, doet de kuiltjes in haar wangen mooi uitkomen, hult haar wat al te zwierige neus in schaduw. Welke man verlangt naar uitgaan en drank, lekker eten en dansen, het bruisende leven, wanneer hij zulke volmaaktheid ziet? Haar handen zijn fijngevormd en hebben nooit gewerkt, haar gezicht is niet door armoede gegroefd. Ze is eenvoudigweg verrukkelijk.

'Het beste kerstcadeau dat we ooit hadden kunnen krijgen,' slist Lucinda charmant tegen haar echtgenoot en kijkt naar haar borst, waar een plukje zwart haar het nog zachte hoofd van Luke Kane bedekt.

'Schat, wat kan een man zich nog meer wensen?' De stem van Theodore slaat op het juiste moment over terwijl hij tersluiks een blik werpt op de klok.

'Is hij niet prachtig?' Ze raakt even Luke Kanes dopneusje aan en kirt van genoegen.

Theodore, groot en sterk, keurig verzorgd in zijn maatpak, kijkt naar het kind alsof hij hem voor het eerst ziet en ziet tot zijn stomme verbazing een paar kobaltblauwe ogen terugkijken. Hij kijkt hoe het bloed door zijn nieuwbakken zoon stroomt en glimlacht. 'Mijn god, hij is echt een knappe jongen.'

En dat is nou precies de gedachte die de verloskundige, inmiddels in haar kantoortje verderop in de hal, ook heeft.

Waarom, zo vraagt ze zich af, moest ze dan een kreun onderdrukken toen Luke Kane tussen zijn moeders benen gleed? Waarom had ze dan zo onhandig lopen doen met het kind, heeft ze hem laten vallen alsof hij een handvol gloeiende lava was, zodat ze hem vlug weer moest oprapen van het laken? Waarom – als de kleine jongen dan de mooiste baby was die ze ooit ter wereld had helpen brengen – was ze er dan bijna onfatsoenlijk snel vandoor gegaan, blij dat er lucht en licht tussen hen lagen?

1997

Inspecteur Flanagan heeft zijn blaas geleegd en loopt terug naar Keelers tafel, botst in zijn haast tegen senatoren en parlementsleden, stoot ze aan met zijn achterwerk. Hij laat zich in zijn stoel vallen en probeert zijn verwarde gedachten op een rijtje te zetten. Bronwen – de verpleegster van het Emerald Rest Home die hem in de deuropening had vastgeklemd met haar enorme buik, enkele ogenblikken voor de hersenen die zo netjes in Iris schedel zaten opgeborgen gingen uitzetten en uit hun voegen barstten. Bronwen – die Iris kende toen ze nog onbeschadigd was en nog kon praten. Hij draait zich naar het podium, bang voor wat hij daar zal zien, maar hij kan niet anders, moet wel kijken. Daar staat Bronwen Jones uit Llanerchymedd, iedere kwab en spleet, elke put en rimpel blootgesteld aan de vorsende blikken van het publiek. De mannen zitten gehuld in sigarenrook, hun hersenen in de war, beneveld door bourbon en opwinding, goede wijn en coke, hitte en licht, en kijken naar haar. Want Bronwen danst prachtig, ritmisch, sexy, haar heupen swingen alle kanten op bij iedere klap van de drums, terwijl ze zich rondraait op de bal van haar zo mishandelde voeten. De voodoodrums zwepen haar op, laten haar beenderen dansen en springen. Het wordt heter in de zaal.

Flanagan draait zich weer om naar Keeler. 'Kun je ervoor zorgen dat je die vrouw te spreken krijgt?'

'Wat?' vraagt Keeler, die met zijn ogen de bewegingen van Bronwens geweldige borsten volgt.

'Kun je – kan ik haar te spreken krijgen?'

Keeler kijkt Flanagan eindelijk aan en grijnst. 'Kijk eens aan. Ik heb altijd wel gedacht dat je niet zo'n rechttoe rechtaan figuur was. O nee, iets spannends en verfijnd – met zoiets heb ik je altijd voor me gezien.'

Flanagan wuift dit weg met een gebaar van zijn grote hand. 'Nou, hoe pak ik dat aan?'

'Ho even, niet te enthousiast – ik heb gehoord dat het niet zo simpel is. Ik heb het nooit geprobeerd omdat ik dat niet kan betalen. Tandarts van de kinderen, nieuwe auto. Maar ik weet wel van een paar andere kerels. Je moet 's met de butler praten, weet je wel, die Engelse janlul in de lobby. Hij kan misschien iets regelen. Maar misschien ook niet. Hij is nogal kieskeurig geworden, alsof hij het voor het zeggen heeft wat mensen doen en laten. Het is een eikel.'

De drums zwellen aan, slokken Keelers woorden op en leggen ze aan Bronwens voeten die tot rust gekomen zijn. Ze komt schuddend tot stilstand en maakt een diepe kniebuiging alvorens het podium te verlaten.

'Verdorie, ik moet ervandoor.' Flanagan duwt zijn stoel achteruit en drinkt zijn whisky op. 'Ik zie je nog wel.'

Keeler staat op en slaat zijn armen om de inspecteur, omarmt hem. 'Hé, het was geweldig om weer even bij te praten.'

'Ja.' Flanagan loopt weg, opgewonden, vastbesloten Bronwen te spreken.

'Flanagan?'

'Wat?'

'Ik hoop dat jij hem eerder vindt dan wij.'

'Ik ook.' Flanagan begint tussen de tafeltjes door te laveren.

'Flanagan?' Keeler praat nu wat harder, duwt zijn stem in Flanagans hoofd.

'Wat?' Hij is nu geïrriteerd, hij wil verder.

'Als je hem eerder vindt, wil je me dan bellen? Je weet wel, gewoon om me te vertellen wat zijn antwoord is?'

'Zal ik zeker doen.' Op je bolle ogen, denkt Flanagan, terwijl hij de dubbele deuren openduwt die naar de lobby leiden. De butler staat daar, bij de deur naar buiten, en haalt jassen uit de garderobe terwijl een groepje mensen staat te wachten en te praten. Flanagan wacht tot de mannen vertrokken zijn en wandelt naar hem toe.

'Uw jas, meneer.' De butler houdt hem op, zodat Flanagan hem kan aantrekken. Flanagan moet zich dwingen niet te blozen, vraagt zich af wat hij moet zeggen.

'Ik vroeg me af.' Hij zwijgt, zoekt naar een zin, een woord, een ontsnapping. 'Ik vroeg me af.'

'Ja, meneer?'

'Ik vroeg me af of er een ontmoeting met een van de artiesten te arrangeren valt.'

'Ik begrijp het, meneer.'

'Ik vroeg me eigenlijk af of ik degene die net klaar is met optreden kan ontmoeten.'

'Ik begrijp het, meneer.' Flanagan heeft het gevoel alsof zijn huid wordt afgestroopt, er door schaamte wordt afgebrand. Hij weet dat de butler zich probeert voor te stellen hoe zij er met z'n tweeën zullen uitzien, Bronwen en de inspecteur naakt, op een bed, samen. Meer vlees dan aan een Ierse zeug. De butler glimlacht flauwtjes. 'Ik zal zien wat ik kan doen, meneer. Als u hier even wilt wachten?'

'Misschien kunt u tegen haar zeggen dat inspecteur Flanagan naar haar vraagt.'

De butler vertrekt geen spier, maar de huid rond zijn mond wordt een tikje bleker en strakker. 'Natuurlijk, meneer.'

Hij komt enkele ogenblikken later terug en ziet de inspecteur ongemakkelijk in een rugbrekende vergulde stoel hangen.

'Het is geregeld, meneer. Buiten staat een auto voor u klaar.'

'Dank u.'

'Tot uw dienst.' Flanagan weet dat ze hem hier nooit meer van dienst zullen zijn.

De inspecteur stapt naar buiten, koelt even af in de vrieskou, opent de deur van de limousine en stapt in. Hij ziet dat hij naast een tengere man met een messcherp snorretje zit. De kleren van de man zijn onopvallend, maar smetteloos; hij heeft een pakje Winstons in het zakje van zijn overhemd. Daaroverheen draagt hij een vale overjas. 'Neemt u me mijn uiterlijk niet kwalijk, inspecteur, maar ik ben op weg om een paar uithoeken van mijn koninkrijk te inspecteren en ik heb gemerkt dat het altijd maar het beste is zoveel mogelijk op te gaan in de omgeving.' Hij glimlacht en laat daarbij een stel maagdelijk witte tanden zien, onaangetast door caffeïne of nicotine. Het is Sam, Sam de Scharrelaar. 'Ik ben – hoe zal ik het stellen – een vriend van Bronwen en ik ben hier om vast te stellen of u wel deugt. Ik bedoel, ik moet voor iedereen zorgen.'

Flanagan kijkt vol verbazing naar de iele man naast hem. *Deze* man, met zijn kalende hoofd en het gezicht van een uitgebeend konijn, is de eigenaar van de club? En dan nog wat: hij komt hem bekend voor; Flanagan weet zeker dat hij hem al eens ergens heeft gezien.

'Om maar wat te noemen,' gaat Sam verder, 'u zei dat u inspecteur Flanagan bent. Is dat inspecteur als in inspecteur van politie van New York?'

'Nee. Ik ben op vakantie.'

'Oké.' Sam kijkt toe hoe een andere limousine voorrijdt, zijn vrachtje inlaadt en de straat uitzoeft in de richting van Central Park. 'U was gast van Edison Keeler – prima vent, maar hij drinkt te veel, heeft te veel schulden.' Sam richt zijn wolfsogen op de inspecteur. 'Ik wil er graag zeker van zijn dat u de regels begrijpt. Ik mag Bronwen graag, ik bedoel, ze is niet mijn smaak, maar ik heb veel respect voor haar. Dus, geen gedonder, oké? Behandel haar goed, bezorg haar een leuke tijd, betaal haar en stuur haar dan weer weg met het gevoel van een kind aan het begin van de zomervakantie.'

'Hoeveel moet ik haar betalen?'

'Twaalfhonderd.' Flanagan kijkt afwezig toe hoe Sam een

sigaret opsteekt en de lucifer in een gloeiende boog in de blubber op het troittoir gooit. 'Heeft u dat?'

'Jazeker.'

'Wat ik bedoel is, heeft u begrepen wat ik net allemaal heb gezegd? Je moet alles licht en luchtig houden.'

'Geen probleem,' mompelt Flanagan. Goeie god, waar haalt hij twaalfhonderd dollar vandaan?

'Tot ziens dan maar weer.' Sam glipt uit de auto en steekt de weg over. Flanagan probeert hem na te kijken maar het is net of hij opgaat in de sneeuwblubber. De auto schudt en kreunt wanneer Bronwen de nog warme plaats van Sam inneemt.

'Nou,' zegt Flanagan, 'ik heb niet – '

Bronwens stem overstemt ruw de zijne terwijl ze de chauffeur op de schouder tikt en zegt: ''t Gewone recept.' Ze draait zich snel als een slang naar hem om en legt een vinger op haar lippen. Hij laat zich achteroverzakken, nestelt zich in zijn overjas en ziet Manhattan aan zich voorbijtrekken.

Venice, L.A. - maart

M –

Zoals ik in mijn laatste brief al schreef, wou ik dat ik je had kunnen vragen wat ik met dat jong aanmoet. Ik zit hier in mijn kamer in een of andere maffe tent die ze Cotel noemen, op de hoek van Ocean Front Walk en Windward Avenue. Vanuit mijn kamer kan ik de palmen zien tegen de blauwe lucht. Als ik naar de straat, sorry, het wandelpad, kijk, zie ik alleen maar gebruinde lijven die rondwandelen en zichzelf bewonderen, zich opdoffen en lopen te flirten. En ik kan de stalletjes zien waar ze rotzooi verkopen, maar op zo'n vriendelijke, onbevangen manier dat niemand er aanstoot aan neemt. En de temperatuur is precies goed, warm en fris; de wind waait vanaf de oceaan recht mijn kamer in.

Dus, wat deugde er niet vandaag? Wat kan er in hemelsnaam mis zijn met deze ene versie van het paradijs? Een heleboel, zoals zal blijken. Ik vroeg die knaap – die over wie ik heb geschreven, die van de bende van de 21st Street? – me te ontmoeten in het Sidewalk Café hier vlakbij. Dat leek me een goede plek omdat het net buiten zijn territorium ligt en barst van de toeristen, reizigers, die allemaal zitten te eten en dan verder trekken. Ik dacht dat we in die drukte een tijdje onopvallend konden zitten. Hij komt opdagen – ik noem hem Gideon, ik ken z'n echte naam niet en ik denk dat hij hem vergeten is – ongeveer een uur te laat, en ik ben daar behoorlijk pissig over omdat ik er dan al een tijd zit en de serveerster iedere vijf minuten langskomt om een dikke fooi te verdienen, me in mijn knappe gezicht kijkt en vraagt of ik nog iets wens. Gideon komt dus binnen, gebogen als een ouwe vent, met een vastgeplakte grijns op zijn gezicht en een wit hemd, een spijkerbroek met het kruis tussen zijn knieën aan en een hoofddoek om. Hij hangt in de stoel naast me en ik kan zien dat er alleen spoken in zijn geest rondwaren, dat hij nog steeds de gevolgen ondervindt van zijn laatste bezoek aan een crackhuis. Maar hij is alles wat ik heb, dus ik bestel een dubbele espresso voor hem en wacht tot hij weer helder ziet. Dat duurt wel even. Uiteindelijk lijkt er wat leven in hem te komen; hij buigt zich naar mij toe en we beginnen te praten.

En op dat moment begon ik te wensen dat je hier was, dat je in de stoel naast me zat met misschien een cola light of een biertje of wat het ook is dat je tegenwoordig drinkt. Misschien zou je een strakke spijkerbroek aanhebben en zo'n mannenoverhemd, zoals je deed toen je nog dacht dat je de volgende Patti Smith zou worden. En dat terwijl we de echte Patti Smith toen nog een plaatsje probeerden te geven. (Herinner je die eikel nog van de universiteit die haar teksten door de bar brulde? Hij dacht dat ze zong 'Go, Rambo, go, Rambo...'.) Hoe dan ook, ik wou dat je daar was, om voor wat evenwicht te zorgen, om wat tegenwicht te vormen voor dat stuk afbraak aan de andere kant.

Gideon kon nauwelijks uit zijn woorden komen, en toen

dat eindelijk lukte was het eerste waarom hij vroeg bier. Dus bestelde ik een kan en hij zit daar maar, iedereen aanstarend met een uitdrukking alsof hij in een citroen heeft gebeten. Hij zat maar naar de vrouwen te kijken die voorbijliepen, met een demonische blik en sissend ademhalend door zijn natte lippen. Ik noem hem Gideon, hij noemt mij klootzak. Leuk. Ik probeer met hem te praten, probeer hem terug te krijgen in de echte wereld waar het heel gewoon is om in een café te zitten, maar ik begin me zorgen te maken omdat hij zover heen lijkt dat het me onwaarschijnlijk voorkomt dat ik hem ooit nog weer met beide benen op de grond krijg. Dus begin ik hem dingen te vragen die ik nog nooit heb gevraagd – over zijn familie, waar hij woont, wat hij zoal doet iedere dag, dat soort dingen. En dan gebeurt er iets met hem. Misschien omdat ik er maar af en toe ben, omdat ik blank ben, maar niet gewoon. (Soms denk ik wel eens dat hij denkt dat ik alleen maar besta wanneer hij me kan zien.) Wat het ook is, iets raakt hem en we beginnen te praten. Eerst is hij zo heftig en zo boos dat zijn zinnen wel Mexicaanse bonen aan een touwtje lijken, ze springen alle kanten op. Vervolgens raakt de crack uitgewerkt, de kristallen in zijn bloedbaan breken af, en hij wordt wat kalmer en vriendelijker. Daar is hij helemaal niet blij mee, met dat vriendelijker worden, alsof hij uit twee verschillende vaag omlijnde personen bestaat, die nu langzaam één worden.

Hij praat over zijn moeder, maar dat duurt niet lang. Gideon is zestien. Zijn moeder ('smerige slet') stierf toen hij nog maar twee was. Hij is verslaafd geboren, zat boordevol heroïne die zij hem toestuurde via de streng die hen verbond, dus snakte hij naar dingen waar hij geen controle over had, die hij niet kon krijgen, zelfs in de baarmoeder. Hij zegt dat ze gestorven is aan een overdosis van een of andere mix van smerigheid, heroïne die vermengd werd met een ander poeder, steeds maar weer tot niemand meer wist wat ze nu precies kochten. En ik zat daar maar en luisterde terwijl hij me vertelde dat zijn vader hem had gezegd dat de mensen rond die tijd op straat niets meer te pakken konden krijgen, dus spoten ze wat er maar voorhanden was.

Ik zat daar op het terras van het Sidewalk Café en rekende terug. Vijftien jaar geleden kocht ik een voorraad die afkomstig was uit Venezuela, een voorraad die groot genoeg was om de hele wereld buiten zinnen te brengen, en toen heb ik een groot jacht gehuurd, verzwaarde elke zak met lood, voer zover als ik durfde de Stille Oceaan op, wachtte tot het zo donker was dat ik geen hand voor ogen meer kon zien en heb toen die zakken overboord gekieperd. Het kostte me een paar uur om alles uit het ruim te slepen en overboord te gooien. Ik kan me nog herinneren hoe ik zweette terwijl de boot lag te deinen, en me afvroeg hoe ver ik van Hawaï verwijderd was omdat ik de hele tijd maar westwaarts dreef. En ik weet nog dat ik toen ik klaar was, op een rol touw, opgerold als een slang, ging zitten, een sigaret opstak, een blik bier opentrok en zat te glimlachen. Ik vond dat ik die nacht goed besteed had.

Vijftien jaar later zit Gideon daar en vertelt me dat zijn moeder dood is omdat ze gedwongen was fosfaat en kunstmest, glas en zout, vermengd met echte heroïne te spuiten. Wat moet ik daar nu van denken? Ik hou mezelf voor dat die vrouw er tot over haar oren in zat en toch wel gestorven zou zijn. Dat ze ergens naartoe had kunnen gaan voor hulp toen de aanvoer stopte. Ik kan je wel vertellen dat die gedachte me niet echt troostte. Dus waar houdt een mens zich dan aan vast? Dat zal ik zeggen: het geluk van hen die nog geboren moeten worden.

Toen begon Gideon iets te mompelen over de plek waar hij met zijn vader had gewoond – een of ander huurhuis in de buurt van Culver City. Als het klopt wat Gideon vertelt loopt zijn vader bij de sociale dienst en heeft hij de zorg voor vier kinderen. Hij zorgt alleen niet voor ze, omdat hij het grootste deel van de tijd op straat zwerft en probeert een deal te sluiten, nog een pakketje af te leveren, weer voor nieuwe aanvoer te zorgen. Dus geloof jij dat hij thuiszit om de melk warm te maken en ervoor te zorgen dat de kinderen worden ingeënt? Honden schijten in de lift, pissen op de trap; er zit salmonella in de koelkast en eeuwenoud sperma in de lakens. En wij willen dat die kinderen dokter worden? Toen Gideon een jaar of tien was, kwam hij een knul tegen die hem meenam naar waar de bende uithangt en daar vindt hij alles waar hij altijd naar heeft verlangd: een plek om naartoe te gaan, zoveel gezelschap als hij zich maar wenst. Want dat is wat hij zei dat hem het meest dwarszat – hij was altijd eenzaam. Toen hij nog een kind was, voelde hij zich altijd eenzaam.

Op dit punt klapt hij volledig in elkaar; dat gaat zo snel, dat het net is of je naar golven kijkt die op de rotsen stukslaan. Het ene moment zit hij daar hooghartig te sneren, iedere zin eindigend met 'weet je wel' en het volgende zit hij met ogen vol tranen zwaar te ademen en de brok uit zijn keel weg te slikken.

Ik bestel wat kip, friet en een salade en hij raakt geprikkeld, duwt de sla aan de kant alsof hij tegen iedereen wil zeggen: 'Kijk, kijk, ik ben zo macho dat ik liever sterf dan vitamines tot me neem,' en begint de friet naar binnen te schrokken, eet wat van de kip en zegt dan dat hij ervandoor moet. Ik vraag hem waar hij precies naartoe moet, en hij wordt achterdochtig. Maar het is meer het soort argwaan van: dat wil je niet weten, dat hoef je niet te weten. Alsof hij me met zijn zwijgzaamheid kan beschermen. En dat geloof ik wel.

Al die tijd heb ik in mijn zakken zitten frunniken aan twee enveloppen. In een daarvan zit vijfhonderd dollar, in de andere dertigduizend. De ene is een adequate beloning voor de informatie die ik zoek, de andere is om zijn collegegeld van te betalen. Ik weet nog niet welke ik hem ga geven, maar ik weet wel dat ik hem er maar één geef.

Ik vraag hem wie mijn contactpersoon is. Dat is alles, alleen maar een naam en nummer van een gevangenbewaarder. Die knaap werkt hier een heel eind vandaan, maar ik weet dat de bende achter de naam kan komen; zoals ik al zei, ze kunnen overal achter komen; ze hebben prima contacten. Maar, deze ene keer, zegt Gideon me dat hij me niet kan helpen. Maar hij heeft wel iets voor me – een stukje papier met een naam en een telefoonnummer. Die knaap weet blijkbaar alles wat er gebeurt van Vermont tot Florida, van elke plek waar de Atlantische Oceaan de kust bereikt. Sam de Scharrelaar. Maar dit is geen verrassing, want ik hoor al zes, zeven jaar van alles over Sam de Scharrelaar.

Dat is het. Ik sta op en weet dat ik hem nooit meer zal zien, weet dat dit de laatste keer is dat we elkaar ontmoeten, Gideon en ik, en ik kijk op hem neer terwijl hij daar op zijn stoel zit, met zijn benen wiebelt, en met zijn vingers gevouwen aan zijn pik zit te friemelen. Hij spant en ontspant zijn opgefokte spieren, pompt ze op, en gluurt naar me, probeert de zon uit zijn ogen te houden. En hij ziet er zo jong en zwart en knap uit dat je hart ervan zou breken, omdat de kans dat hij twintig wordt zo klein is dat je een vergrootglas nodig hebt om het te zien. En ik denk aan de tijd dat ik zestien was en vraag me af hoe twee wezens van dezelfde soort zulke verschillende ervaringen kunnen hebben. Ik sta daar bijna verlamd van verlangen om jouw naam te noemen en hem te vragen uit te zoeken waar je woont, maar ik kan het niet. Ik moet weg en ik kan hem niet laten merken dat we elkaar nooit meer zullen zien; ik heb hem al te veel blootgesteld. Zoals ik de zaken zie, loopt hij al genoeg gevaar als hij gewoon de volgende dag probeert te halen.

Ik steek mijn handen in mijn zakken en voel aan de enveloppen, de ene dik, de andere dun. Vijfhonderd of dertigduizend. Als jij er bij was geweest, had ik ze aan jou gegeven en was weggelopen. Dan had jij mogen kiezen welke envelop Gideon zou krijgen en ik was weggelopen in de wetenschap dat wat je ook zou kiezen, de juiste keuze zou zijn geweest. Verdomme, ik kon maar niet beslissen. Ik dacht aan zijn moeder. En toen dacht ik aan mezelf op dat verdomde jacht, bezig kilo's zuivere heroïne aan de visjes te voeren en ik liet beide enveloppen op de tafel vallen en ben weggelopen.

Veel liefs,

Chum

Iris ligt in een schoon bed in een schone kamer met een vloer die spiegelt en waar overal bloemen staan. Naast haar bed staat een kan koel water en een schaal fruit – dat is meer om de schijn op te houden, want Iris is niet tot een gecoördineerde beweging in staat. Die ochtend heeft ze voor het eerst haar ogen opengedaan en ze kijkt vol verwondering om zich heen. Ze herinnert zich flarden: mensen die haar optillen en haar die kamer uitdragen, die toch alleen maar bestond uit nachtmerries, hitte en vragen, en een smerige lucht die naar ze wist van haar eigen lichaam walmde. Maar nu is ze gewassen en gepoederd, haar haar zit droog en ontdaan van vet en klitten op haar eczeemvrije hoofd. Iris doet haar ogen weer dicht en staat zichzelf een verwrongen, scheve glimlach toe. Nu is ze weg uit het Emerald Rest Home, weg van die broodmagere feeks die haar maar bestookte met vragen: waarom? waar? wanneer? wie? Steeds maar weer. Iris probeert zich te herinneren wat ze in haar delirium allemaal heeft gezegd, maar er hangt een waas over haar geheugen en ze is bang dat ze misschien te veel heeft gezegd. Want ze heeft altijd geweten, ook al is er nooit iets over gezegd of staat het nergens opgeschreven, dat Charlie 'Chum' Kane niet gevonden wil worden. Het is inmiddels al zeventien jaar geleden dat ze zijn mooie gezicht heeft gezien en al die zeventien jaar heeft ze zich afgevraagd waar hij is en wat hij doet. Zoveel gaten in haar geheugen. Het is erger geworden. Gat na gat; zuivere, zuurstofvrije leegte. Maar Charlie zal haar op den duur wel vinden. Hij zal komen, denkt ze, wanneer hij daar klaar voor is. Hij zal door die deur komen stormen met een boek en een goed verhaal. Zeker weten. Hij komt zeker voor ze sterft.

Wat haar altijd heeft verbaasd, wat haar gedurende die zeventien jaar van wachten en wegteren zo verdrietig heeft gemaakt, is dat ze niet meer weet op wat voor manier hij is vertrokken. Waar een beeld zou moeten bestaan van wuivende handen en tranen, van een auto die om de hoek verdwijnt, is niets. Hoe, vraagt Iris zich af – en niet voor het eerst – is Charlie 'Chum' Kane bij haar weggegaan? Hoe heeft hij afscheid genomen? En, hoe goed ze ook haar best doet, ze kan zich geen beeld voor de geest halen.

Iris gaat lekker liggen onder de kraakheldere lakens, zo lekker als maar mogelijk is gezien haar doorligwonden, de pijnlijke armstomp en alle slangen die her en der uit haar lichaam komen. Hoe kan het dat ze zich die verzengende dag dat ze haar moeders huis verliet wel kan herinneren, dat ze nog wel weet dat ze de versleten treden naar de veranda af liep en door de verdroogde berm naar Luke Kanes auto stapte, zich zorgen makend om de bosuitjes, maar niets meer weet van het moment dat Charlie vertrok?

Iris zucht en draait haar hoofd om en wanneer ze haar ogen opendoet, ziet ze in het bed aan de andere kant van het gangpad het uitgeteerde gezicht van haar ondervraagster, de veroorzaker van al haar ellende. Daar ligt de directrice, bleek en uitgemergeld, en haar lichaam neemt gulzig het plasma en de zouten op die in haar worden gepompt terwijl haar nieren kreunen en haar hersenen schreeuwen om wodka. Iris kijkt alleen maar naar de directrice, haar handen gekromd tot klauwen en haar mond geluidloos bewegend. Waarom ligt zij hier? Waarom ligt dat kreng van een helleveeg in het bed naast haar?

Een herinnering dringt zich plotseling op in Iris' verwarde geest, een herinnering aan de directrice die in die kamer op haar ligt en maar vragen stelt en maar vragen stelt. Dit staat vast: die vrouw weet te veel van de dingen waar Iris om geeft, de dingen die Iris geheim had moeten houden. Iris moet er iets aan doen. En snel. Maar eerst moet ze op krachten komen, een doel vinden, levenskracht opdoen; ze moet de dingen opslaan die door het infuus stromen. Iris sluit weer haar ogen en concentreert zich op haar armzalige spieren en probeert wat orde te scheppen in wat nog van haar brein over is.

Het is een vreselijke, maar begrijpelijke vergissing geweest van de kant van de mensen die uiteindelijk het Emerald Rest Home hebben doorzocht. Ze hadden de directrice en Iris in dezelfde kamer gevonden, beiden wegrottend en nauwelijks nog menselijk, en hadden gedacht dat ze allebei patiënt waren, goede vrienden zelfs. Dus toen werd ontdekt dat het geld op de bankrekening van Iris binnenstroomde, hadden de mensen die de leiding hadden besloten dat de twee vriendinnen maar een kamer moesten delen in de meest exclusieve club van Florida – Diamond Days, de meest luxueuze geriatrische kliniek in de Verenigde Staten; *de* plek, zou je kunnen zeggen, voor de Ultieme Reis.

LUKE KANE

Luke Kane, zoals de baby die die dag in 1929 werd geboren bekend kwam te staan, was een op vele punten gezegend kind. Zijn moeder, Lucinda, begon aan hem te frunniken – aaide hem over zijn wang, boog zijn vingertjes, zijn tenen, kamde zijn haar met haar slanke, witte vingers – vanaf het moment dat hij, stevig gewikkeld in witte doeken, aan haar blauwdooraderde, gezwollen borst werd gelegd. Ze hield nooit op met aan hem te frunniken, hem aan te raken en te betasten, met hem te knuffelen en te spelen. Als Luke Kane zijn hand uitstak, in de wieg, in bed, in de auto, in een zwembad, altijd was zijn moeder daar, zacht en geurig, leeghoofdig.

Lucinda was een sufferd, te stom zelfs om te begrijpen hoe de wereld in elkaar stak. In die tijd lag er buiten Long Island een wereld die uiteenviel. De krach had zowel voorraadkasten als banken leeggemaakt, de wind had het land geteisterd en de droogte had afgerekend met degenen die nog over waren. Haar mede-Amerikanen gingen dood van de honger, maar wat Lucinda betreft had dat net zo goed op Sumatra of Melanesië gebeurd kunnen zijn. O, het drong wel tot haar door dat een cocktailparty zo nu en dan wat minder gasten telde dan aanvankelijk de bedoeling was geweest; een paar namen uit de financiële wereld die van de gastenlijst waren verdwenen in verband met hun zelfmoord. En het speet haar voor hen, op een bescheiden, persoonlijke, zij het wat warrige manier. Wanneer er verhalen werden verteld – over mannen die de deur van hun kantoor op slot deden en papieren verbrandden voor ze de loop van een .32 in hun trillende mond staken – dan trok ze zich in zichzelf terug, ogen neergeslagen en het hoofd gebogen. Dan stelde ze zich voor wat ze zou doen als Theodore, haar echtgenoot, de vader van Luke Kane, zich met zijn auto tegen een muur te pletter zou rijden, uit een raam zou springen of hangend aan een balk in de stal gevonden zou worden. Maar dan bedacht ze dat zoiets nooit zou gebeuren en klaarde haar gezicht weer op.

Theodore Kane was een verstandig man, verstandiger dan veel mensen wisten. Zijn geld, verdiend op Wall Street met als beginkapitaal de stapels geld die zijn vader hem had nagelaten, was allang het land uit. Zijn geld, een deel in gebruikte biljetten, een deel dat vers van de pers kwam, een deel in goud, diamanten en Krugerrands, had hij verspreid over de wereld, alsof de nieuwe wind die woei het had meegevoerd naar Zürich, Jersey, de Bahama's. Inderdaad, Theodore was een verstandig man – hij hield zijn meningen voor zich. Hij las de kranten en voerde onder het genot van een goede sigaar en cognac gesprekken in zijn clubs, hij sprak met senatoren en hulpkelners, hij belde zijn bankiers in Zürich en bracht de middag door in joodse achterkamertjes in de West Forties en keek toe hoe diamanten onder het gemompel van stemmen hoekig uit kleine leren zakjes kwamen gerold.

Toen hij klaar was met lezen en schrijven, praten en denken, had hij zich drie meningen gevormd: dat er spoedig oorlog zou uitbreken in Europa, dat grote investeringen in de staalindustrie verstandig waren, en dat zijn vrouw een idioot was. En hij had op alle drie punten gelijk, met slechts één kleine aanpassing: het kostte Europa veel meer tijd dan hij voor mogelijk had gehouden om de Oostenrijkse dwingeland eronder te krijgen. Rond 1937 stond Theodore Kane bekend als Mister Steel, een bijnaam die hij in stilte geweldig vond, maar waar hij in het openbaar zogenaamd een hekel aan had.

De combinatie van zijn drie conclusies had tot gevolg dat Theodore Kane van zijn vrouw vervreemdde. O, hij voerde nog wel onbetekenende gesprekken met haar tijdens het avondeten, ging soms een weekend met haar naar de Hamptons tijdens de hondsdagen in augustus, zorgde ervoor dat haar bankrekeningen goed gevuld waren. Maar hij gaf niets van zichzelf. Hij kocht auto's en paarden, kratten illegaal gestookte drank, nam tuinlieden in dienst, ontsloeg chauffeurs. Hij deed in feite alles om haar gelukkig te maken, want als ze gelukkig was, stelde ze geen eisen aan hem. Hij glipte zelfs af en toe haar slaapkamer binnen en kroop dan tussen haar benen, met een licht gevoel van afkeer vanwege de uitzonderlijke bleekheid van haar huid en de groepjes sproeten. Maar dan kronkelde ze en gaf ze hem droge, poederachtige kussen in zijn hals en dus nam hij aan dat ze tevreden was. Het enige dat hij haar niet gaf, was zijn zaad; hij trok zich altijd op tijd terug, zodat het in de pasgewassen lakens terechtkwam. Theodore Kane wilde nog een zoon, want hij had een hekel aan Luke, maar dat zou niet gebeuren voor hij wist welke kant het opging met de wereld.

Misschien was het deze diepe leegte die Lucinda diep vanbinnen voelde waardoor ze haar troost zocht bij Luke; misschien zou ze ook zonder de kille onverschilligheid van haar echtgenoot te veel van Luke hebben gehouden. Ze wendde zich tot Luke zoals een zonnebloem zich naar de zon keert, iedere ochtend weer, vol vertrouwen. Misschien zou dit niet gebeurd zijn als Luke niet zo'n engelengezichtje had gehad; als hij niet zo bereidwillig had meegedaan aan deze affaire, had Lucinda misschien geprobeerd haar echtgenoot te verleiden in plaats van haar zoon.

Luke Kane werd gedurende zijn kindertijd zo tegen van alles beschermd, dat niet van hem verwacht kon worden dat hij de betekenis van het woord 'gevaar' kende. Maar die betekenis kende hij wel, simpelweg omdat hij zelf een gevaar vormde. Bezoekers van huize Kane in de Hamptons ontweken hem, toen hij in de wieg lag, toen hij in zijn wandelwagentje zat, toen hij van kamer naar kamer kroop tijdens de eindeloze cocktailparty's. Henry Ford knielde eens om met Luke Kane te praten, keek in de ogen van het kind en ging vlug weer staan, om zich heen kijkend op zoek naar afleiding. Gouverneur Roosevelt deed een stapje opzij, zodat Luke Kane niet tegen hem aan zou komen, bang als hij was hem aan te raken. Zelfs zijn vader, Theodore Kane, was op zijn hoede in de aanwezigheid van zijn zoon, al had hij niet kunnen uitleggen waarom, als hem dat was gevraagd.

De enige persoon die Luke Kane onvoorwaardelijk aanbad, was Lucinda. Ze riep hem iedere ochtend in haar met strikken en linten versierde slaapkamer en lokte hem op haar zachte hemelbed waar ze uren met hem bleef liggen, vol bewondering voor ieder woord dat hij zei, elke beweging die hij maakte. Hij op zijn beurt verbaasde zich over haar kinderlijke handen, haar gladde huid, haar slissende, hoge stem – eigenlijk was ze zelf niet veel meer dan een kind. Hij hielp haar altijd met aankleden, koos hemdjes en onderjurken uit, zijden blouses en strakke rokken. Lucinda moedigde hem aan de gladde kousen over haar slanke benen te trekken, tikte hem op de pols wanneer hij bij het zachtste deel van haar dijen kwam, glimlachte dan een kiekeboeglimlach en kronkelde wellustig – een mengeling van ogenschijnlijk onschuldige vrolijkheid en zinnelijke overgave. Vaak lagen de twee als een vossenmoeder en haar favoriete welp badend in het licht van de middagzon op de verkreukelde lakens, terwijl Luke Kane op de naakte borsten van zijn moeder rustte en met een dik handje het zachte vlees kneedde, tot beider genoegen. Zijn vader stond wel eens bij de deur dit schouwspel in zich op te nemen, en werd dan herinnerd, niet aan Maria met kind, maar aan Morgan Le Fay en Mordred, soms ook aan Romulus en Remus met zichzelf in de rol van Faustulus. Theodore wendde zich dan af van het schouwspel, uit zijn doen, zijn lendenen verhit, met pijn in het hart, zijn geest in verwarring.

Toen hij zeven was, stuurde zijn vader Luke Kane naar een kostschool, gehuisvest in een onaantrekkelijk gebouw dat ernst en degelijkheid uitstraalde, die zich erop voorstond dat de pupillen hier de zegeningen van hard werken en eerlijkheid en een gevoel van burgerplicht werden bijgebracht. De dag dat Luke op Christchurch Prep werd toegelaten, huilde Lucinda bittere tranen en hield hem stevig tegen zich aan, ging met haar handen over zijn gezicht zoals een blinde zou doen. Luke Kane onderging dit roerloos, duwde zijn moeder niet weg, maar beantwoordde de liefkozingen ook niet. Uiteindelijk trok Theodore haar weg, schudde Luke de hand en duwde hem de deur door. De hele met tranen overgoten terugweg naar de Hamptons weigerde Lucinda een woord te wisselen met Theodore, weigerde op te houden met snikken, weigerde toen ze eenmaal thuis waren te eten en te drinken en trok zich terug in haar kamer om haar verdriet te koesteren.

Toen Luke Kane door de poorten van Christchurch Preperatory School stapte waren de andere jongens vol ontzag, al zou geen van hen dat ooit hebben toegegeven. Het mannelijkste, het kleinste, het dapperste, het meest trieste jongenshart sprong op bij de aanblik van Luke Kane. Maar geen van hen durfde in zijn buurt te komen; ze werden tegengehouden door verlegenheid of een gevoel van zelfbescherming. Luke Kane blonk, vanzelfsprekend, uit in ieder vak, elke sport. Hij blonk uit, maar het was maar een laagje goudvernis. Terwijl de andere jongens in zijn slaapzaal de lange herfstnachten lagen te slapen en droomden van Luke Kane, lag hij met zijn handen om zijn penis, wakker, met glimmende ogen en dacht aan hoe hij met zijn frêle moeder op een groot bed lag, stelde zich voor hoe de zijdezachte huid van haar kleine borsten aanvoelde.

Iedere vakantie dat Luke Kane naar het huis in Long Island kwam, zocht Theodore naar veranderingen, keek naar zijn zoons gezicht en zocht naar sporen van ijver, eerlijkheid en burgerplicht, en elke keer weer werd hij teleurgesteld, want in plaats daarvan zag hij luie lusteloosheid, schaamteloosheid, een verwerpelijke onverschilligheid ten opzichte van anderen.

Luke Kane was geslepen. Hij bracht zijn vakanties door met zijn moeder, ging met haar winkelen in New York, zeilen bij Long Island, paardrijden en zwemmen. Ze speelden samen als vrienden in de puberteit en Theodore keek toe, niet in staat dit evenwicht, deze status-quo, te verstoren. Want Luke Kane sprak nauwelijks met zijn vader en wanneer ze elkaar al zagen, was Luke Kane steevast heel beleefd en gereserveerd. Maar Theodore wist, had altijd geweten, wat Luke Kane was.

De eerste keer dat Luke Kane met de palm van zijn puberhand over zijn moeders tepel aaide, verrukt toekijkend hoe de huid samentrok en een ader in haar hals begon te kloppen, was het Lucinda die haar hoofd afwendde, niet in staat ermee om te gaan. Luke Kane keek naar haar terwijl zij haar ogen sloot en bleef naar haar kijken toen ze bij hem vandaan schoof. Ze kroop in elkaar, een klein vrouwtje midden in een zee van satijnen lakens, alsof ze een steen was die in een onpeilbare put was geworpen.

Toen Luke elf was, keerde hij terug naar school met kennis die hij niet hoorde te bezitten, en die kennis gaf hem een zelfverzekerdheid die hij met ongewoon gemak droeg. Het was die zelfverzekerdheid, die opschepperij, die zijn ondergang zou worden, want het trok de aandacht van diegenen die zich slecht konden voorstellen dat dingen anders waren dan zij dachten. Een lenige knaap, die tot Luke Kanes komst zelf het onderwerp was geweest van menig verhitte droom, lag urenlang in bed, koud, slapeloos, en probeerde zich voor te stellen hoe het zou zijn om met zijn lippen die van Luke Kane te beroeren. Zo kwam het dat hij op een nacht de kamer binnensloop die Luke Kane deelde met een andere jongen. Luke Kane lag wakker, lag tussen zijn lakens te wachten tot hij ouder werd, wachtte tot de tijd verstreek en hij de dingen kon gaan doen die hij wilde doen, toen de sierlijke jongeling over hem heen gleed, onverhoeds zijn mond vond en zijn strakke dijen om Luke Kanes lendenen sloeg. De sierlijke jongeling kreunde en kwam klaar terwijl de kamergenoot snurkend ademhaalde door zijn verstopte neus.

Twee weken later kwam Luke Kane de jongen tegen bij een ven, niet ver van de school, waar hij zat te lezen tussen wat bomen die vanuit de kamer van de directeur konden worden gezien. Luke Kane ging languit naast de verliefde jongen liggen en glimlachte. Hij trok het boek tussen de vingers van de jongen vandaan en leunde voorover, tot zijn gezicht boven dat van zijn aanbidder hing. Terwijl Luke Kane zich tussen de bleke, samengeknepen billen perste, gluurde hij over zijn schouder naar de kamer van de directeur en was teleurgesteld dat er niemand geschokt naar hem stond te kijken. Een paar minuten later, terwijl zijn vuisten keer op keer op het breekbare, delicate gezicht van de jongen beukten, glimlachte hij nog steeds.

Het had gekund dat Luke Kane zich tevreden had gesteld met zijn moeder, genoeg zou hebben gehad aan het aaien en betasten van haar zachte, maar op een vreemde manier koele lichaam. Hij had dat kunnen blijven doen, tot zijn eigen en zijn moeders genoegen, tot hij een andere afleiding zou hebben gevonden. Hij had misschien zelfs nog gered kunnen worden als Joegoslavië niet gevallen was tijdens de Balkanoorlog, kapotgebombardeerd door Stuka's en Messerschmitts, terwijl de echo's van die bombardementen de volgelingen van Wall Street zich huiswaarts deden haasten naar hun heiligdommen. En als Joegoslavië niet gevallen was, was Theodore op zijn post gebleven, had hij in zijn club gegeten en had hij het paasweekend doorgebracht in zijn hotel op East 85th en daar geprobeerd anderen die bereid waren te luisteren te overtuigen van wat hij al jaren had geweten: dat Europa bezig was uit elkaar te vallen en dat de tekenen daar al jaren op wezen, al zo lang als zijn zoon leefde. Maar niemand luisterde, ze dachten dat hij oorlog wilde omdat hij een belangrijke speler zou zijn in de wapenwedloop en de munitiefabrieken kon voorzien van zijn eigen staal. Niemand geloofde dat hij het een rechtvaardige zaak vond, niemand geloofde dat hij van mening was dat het Amerika's plicht, de morele plicht, was om in te grijpen. Terwijl hij sprak, hoorden zij alleen maar het geld dat binnenstroomde in Kanes kluis. Dus keerden ze zich van hem af, te druk met elkaar te overtuigen van het feit dat verzoening en afzondering eervolle zaken waren, om naar zijn woorden te luisteren.

Theodore Kane lag languit op het soepele zwarte leer van de achterbank van zijn auto terwijl zijn chauffeur hem geruisloos New York uitreed en de richting van de Hamptons insloeg. De auto schommelde zachtjes, wiegde hem in een bijna-slaap terwijl de stad voorbij gleed. Theodore werd overvallen door sombere voorgevoelens terwijl de auto door de ongewoon lege straten reed. Terwijl zijn hoofd tegen het leer heen en weer rolde, voelde hij diep vanbinnen het kankergezwel van geschiedkundige zekerheid en half dromend zag hij de slagvelden van Europa voor zich, besmeurd met afschuwelijke bloedplassen. Hij zag voor zich hoe Joegoslavië zich in zichzelf keerde en stilviel, niet geliefd, niet beweend. Hij probeerde zich los te maken van deze beelden, maar slaagde daar pas in toen de auto voor zijn huis tot stilstand kwam.

Theodore deed de deur open en keek rond in de hal die versierd was met olieverfschilderijen en wandkleden, waar overal bloemen stonden en waar op de geboende vloeren Perzische tapijten lagen, en ging op een stoel zitten die hem nu pas opviel, een fragiele, rijk bewerkte chippendale, die kreunde onder zijn gewicht. Hij had zijn aktetas en de krant van die dag nog steeds in zijn hand, droeg nog steeds zijn sjaal en zware overjas. Hij boog voorover en liet de tas en de krant op de vloer glijden, terwijl hij zijn hoofd in zijn handen borg en zo het volgende uur bleef zitten, overmand door verdriet om de dingen die hij niet kon veranderen. Het gerinkel van de telefoon op de tafel naast hem rukte hem uit zijn overpeinzingen. Hij stak zijn hand uit en nam op, sprak een paar minuten en ging toen staan, schudde zijn jas uit en brulde in de stilte: '*Luke!*'.

Luke Kane was thuis voor de paasvakantie en op het moment dat zijn vaders brul door de hal klonk, lag hij in zijn moeders bed, loom glimlachend terwijl zijn moeders kleine, hete droge handen hem streelden, tussen zijn benen glipten, toen de brul de trap op kwam gestormd en tegen de deur aan stukken sloeg. Lucinda's porseleinblauwe ogen vlogen open en haar tong raakte verlamd van schrik. De tijd van veinzen was voorbij; ze kon de wijzers van de klok niet terugdraaien naar de dag dat Luke voor het eerst haar tepels had gestreeld en zij, door haar zwijgen, daar in had toegestemd; ze had geen tijd meer om haar rol van moeder in te nemen in plaats van die van sloerie, geen tijd meer om de gelegenheden terug te roepen die er waren geweest om dit te veranderen, om de dingen anders te maken dan ze nu waren. Ze krabbelde achteruit, verwilderd en angstig, haar voeten verstrikt in de lakens, toen de deur openvloog, tegen het dressoir sloeg waardoor de glasplaat bovenop aan diggelen ging en flesjes parfum omvielen zodat hun olieachtige inhoud op het tapijt droop.

Lucinda kon nooit meer Chanel gebruiken, kon nooit meer de geur ruiken zonder terug te deinzen alsof ze zojuist een klap had gekregen. De geur werd voor haar de verpersoonlijking van die avond, het zoete aroma werd stank. De stank van de stilte. Want Theodore zei niets, alsof het brullen van Lukes naam hem had uitgeput. Hij stond daar, groot en afschrikwekkend, in de deuropening, zijn gezicht overschaduwd door een vreselijke wetenschap. Hij stond daar en keek naar zijn vrouw en zoon, betrapt in een houding die zo grotesk, zo onwaarschijnlijk was, dat zijn woede, voorlopig, geen uitweg vond. Hij stond daar en keek toe hoe zijn vrouw de lakens met kleine, ineffectieve bewegingen om zich heen trok, terwijl zijn zoons erectie langzaam afnam. Hij zag hoe Lucinda zich onhandig van het bed liet glijden, weg van haar zoon en haar echtgenoot, naar de badkamer ging en de deur zachtjes achter zich sloot. Theodore en Luke Kane staarden elkaar minutenlang aan, en de wederzijdse haat nam alleen maar toe. Theodore keek naar zijn zoon en zag verdorvenheid, zag de zoon van Laius; Luke Kane keek naar zijn vader en zag alleen maar onmacht.

Theodores woede barstte ten slotte los en richtte zich op het welgevormde lichaam op het bed. Hij greep Luke Kane bij zijn nog immer onvolgroeide pols en sleurde hem van het matras, terwijl zijn zoon huilde en om zijn moeder riep in de hoop dat zij te hulp zou schieten en deze woede-uitbarsting kon afwenden. Maar Lucinda stond als verstijfd in de badkamer terwijl ze luisterde hoe Theodore zijn zoon afranselde, ondertussen schreeuwend over het telefoontje dat zijn sombere gedachten had doorbroken. De jongen die door Luke Kane was verkracht en in elkaar geslagen had eindelijk zijn stilzwijgen verbroken en had zijn moeder, toen ze met z'n tweeën thee zaten te drinken in een café in Boston, in tranen verteld wat er was voorgevallen. De moeder had de directeur van Christchurch Prep gebeld, die op zijn beurt de telefoon had gepakt om Theodore te bellen. Luke Kane was niet langer welkom op school en mocht van geluk spreken dat hij niet voor de rechter hoefde te verschijnen. De enige reden dat hem dat bespaard bleef, was dat de moeder niet had gewild dat haar zoon het onderwerp van roddels zou worden die zeker zouden zijn gevolgd.

Nog tientallen jaren later zou Theodore vaak aan die middag terugdenken, de middag dat Joegoslavië viel en Luke Kane werd betrapt. Hij dacht er aan toen hij oud en eenzaam was, en hij zich, net als Lucinda, probeerde voor te stellen dat hij de tijd terugdraaide, de bladen van de kalender terugsloeg, zodat ook hij de dingen anders kon doen. Maar terwijl hij daar zat met een deken over zijn knieën en trillende handen, kon hij zich er geen voorstelling van maken hoe hij de dingen had kunnen veranderen, hoe hij zijn zoon *goed* had kunnen maken. En het enige dat de oude man die Theodore was geworden kon bedenken dat hij anders had kunnen doen, was Luke Kane helemaal niet te verwekken. Hij dacht vaak aan hoe hij daar in de hal had gezeten, op de chippendalestoel, met zijn vermoeide ogen gesloten, zijn hoofd in zijn handen, denkend aan het uiteenvallende Europa toen de telefoon overging. En al die tijd dat de directeur sprak, was het geen moment bij Theodore opgekomen om te denken dat Luke Kane al die dingen helemaal niet gedaan had, want Theodore wist dat het wel zo was, kon zich maar al te makkelijk de glimlach op het gezicht van zijn zoon voorstellen terwijl hij verkrachtte en verminkte.

Lucinda bleef uren in de badkamer en wachtte tot de geluiden van mannelijke pijn en woede waren weggestorven. Toen ze alleen nog haar eigen ademhaling hoorde, liep ze haar kamer in waar de lucht van Chanel onmiddellijk haar maag in opstand deed komen en ze kokhalsde, gaf over op het perzikkleurige tapijt voor het dressoir. Ze zakte ineen, een bleke, miniatuur-Jocasta gehuld in de provisorische toga van satijnen lakens, en boog haar hoofd. Later, toen ze met betraande ogen opkeek in de smerige walm van braaksel en parfum, zag ze haar echtgenoot naakt op bed liggen.

'Luke,' zei hij, met zijn ogen strak op het plafond gericht, 'is vertrokken. Ik heb hem naar een plek gestuurd waar hij voedsel en onderdak krijgt en waar hij wordt opgevoed en in toom gehouden. Tijdens de vakanties blijft hij daar. Hij keert hier niet meer terug. Als er naar hem wordt gevraagd zeggen we dat hij bij een tante in Californië verblijft. Je kunt, als je dat wilt, zeggen dat we hem hebben weggestuurd voor het geval Amerika bij de oorlog betrokken raakt. Je zegt niets over wat er vanavond is gebeurd. Wij zullen er met geen woord meer over reppen.

Ik zal het je nooit vergeven. Ik schenk je geen vergiffenis. Ik zal je niet helpen wanneer je het probeert uit te leggen of redenen probeert te vinden voor wat je hebt gedaan. Het is onvergeeflijk en jij bent culpabel, alsof je ook maar een idee hebt van wat dat betekent. Ik stuur je ook niet niet weg, wat ik waarschijnlijk wel zou moeten doen en wat veel mannen ook zouden doen. In ruil voor deze buitengewone toegeeflijkheid wil ik nog een kind, nog een zoon. Sommigen zouden dat een meer dan redelijk verzoek noemen.'

Elizabeth Kane werd geboren om tweeëntwintig minuten over twee op 7 december 1941, op het moment dat de telexen in New York begonnen te ratelen. Tweeënhalfduizend mannen kwamen om in de vlammen in Pearl Harbor toen Elizabeth Kane door haar moeders aarzelende weeën de wereld werd ingeperst. De Kanes hadden opnieuw een keerpunt in de geschiedenis van Amerika luister bijgezet.

1997

Terwijl de limousine, zwart en discreet, tot in de puntjes onderhouden, zijn weg zoekt langs Central Park, kijkt Flanagan toe hoe Bronwen een dunne bruine More-sigaret opsteekt. Ze drukt op een knop in de deur en het raam zoeft een paar centimeter omlaag, rook kringelt dartelend naar buiten, als de staart van een eenhoorn. Haar witte, babyachtige handen, bedekt met ringen en overtollig vet, lichten bleek op in het neonlicht dat het achterste deel van de auto binnenschijnt. Haar haar, dat nu in dikke pijpenkrullen loshangt, is weelderig en vol. Haar lippen parelen van Tahitian Tint en haar ogen lijken groter door vakkundig opgebrachte donkerbruine oogschaduw. Een waar artiest op make-upgebied heeft een schijn van jukbeenderen weten te ontlokken aan de bleke maan die haar gezicht is. Ze gaat gehuld in een creatie van Vivian Westwood die om haar verbazingwekkende lichaam is gegoten, met een ingesnoerd lijfje, een queue en kwikjes en strikjes. Bronwen Jones is veranderd; ze is, zo luidt de inspecteurs conclusie, nogal indrukwekkend.

De limousine komt zwevend tot stilstand, het verschil tussen beweging en stilstand vrijwel onwaarneembaar. Bronwen gooit de gloeiende as van haar sigaret op het trottoir van Fifth Avenue en wacht tot de chauffeur de deur voor haar opendoet. 'Ik geeft wel een seintje wanneer ik je weer nodig heb,' zegt ze en schrijdt langs de chauffeur de lobby van het hotel binnen.

Flanagan kijkt geobsedeerd naar de fluwelen rug die door de hal naar de liften wiegt en loopt timide achter het schouwspel aan. De lift bindt de strijd aan met de zwaartekracht en de twee worden met een vaart die beide aanzienlijke magen enigszins ontregelt, naar het penthouse vervoerd dat nu Bronwens thuis is.

De liftdeuren gaan open en voor hem ligt een suite, zo groot, zo vol met allerlei schatten, dat Flanagan er ontmoedigd van raakt. Hij doet een stap achteruit en wordt bijna in de peilloze afgrond gezogen omdat de deuren sluiten. Bronwen slaat met een dikke knuist op een knop en hij is weer vrij. Hij doet behoedzaam, onzeker van zichzelf, een stap naar voren, terwijl Bronwen haar tas op een sofa gooit en haar hooggehakte schoenen uitdoet. Omdat hij niet weet wat hij anders moet doen, kijkt Flanagan maar naar Bronwens voeten, kijkt hoe haar tenen, die zo samengeperst hebben gezeten dat ze nu wel adderkoppen lijken, langzaam van elkaar worden losgemaakt en zich als bloemblaadjes openvouwen. Bronwen laat een kreun van opluchting horen en loopt naar de open keuken. 'Wilt u misschien een kop thee? Of iets anders?' vraagt ze.

'Thee is prima.'

'Ga maar ergens zitten, ik ben zo bij u.' Bronwen scharrelt rond in de met Carreramarmer beklede keuken en waggelt vervolgens naar een andere kamer.

Flanagan loopt door het appartement dat rondom uitzicht heeft op Manhattan. De lift komt in het midden uit, als de steel van een paddestoel. Hij is gebiologeerd door het uitzicht, door de sprankelende neonatomen die in hun glazen kooi oplichten, net zo gebiologeerd als Iris zevenenveertig jaar eerder toen ze de skyline van Manhattan op haar tiende verjaardag zag dansen. Flanagan, een beetje dromerig van de Ierse whisky die als kwik door zijn aderen vloeit, loopt twee keer de suite rond, opgewonden als een kind, probeert gebouwen te identificeren, probeert straten en bruggen te vinden, is verrukt over hoe klein de auto's lijken, over het vertekende beeld van de dwergen die daar beneden rondscharrelen. Het is vijf uur 's ochtends en Manhattan bruist nog altijd, doet de dwergen heen en weer bewegen over zijn plattegrond, trekt aan hun touwtjes, maakt marionetten van de nachtvlinders en hun wensen. Flanagan slaakt een zucht en het venster beslaat door zijn adem, waardoor het beeld van twee auto's die in stilte tegen elkaar botsen wazig wordt. Het glas van de vensters is zo dik dat de kakofonie van acht miljoen geeuwende en ruziemakende, schreeuwende en snurkende mensen, het geluid van optrekkende trucks, claxons en overvliegende vliegtuigen, tot nul wordt gereduceerd. Wanneer de mist van zijn adem wegtrekt, ziet hij Bronwen weerspiegeld in het raam. Hij ziet hoe zij naar de keuken loopt en thee inschenkt en hij wil zich niet omdraaien, niet laten merken dat hij haar ziet, zich niet losmaken van het beeld dat hem al sinds hij een kind was fascineert.

'Suiker?' vraagt Bronwen.

'Hè?'

'Gebruikt u suiker in uw thee?'

'Nee, nee, dank u.' Flanagan zucht en keert zich af van het raam en gaat op een bank zitten, een eiland te midden van een beige zee van tapijt.

Bronwen geeft hem zijn thee en gaat tegenover hem zitten en trekt haar dikke benen met zo'n bedreven beweging onder zich, dat Flanagan moet denken aan hoe zij die avond danste, en bloost. 'Ik moet zeggen dat het even duurde voor ik erachter was toen ze me uw naam zeiden. Toen wist ik het weer – we zijn elkaar tegen het lijf gelopen in het tehuis. Nou, inspecteur, wat moest u vanavond in de club? Ik had niet gedacht dat dat spekkie naar uw bekkie was.'

'Spekkie naar mijn bekkie?'

'U weet wel, niet uw smaak.'

'Dat is het ook niet. Ik was nog nooit in zo'n club geweest.'

'Waarom dan nu wel? Was u naar mij op zoek?' Bronwens varkensoogjes knijpen samen terwijl ze aan het geld denkt dat ze uit het bureau van de hoofdzuster heeft gepakt, het geld in de envelop waar ze zo zuinig mee omgesprongen was. Niet meer dan vierduizend dollar – een kleinigheid, een fooi.

Bronwen glimlacht licht bij de gedachte aan hoe zij het had beschouwd als een fortuin, als een stapel geld. Want nu weet ze dat het niets voorstelt, dat het haar niets had opgeleverd behalve de angst het kwijt te raken. Sinds ze Sam heeft ontmoet, is haar beeld van hoe dingen zouden moeten zijn, van de waarde der dingen, van wat ze *zelf* waard is, veranderd. Maar ze is zich ervan bewust dat de inspecteur er misschien niet dezelfde liberale zienswijze op na houdt.

'Op zoek naar u? Nee, helemaal niet. Waarom zou ik?'

'Zomaar.' Bronwen haalt haar schouders op. 'Dus het was puur toeval dat u daar was?'

'Absoluut. Ik had afgesproken met een vriend.'

Bronwen kijkt hem onderzoekend aan, en het is die blik die Flanagan verbaast, want hij is zo berekenend en koel, zo afgemeten, dat hij zelf aangeeft hoe ver Bronwen verwijderd is van die bolle, naïeve, in strak wit uniform gestoken gedaante op schoenen met platte zolen en een ongevormde geest die hij vluchtig heeft ontmoet in het Emerald Rest Home. Hij probeert na te gaan hoe lang dat geleden is – tien, misschien elf weken in deze stad hebben deze verandering tot stand gebracht.

Flanagan hijst zich op de bank overeind en probeert zijn gedachten op een rijtje te krijgen omdat die door de gebeurtenissen van de avond wat verward zijn geraakt. 'Luister, Bronwen, ik zweer je dat ik je toevallig zag in de club. Het was toeval, anders niet.'

'Waarom heeft u dan naar me gevraagd? En vertel me nou niet dat het vanwege die goeie ouwe tijd was.'

'Nee, nee. Niet daarom.'

Bronwen buigt voorover om haar sigaretten en aansteker te pakken die op de salontafel liggen en haar verontrustende borsten worden tegen elkaar en naar boven geperst in de laag uitgesneden jurk. De inspecteur knippert met zijn ogen. 'Waarom dan, inspecteur? Wilt u neuken?' Je zou kunnen zeggen dat sinds Bronwen heeft ontdekt dat ze 'neuken' kan zeggen zonder getroffen te worden door een door God gezonden bliksemschicht, ze het woord iets te vaak gebruikt.

'O, god, nee.' Flanagans blos wordt dieper. 'Dat niet, eh, nee, ik... Dat was niet de bedoeling.'

'Nou, als het dan niet uw seksuele driften zijn die u naar hier hebben gelokt, inspecteur, wat dan wel?' Bronwen laat zich in de kussens zakken als een opgeblazen Tallulah Bankhead.

De inspecteur gaat staan en loopt naar het raam, probeert zijn hoofd helder te krijgen. 'Je was die dag in de kamer toen ik naar het tehuis kwam – weet je nog? Ik kwam op een middag langs om met Iris te praten.'

De glimlach op Bronwens lippen verdwijnt en ze wordt achterdochtig. 'Ja, dat weet ik nog.'

'En toen kreeg ze een beroerte en kon niet meer praten. Weet je dat nog?'

'Nee, dat wist ik niet. Arme Iris.'

'Heb je ooit met haar gesproken? Ik bedoel, je weet wel, daarvoor? Toen ze nog bij haar verstand was?'

'Ja, natuurlijk. Ik sprak met alle patiënten. Ik was een goede verpleegster. Ik was een *goede* verpleegster.

Flanagans hart doet pijn wanneer hij de smeekbede in Bronwens stem hoort. Hij kijkt naar beneden naar Fifth Avenue, ziet dat de auto's van de aanrijding van een paar ogenblikken eerder nog steeds in elkaar vast zitten. Mannen staan op straat te gebaren, zwaaien met luciferarmpjes en duwen elkaar weg terwijl een vrouw, gekleed in soepele ivoorkleurige zijde tegen een van de gedeukte motorkappen leunt met haar hoofd in haar handen. 'Daar ben ik van overtuigd, Bronwen. Ik weet zeker dat je een uitstekende verpleegster was. Heeft Iris ooit iets over haar familie gezegd?'

'Een beetje. Niet veel.'

'Heeft ze het over haar zoon gehad?'

'Ja.'

Zestig meter lager zijn de twee mannen begonnen met hun sprietige armen naar elkaar te zwaaien. Eén man valt in de blubber, zijn benen glijden onder hem weg en zijn jas spreidt zich uit over de sneeuw. 'Wat heeft ze over hem gezegd?'

'Niet veel.'

De whisky in de aderen van de inspecteur lost op en hij herinnert zich dat vragen een omweg kunnen maken. 'Waarom ben je zo plotseling uit het tehuis vertrokken, Bronwen? Waar ben je naar op zoek?'

Hij kan het zachte geknetter van een brandende sigaret achter zich horen, een geluid zo zwak, dat het van een blad had kunnen komen dat groeit.

Beneden zich ziet hij de blauwe zwaailichten van politieauto's die de plaats van de aanrijding naderen. De auto's zijn nog straten verwijderd van de plek, maar hij, Flanagan, weet dat ze eraan komen. Die wetenschap geeft hem een misplaatst, dronken, gevoel van almacht.

'Als u het weten wilt, ik ben op zoek naar Chum Kane.'

De inspecteur raakt een beetje uit zijn evenwicht, plaatst zijn handen tegen het raam om het te hervinden. Hij draait zich om en kijkt naar het schouwspel in lila en roestrood fluweel, organdie en chintz op de sofa. 'Wat weet jij over Chum Kane?'

'Genoeg.'

'Waarvoor genoeg?'

'Genoeg voor mij.' Bronwen blaast een dikke rookwolk in de richting van het plafond en maakt de dunne bruine peuk uit. Ze kijkt naar Flanagan en haar lippen vormen een dik pruilmondje. 'U heeft geen twaalfhonderd dollar, is het wel, inspecteur Flanagan?'

'Nee.'

'Hoeveel geld heeft u?'

De inspecteur rommelt in zijn zakken, haalt een versleten portefeuille tevoorschijn en telt de paar versleten biljetten. 'Ik heb drieënvijftig dollar.'

'U bent niet gekomen met me te neuken, of wel soms?'

'Nee.'

'Ik was niet zo'n ster op school. Ik vond er niks aan, om u de waarheid te zeggen, maar ik ben niet zo'n idioot als veel mensen denken. Als u zonder geld bent gekomen, en eerst met Sam heeft gepraat, dan is het óf omdat u denkt dat ik het voor niks doe, óf omdat u wat anders in de zin heeft.' Bronwen gaat staan en strijkt het fluweel om haar achterste glad. 'Het enige dat u me gevraagd heeft is van alles over Iris. Toen u naar het tehuis kwam, was dat om Iris te ontmoeten.' Bronwen loopt naar het raam, gaat naast Flanagan staan en samen zien ze hoe een politiewagen stopt en met zijn koplampen het gevecht op straat belicht. 'Nou is Iris een zieke vrouw die waarschijnlijk een deugdzaam leven heeft geleid, zoals mijn moeder zou zeggen. Het enige interessante aan Iris is haar zoon.'

'Wat is er zo interessant aan hem?'

'O, kom op, man, u denkt toch dat hij interessant is, of niet soms? Anders zou u hier niet zijn.'

'Zou kunnen.'

De mijmering van de vrouw in ivoorkleurige zijde wordt onderbroken door het blauwe zwaailicht en terwijl ze opkijkt ziet ze agenten in uniform op zich afkomen.

'Hoe denk je hem te vinden?' vraagt Flanagan terwijl zijn ogen de gebeurtenissen beneden volgen, zien hoe de vrouw haar jurk gladstrijkt en haar haar op orde brengt.

'Ik vind hem wel.'

'Hoe? Je weet niets van hem af.'

'Nee. Maar u wel, denk ik zo. Ik bedoel, u bent van de politie.'

'Nou en? Ik weet misschien een paar dingen. Wat dan nog?'

'Nou, u bent ook naar hem op zoek, hè? Daar lijkt het wel op. Misschien kunnen we elkaar helpen.'

Flanagan fronst zijn voorhoofd. Dit is niet wat hij had verwacht. Hij wordt in een hoek gedreven, wordt van het ene naar het andere punt gedreven op een steeds kleiner wordend oppervlak. Op Fifth Avenue ontstaat een file en takelwagens arriveren. De agenten staan stil, trekken hun wapen en houden die losjes in hun hand. 'Bronwen, wat weet je? Wat weet je over Chum Kane?'

'Zoals ik al zei, genoeg.'

'Genoeg om...?'

'Genoeg om te weten dat ik hem wil hebben.'

Het dringt eindelijk tot Flanagan door wat ze bedoelt. 'Jij hebt die foto gepikt. Jij hebt die foto. *Daarom* ben je weggegaan. Verdomme – je weet hoe Chum Kane eruitziet.'

Bronwen glimlacht.

'Bronwen, mag ik hem zien? Mag ik alsjeblieft de foto zien?'

'Natuurlijk niet.'

Flanagan kijkt weer uit het raam, zwaar ademhalend. Wat nu? Zijn hart slaat op hol, als een haas die voor de honden uit rent, bij de gedachte dat er iemand bestaat die in een mensenmenigte Mister Candid kan aanwijzen en zeggen: 'Dat is 'm'. En die persoon staat hier naast hem, gekleed als Mary, koningin der Schotten. Hij weet dat Bronwen hem de foto niet zal geven, hem er niet eens naar zal laten kijken. Wat nu? Wat wil ze?

'Wat wil je?' vraagt hij.

'Ik wil met u mee.'

'Waarheen? Waar ga ik heen?'

'Hoe moet ik dat nou weten, man? Als ik dat wist, was ik er nu al wel geweest. Ik gok dat u naar de laatste plek gaat waar hij volgens u is geweest. Klopt dat?'

Flanagan kijkt nog steeds naar de vrouw in ivoorzijde. Ze loopt naar de revolverzwaaiende agenten, haar manier van doen ongedwongen, vol zelfvertrouwen. Zoveel kan hij van deze hoogte onderscheiden en hij kijkt bedenkelijk in de wetenschap dat haar geld en invloed dit probleem zullen gladstrijken. Flanagan bedenkt hoe koud ze het moet hebben zonder jas.

'Klopt dat?' vraagt Bronwen nogmaals.

'Wat?' Flanagan draait zich naar haar om en kijkt haar aan.

'Heeft Iris iets gezegd? Een aanwijzing gegeven?'

'Ja.'

'Laat me dan met u meegaan. Ik weet hoe hij eruitziet en u niet. U heeft me nodig.'

Flanagan slaakt een zucht in het besef dat ze gelijk heeft. 'En dit dan allemaal?' Hij maakt een gebaar naar het penthouse.

'Dit is niet van mij. Dit stelt niets voor. Heeft u een auto?'

'Ja. Hij staat in de garage.'

'Ik zal even met de balie bellen en ervoor zorgen dat ze hem ophalen.'

'Bronwen, ik moet dit vragen – waarom ben je er zo op gebrand hem te vinden?'

Bronwen lacht. 'Als u de foto had gezien, zou u wel weten waarom.'

Keeler zit in een onopvallende auto tegenover Bronwens appartement en zijn verveling wordt alleen doorbroken door de jankende sirenes van politieauto's die hem voorbij zijn komen rijden, op de voet gevolgd door de takelwagens. Hij is zo in beslag genomen door zijn speculaties over wat de reden van hun aanwezigheid kan zijn, dat hij bijna mist hoe inspecteur Flanagan en Bronwen in een donkere auto stappen die iemand voor de ingang van het gebouw heeft gereden. Hij stoot de chaufeur aan en gebaart hem te volgen. 'Ze valt tenminste wel op,' mompelt hij. 'Maak me maar wakker als er iets gebeurt.'

Las Vegas - april

M –

Zonsopgang vanochtend: ik zit in een vliegtuig op weg van

L.A. naar Reno. Het vliegtuig taxiet en stijgt op en je kijkt naar buiten en denkt dat er niet veel mooiers bestaat terwijl je over de woestijn vliegt. Ik bedoel, je hebt de zon, de bergen, en niets. Geen water, niets. Vervolgens zie ik een vreemd meer beneden en vraag een stewardess wat het is. Haar gezicht lijkt wel een leeg scherm. Ik bedoel, er dringt geen signaal tot haar door. Tweede poging. Ze glimlacht een verdwaasde glimlach en zegt dat ze geen flauw idee heeft, ze zal het de piloot vragen, dus daar gaat ze en komt weer terug, nog steeds glimlachend als een waanzinnige, en zegt dat die het ook niet weet. Ik bedank haar en kijk weer uit het raam en ik zweer je, daar is de Half Dome en de Grand Capitan. Dus dan moet het Mono Lake zijn, of niet soms? Ik bedoel, verdomme, dat is toch gewoon een van die dingen die je *weet*? Uiteindelijk komen we uit de wolken en rollen over de landingsbaan in Reno, zwemmen door de hete lucht die zo droog is dat je je huid kunt horen kraken. Ik stap de aankomsthal binnen en iedereen zit aan de automaten, doet niets anders dan aan de fruitautomaten zitten, duwen en trekken aan al die knoppen in de hoop dat een van hen een droom kan vervullen. En buiten is de woestijn, kilometers ver, maar ik heb het gevoel dat ze daar niet zoveel bij stilstaan. Dus ik huur een auto en rijd naar Vegas.

Je zult je misschien afvragen of het wel zo verstandig is om honderden kilometers naar het noorden te vliegen om een auto te huren en weer honderden kilometers naar het zuiden te rijden. De reden dat ik dat heb gedaan, voor het geval je het wilt weten zoals de meeste normale mensen, is dat ik geen auto wilde huren in Californië en de staat ermee uitrijden. Precies wat ik altijd heb gedaan, zigzaggend heen en weer in een onvoorspelbaar patroon dat geen mens kan volgen. Het heeft me zeven uur gekost om hierheen te rijden en ik ben langs plaatsen gekomen waarvan je niet had kunnen dromen dat ze bestaan. Waarom gaat iemand in Nevada wonen? Wat heeft dat voor zin? De auto staat op cruise control en mijn hoofd ook.

En ik begin weer aan jou te denken. Zoals altijd wanneer er in de wijde omtrek niets te zien is. Ik heb het gevoel dat ik je jaren uit mijn gedachten heb gebannen. Ik weet niet hoe ik heb kunnen denken dat het voor altijd zou zijn, hoewel zeventien jaar soms aanvoelt als altijd. Ik rijd nu naar Tonopah en de landkaart flappert op mijn schoot en ik realiseer me dat, als ik niet stop, als ik gewoon maar doorrijd, de weg me regelrecht naar Mexico voert en misschien zit je *daar* wel. Maar misschien ook niet, want je kunt wel overal zitten. Je bent misschien wel teruggegaan naar Harvard; nou, dat is pas een vreemde gedachte. Maar ik kan het me makkelijk voorstellen. Jij die door de gangen der kennis schrijdt met je haar wapperend achter je aan en mannen die als vlooien om je heen springen. Dat zou niks nieuws zijn.

Weet je nog die keer dat we in een of andere bar aan Times Square ruzie zaten te maken? Ik weet niet meer hoe die tent heet, maar ik zie het nog glashelder voor me – er stak een halve Oldsmobile '47 uit de gevel. Jij was die ochtend naar een godsdienstles geweest en je ratelde maar door over de gnostici en hoe aantrekkelijk hun theorieën waren, je weet wel, hoe we geboren worden met een goddelijke inslag, maar vervolgens in een materiële wereld terechtkomen waar we geleid worden door het noodlot, kismet, karma, leven en dood. En de gnostici geloofden dat alleen zij die de esoterische kennis onder de knie kregen herenigd zouden worden met de Schepper, met de geest. Ik hoor het je nog zeggen – 'esoterische kennis', met die vreemde krakende stem van je, alsof je iets kostbaars in je mond had. En ik maakte je kwaad, stelde je vragen als wie, precies, die kennis konden vergaren als die bedoeld was voor een ingewijde minderheid, en wie die minderheid koos, en – en dat deed de deur dicht – wie je dan verdomme wel was dat je helemaal hoteldebotel werd van iets dat werd omschreven als 'goddelijke inslag'. Ik zei dat op een manier zoals alleen een ongeremde, egocentrische gedragsdeskundige dat kan. Jij pakte je bier en gooide het in m'n gezicht, met glas en al, en ik keek hoe je wegliep en wilde achter je aan.

Ik denk aan mezelf zoals ik daar zat in die bar, zo arrogant en vol van mezelf, zo eigenwijs, alsof ik de bron van alle wijsheid was, en ik kon mezelf wel wat doen. Want nu lig ik hier op een motelbed ergens achter de Strip in Las Vegas en overal om me heen laten mensen het rad van fortuin draaien in de meest vuige, hebzuchtige plek op aarde, maar ik weet nu dat er een goddelijke inslag *bestaat*, in ieder geval iets dat erop lijkt, en jij bezat die. Is dat de esoterische kennis die ik verondersteld werd te vergaren? En zal dat me redden?

Ik ben je na een tijdje achternagegaan, die bar uit, bedoel ik. Ik heb het je nooit verteld, maar ik ben je over Times Square naar de campus gevolgd en heb gezien hoe je die weergalmende trappen bent opgelopen. Je liet een paar boeken vallen en toen je bukte om ze op te rapen kon ik zien hoe verdrietig je was.

Veel liefs,

Chum

Iris Chandler heeft al zesenhalfduizend dagen niet gelopen. Al jaren ligt ze in bed en daagt ze de medische wereld uit haar klachten te benoemen. Er is al zo vaak een andere diagnose gesteld dat het een wonder zou zijn dat ze nog leeft als één daarvan accuraat was geweest; ja, als ze de dekens van zich af zou gooien en door de kamer zou hinkelen, zou haar geneesheer niet zozeer geprezen worden als wonderdokter, maar als iemand die de doden tot leven heeft gewekt. Doktoren, specialisten, adviseurs, kwakzalvers, kruidendokters, homeopaten, chirurgen en psychiaters hebben haar allemaal onderzocht, zijn allemaal betaald uit de bron van welvaart die door een onbekende wordt gevoed. Ze hebben in haar geprikt, gebrand, geknepen, haar doorgelicht, gemasseerd, kompressen bij haar aangelegd, haar verbonden, aderlatingen verricht. Ernstige jonge mannen hebben haar ondervraagd, gevleid, verhoord, onderzocht en aan de tand gevoeld. Maar ook medici hebben hun grenzen en na flink wat medische discussie tussen de vertegenwoordigers van de verschillende doorluchtige takken van de medische wetenschap, werden ze het eens dat ze met elkaar van mening verschilden – Iris leed aan neurologische klachten, verharding van de zenuwen, een afwijking aan de zenuwcellen, afwijking aan de schildklier, een hersenafwijking – en toen ging ieder zijns weegs, met een goedgevulde portefeuille. Iris had alleen nog maar haar bed en haar herinneringen aan hoe het was om buiten in de zonneschijn te lopen.

Nu echter, wil Iris in staat zijn om te lopen, wil ze het linoleum oversteken dat haar bed van dat van de directrice scheidt. Iris mag dan misschien kwijlen en bellen blazen, mag dan behalve aan bed gekluisterd zijn ook niet meer in staat zijn te spreken, haar geest, gevangen achter de spinnewebachtige poort van gebarsten aderen in haar hersenen, kan nog steeds eenvoudige plannetjes bedenken. Ze ziet voor zich hoe ze midden in de nacht stilletjes uit bed kruipt, naar de directrice loopt, haar smoort, en vervolgens weer terugloopt naar haar bed en voor de laatste keer gaat liggen. Iris' geheugen is bijna leeg, slechts een paar losse dingen zwerven daar nog rond, maar ze herinnert zich genoeg om te weten dat de directrice niet mag blijven leven omdat ze heel wat afweet van Charlie Kane en niemand mag weten van Charlie Kane. Iris kan zich nog steeds niet herinneren waarom dit zo belangrijk is, maar ze weet wel dát het zo is.

Dus probeert ze iedere nacht haar spieren te oefenen – meelijwekkend dunne strohalmpjes, iel en buigzaam als spuug, die losjes vastzitten aan veterdunne pezen. Ze balt haar vijf vingers tot een vuist, knijpt stevig en ontspant, telkens weer, en maakt zich zorgen dat ze niet genoeg kracht zal hebben om het kussen met haar stompje op zijn plaats te houden. Ze probeert zonder hulp te gaan zitten, tilt onder het laken haar benen op en buigt haar knieën. Ze oefent in het uit haar arm halen en terugstoppen van de infusen. En al die tijd ziet ze voor zich hoe ze naar het andere bed loopt en het kussen op het gezicht drukt, er met haar gewicht op leunt. Af en toe lacht ze bijna van verrukking, want het zal de perfecte misdaad worden. Per slot van rekening heeft Iris zeventien jaar niet kunnen lopen, het volmaakte alibi.

Flanagan zit in zijn auto op de parkeerplaats van een benzinestation in Queens en probeert zijn kruis niet te branden aan de gloeiend hete koffie, die uit een plastic bekertje lekt. Hij zit te wachten op Bronwen die zich in de toiletten aan het verkleden is. Toen ze tegen zonsopkomst over de Queensborough Bridge de stad uitreden, ging Bronwens uitmonstering meer opvallen naarmate de zon hoger rees, de kleuren van het fluweel oogverblindender met elke kilometer die ze aflegden en Flanagan was uiteindelijk gestopt en had voorgesteld dat ze iets anders aan zou trekken.

Terwijl hij zit te wachten denkt hij erover om in de tas te snuffelen die Bronwen in de kofferbak heeft achtergelaten om te zien of de afbeelding van Chum Kane daar misschien in zit, maar hij weet dat het niet zo is, omdat Bronwen hem altijd bij zich zal dragen. Flanagan zucht vermoeid, neemt een slokje van zijn koffie, die alleen maar heet smaakt, en wrijft in zijn ogen. Hij is moe. Hij kijkt om zich heen naar het schitterende chroom van de stoet auto's die zich in de richting van de stad begeeft. Zijn omgeving bestaat uit schuttingen en verkeerslichten, vervallen winkels en neon. Wat *doet* hij hier? Hij zou in Miami moeten zitten en proberen de geprikkelde Barbars door de wettelijke procedures te loodsen, zodat zij zich kunnen wreken voor de dood van hun zoon. In plaats daarvan zit hij in een koude auto bij een benzinestation en doet zijn lichaam pijn van een overdaad aan whisky en een gebrek aan slaap, op zoek naar een mythe met een vrouw van honderd kilo die denkt dat ze niet opvalt, gekleed in een stijl die in de zestiende eeuw al van slechte smaak getuigde.

De deur van de toiletten achter hem vliegt open en hij kijkt geschokt in de achteruitkijkspiegel. Hij ziet Bronwen op de auto afkomen, haar gezicht schoongewassen, haar haar opgebonden, gekleed in een spijkerbroek en een trui, en hij zucht opnieuw, deze keer van opluchting.

'Ik moet wat te eten hebben,' zegt ze, terwijl ze zich in de passagiersstoel laat ploffen.

'Oké. Geen probleem. We stoppen bij de volgende eettent.'

Keeler, die in een auto op het parkeerterrein van een Japans restaurant ertegenover zit, voelt zich net zo versleten als Flanagan. Hij haat Queens, wil er niet zijn.

'Volg ze,' zegt hij tegen de chauffeur, wanneer Flanagan wegrijdt, op zoek naar ontbijt. Hij pakt de radio en roept het hoofdbureau op, en zo begint hij het net rond Flanagan en Bronwen aan te trekken, die op hun beurt hun eigen net spannen.

Las Vegas – april

M –

Neem me niet kwalijk dat ik alweer zo snel schrijf, maar ik heb wat tijd over. Ik zit te wachten tot mijn vlucht naar New York gaat. Ik heb een dag achter de rug, dat wil je gewoon niet weten – dat wil niemand weten. Ik wandelde wat door de stad, onopvallend gekleed, nog steeds kapot, als een mislukkeling, als een doorsnee handelsreiziger uit Minneapolis die naar Vegas is gegaan om een leuke tijd te hebben, maar die alleen maar is overdonderd. Ik ben naar elke bank gegaan waar ik geld had staan, elke bankkluis waar ik fiches had achtergelaten, promesses, schuldbekentenissen, ringen, eigendomsbewijzen, autosleutels, huissleutels – noem maar op. Je staat er van te kijken wat mensen allemaal op tafel gooien als het eenmaal drie uur 's nachts is en de fles whisky is halfleeg, en de strijd half gestreden. Dan heb je ze te pakken, of je nou goeie kaarten krijgt of niet. Je pint ze vast met een blik, half medelijden, half bewondering dat ze alles, *alles*, in willen zetten om de volgende pot te winnen, om die ene grote slag te slaan waar ze al die jaren op hebben gehoopt. Mensen vragen altijd – waar let je op als iemand je inzet met 250.000 dollar heeft verhoogd en jij zit daar met een paar drieën en een paar zessen en je weet, dat weet je gewoon, dat hij twee boeren en drie heren heeft? Nou, je let nergens op, je rekent alleen maar. Tenminste, dat deed ik altijd.

Ik kwam terug in het motel en gooide alles op het bed, en weet je wat? Ik ben een rijke stinkerd. Het blijkt dat ik huizen bezit in Palm Beach, Houston, Santa Monica, Old Greenwich, London en East Orange (dat laatste kan me gestolen worden). Ik heb appartementen in Parijs, aan het Canal Grande in Venetië en in Manhattan. Ik heb Ferrari's, Porsches, een Jag, twee Mustangs uit 1964 en een paar Harley's. Om nog maar te zwijgen van een eiland in de buurt van de Kaaimaneilanden, de erfpacht van een atol bij de Maladiven en een villa op Capri. En dan heb ik het contante geld nog buiten beschouwing gelaten. Dus wandel ik door Vegas met meer geld en goederen dan iemand voor mogelijk houdt en omdat ik eruitzie als een zwerver let niemand op me. Ik heb rondgelopen met cheques ter waarde van meer dan vijftien miljoen dollar, plus drie miljoen contant (mijn niet te verwaarlozen bezit aan aandelen is ondergebracht bij een andere bank) en zelfs de oplichters en zwendelaars negeren me.

Ik denk dat je je wel hebt afgevraagd waar het geld vandaan komt dat me in staat stelt dit leven te leiden – je weet wel, auto's kopen, reizen, hotels, huizen, overal naartoe vliegen. Nou, daar vandaan dus. Weet je nog dat ik je vertelde dat toen ik voor het eerst naar Harvard ging, dat eerste semester, ik was toen veertien, het eerste college waar ze me heen stuurden zuivere wiskunde was? Ik zie nog voor me hoe ik de eerste keer die collegezaal binnenliep. Het was er koud en er waren van die hoge, gebogen ramen met een heleboel ruitjes, een lange oplopende rij banken waarin gasten zaten met lang haar en een bril, die allemaal op me neerkeken alsof ik een stuk stront was. Ik zat in m'n eentje op de eerste rij, niemand bij me in de buurt, en ik kon wel huilen. Ik wilde gewoon weer thuis zijn, bij Lydia en mijn moeder. Maar ik denk dat ik ook alles wilde weten; ik wilde zo graag alles weten dat het me niet kon schelen dat die andere studenten zulke klootzakken waren. Natuurlijk weet ik nu ook wel dat het geen klootzakken waren, ze waren gewoon bang, bang dat ze door mij stom zouden lijken. En dat gebeurde natuurlijk ook, zonder dat ik me er voor hoefde in te spannen. Niet meteen, want ik was niet zo zeker van mezelf. Maar hoewel ik misschien niet zeker van mezelf was, ik was *wel* zeker van de waarschijnlijkheidstheorieën. Dus ik zit daar te beven, en die professor begint over verdeling, willekeurige variabelen en verwante waarschijnlijkheden. Voor ik het in de gaten heb, ben ik aan het discussiëren over de afgeleide helling van F en de onmogelijkheid van de afwezigheid van asymmetrie in een empirisch model. Dat had ik misschien niet moeten doen; na al die jaren weet ik nog steeds niet of ik niet beter daar gewoon had kunnen zitten en mijn mond houden, maar alle andere studenten scheten peuken omdat ze geen idee hadden waar ik het over had. Na een paar weken werd de vijandigheid zo groot, dat ik privé-colleges zuivere wiskunde kreeg.

Maar waar het om gaat is dat het met dat college allemaal begonnen is. Ik leerde de theorieën van de Gauss-distributie, deed daar wat van de Poisson-theorie bij en kwam op de proppen met een waterdicht systeem. 's Avonds oefende ik met kaarten en dobbelstenen en munten, gewoon om de theorieën te testen. Feit is, dat mensen als ik verondersteld worden de theorieën te begrijpen en vervolgens verder te gaan en er nog een paar te leren. En misschien er nog een paar te ontwikkelen. Maar mensen verwachten nooit dat mensen als ik deze theorieën in het dagelijkse leven zullen toepasen. In ieder geval niet in casino's. Ik zou dat ook niet gedaan hebben als ik het geld niet nodig had gehad. Als je meer dan duizend getallen en beelden kunt onthouden en er ook nog trucjes mee kunt uithalen is het net zoiets als snoep afpakken van een kind. Alle gokkers die ik heb ontmoet dragen altijd dezelfde das, of dezelfde jas of hebben een klavertjevier of een konijnenpootje bij zich als ze naar het casino gaan. Alles wat ik bij me heb is $f(x)=(2\pi^{-1/2}exp(-1/2x^2)$ met een beetje $\lambda^n e^{-\lambda}/n!$, en dat allemaal gecombineerd met een geheugen als dat van Deep Blue en dan gaat het prima met me.

Misschien was ik wel chemicus geworden, of statisticus of was ik kiezersgedrag gaan bestuderen als die avond niet was voorgevallen. Misschien was ik al die dingen wel gaan doen die mensen van me verwachtten. Misschien was ik wel optiehandelaar op de beurs geworden. Zoals ik het zie, is dat sowieso wat ik doe: handelen in opties.

Veel liefs,
Chum

LUKE KANE

Luke Kane bracht de rest van zijn kindertijd in afzondering op een jezuïetenschool in Californië door, of althans, wat in zijn geval voor kindertijd doorging: hij kwam toen hij elf was en vertrok op zijn achttiende. Luke Kane kwam er nooit achter wat zijn vader tegen de leraren had gezegd, hoorde geen woord van wat er tussen zijn ouders was gezegd over wat er die avond tussen hem en Lucinda was voorgevallen, en hij was pienter genoeg om te beseffen dat ernaar vragen geen enkele zin had. Hij bracht zijn puberteit door in een instituut waar geen plaats was voor andere dingen dan overpeinzing. Dus hij dacht na wanneer dat van hem gevraagd werd, sliep wanneer hem dat gezegd werd en at wanneer er voedsel voor hem werd neergezet. Hij leek, tot verrukking van de jezuïeten, de volmaakte leerling, een asceet met een vlekkeloos verleden, wiens kamer Spartaans was ingericht en wiens geest uitsluitend was gericht op het vergaren van kennis.

Luke Kane had uiteraard al lang geleden ontdekt hoe hij moest huichelen. Zijn leven was niet dat van een kluizenaar, zoals de priesters dachten, al zou gezegd kunnen worden dat hij wel een estheet was, een student die op jacht was naar het begrip pure schoonheid. Hij zat alleen achter jongens aan die kwetsbaar waren, gedwee en inschikkelijk, die een mooi gezicht hadden en sierlijk waren. Hij herinnerde zich ook de jongen op Christchurch – zijn enige inschattingsfout, zijn enige vergissing – en hij hield steeds het beeld in gedachten hoe die jongen in tranen de gebeurtenissen van die dag had verteld. Hij herinnerde zich zijn vaders belofte dat hij een einde zou maken aan Lukes leven als er nog een schandaal zou zijn, en die belofte was een van de weinige dingen die Luke Kane onvoorwaardelijk geloofde.

Hij zat niet voortdurend opgesloten, zonder onderbreking, zonder adempauze. Er waren bezoeken aan andere scholen, er waren veel tochtjes naar de Salinas Valley, naar boerderijen, naar museums en theaters in de stad, naar het strand. Er was de jaarlijkse trip naar Yosemite, naar Mammoth Lakes, naar Mono Lake. Het was op een tocht naar Mono Lake – om experimenten uit te voeren met betrekking tot het zoutgehalte van het water en de bijbehorende koolzuursuspensies – dat Luke Kane een paar ogen ontmoette dat hij niet kon boeien, een hart dat hij niet kon breken. Hij zonderde zich af van de groep jongens en voelde zich oud, voelde zich moe, en zag een jonge priester alleen aan de oever van het kobaltblauwe meer. Luke Kane zweefde, als een geur, als een veertje, met onrustige lendenen en prikkende nekharen naar de priester. Toen hij dichterbij de priester kwam, glimlachte hij, zijn bosbeszachte lippen krullend, zijn ogen doorspikkeld met blauw, zijn haar diepzwart van het vet. De priester stak zijn arm naar hem uit en trok Luke Kane in de schaduw van een pilaar van tufsteen, kuste hem wild en raakte hem aan, zonder enige tederheid, zonder enige zorgzaamheid, liet hem toen weer gaan en wisselde nooit meer een woord met hem. Luke voelde, na verloop van tijd, bewondering voor de priester om wat hij had gedaan, maar die middag in het licht en de schaduwen van de Californische zon, huilde hij. Waarom hij nou huilde, had hij niet kunnen zeggen.

Theodore Kane leefde alleen in een huis in Westchester nadat hij de beslissing had genomen niet meer met Lucinda samen te wonen, ook al zou hij niet van haar scheiden. Vaak stond hij, in de jaren die volgden, in zijn studeerkamer en keek uit over zijn met herten bevolkte land, de enorme gazons met vijvers, en dacht aan zijn collega's die achter zijn rug zijn bijnaam fluisterden, aan de krantenkolommen die waren gewijd aan Mister Steel, en dan trok hij een gezicht. Want tegenwoordig bestond hij uit kiezels, uit zand, uit wrakhout. Hij was een zak vel, gevuld met botten, schande en spijt. Hij was onoverwinnelijk geweest, gehard door vastberadenheid, en toch had Luke Kane de zwakke plek in zijn pantser weten te vinden, had een glimp opgevangen van het rode, kloppende hart dat binnen in het harnas klopte, en had het doorboord. Terwijl Theodore daar zo stond voor het raam in zijn studeerkamer in het lege, weergalmende huis, op avonden in het voorjaar, zomer, winter en herfst, en toekeek hoe de bladeren van kleur veranderden, hoe de herten ouder werden, dan zag hij zijn spiegelbeeld in de ruit met hen ouder worden. En de gedachte die zijn doorboorde hart nog meer deed bloeden, was dat hij zo lang had gewacht, zijn leven zo lang zo zorgvuldig had ingericht, alleen maar om wraak te kunnen nemen op zijn vrouw die hem had opgescheept met een dochter die precies geboren was op het moment dat Amerika betrokken raakte bij de oorlog.

Sommigen zouden zich afvragen wat hem dat eigenlijk kon schelen, want hij zag Elizabeth Kane maar zelden, alleen op zijn spaarzame bezoeken aan het huis in East Hampton waar zij met haar moeder woonde. Theodore kwam er op verjaardagen, met Kerstmis, tijdens zonovergoten dagen in augustus, en zat dan met zijn dochter aan het strand, aan tafel, in de auto op weg naar Cape Cod. Hij probeerde met haar te praten, probeerde het voortschrijden van haar leven met haar te vieren op haar verjaardagen. Hij zat bij haar en probeerde van haar te houden, maar hij kwam erachter dat hij dat niet kon. Elizabeth, die door iedereen behalve haar vader Sugar werd genoemd, was niet de zoon naar wie hij zo had verlangd die Lukes plaats in kon nemen; sterker, zij was Lukes evenbeeld. Ze had veel van zijn trekken, maar ze waren zachter, soms moeilijk waarneembaar, alsof het een beeld achter glas betrof. Theodore vond het steeds moeilijker om met haar te praten, haar aan te raken, van haar te houden, en dus werden zijn bezoeken naarmate de jaren verstreken spaarzamer totdat de cadeautjes uiteindelijk via de post kwamen, en in plaats van aanwezig te zijn, stuurde Theodore cheques.

Hij wist dat het verkeerd was, wist dat dit een nieuwe tekortkoming was. Maar elke avond zat hij in zijn donkere huis en keek naar de herten, terwijl hij steeds maar weer het beeld voor zich had van Luke Kane in het bed van zijn moeder.

Lucinda leefde het leven van een verwende onbenul. Ze incasseerde de cheques, at in de beste restaurants, ging naar feestjes, zeilde op de Sound, bauwde de vooroordelen na van iedereen met wie ze toevallig was, overal waar ze was. Ze ging tekeer over Roosevelt, Hitler, de rantsoenering, de armen, de rijken, de berooiden, de machtigen, de ongelukkigen, en dat allemaal in een wirwar van meningen die elkaar tegenspraken. Ze lachte onnozel, ze pruilde, ze bemoeide zich overal mee. Ze dacht dat ze populair was, en ging voorbij aan het feit dat het haar geld was dat de overmatige belangstelling voor haar veroorzaakte. Ze stond rond het middaguur op, tutte wat met Sugar, kleedde haar in overdadige organdie, en liet de chauffeur hen tweeën naar Manhattan brengen om te winkelen, want winkelen, dat was het enige waar ze goed in was. Lucinda Kane kon lang genoeg winkelen om een bank failliet te laten gaan, lang genoeg om een hart te breken. Timmerlieden verschenen maandelijks in het huis om meer kasten te bouwen om alle kleren, het glaswerk, de versieringen, de schilderijen, alle trofeeën van welstand in onder te brengen.

Lucinda hield van Sugar, vond het heerlijk haar aan te kleden en haar kleine mollige lijfje te verwennen. Ze kon naar Sugar kijken en aan Luke denken zonder pijn te voelen – het waren toch zeker broer en zus? Ze waren haar kinderen – en *natuurlijk* mocht ze aan hen denken. Pas wanneer ze Sugar Kane in haar armen hield, kon ze aan Luke denken. Al die andere momenten kon ze hem niet voor de geest halen. Wanneer ze in bad zat, wanneer ze in bed lag of wanneer ze – alleen, altijd alleen – naar een feestje werd gereden achter in een topklasse Cadillac, dan ontsnapte haar het beeld van Luke Kane, het glipte door haar vingers, de gedachte zo glad als een levende aal. Lucinda was gezegend: ze had zo weinig verbeeldingskracht dat ze niet werd geplaagd door gedachten aan wat had kunnen zijn.

Sinds de avond dat ze te midden van Chanelgeurig braaksel op de vloer van haar slaapkamer zat, had ze kans gezien de gebeurtenissen uit haar geheugen te bannen die haar daar hadden gebracht. Ze had zichzelf ervan overtuigd dat Luke Kane was weggestuurd voor zijn eigen veiligheid, en dat was, in zekere zin, waar. Theodore had haar verboden hem op school op te zoeken en ze gehoorzaamde, want de prijs die hij haar zou laten betalen als ze haar zoon bezocht was er één die ze er niet voor over had, want dan zou het afgelopen zijn met de verwennerijen.

Dus hield Lucinda Sugar dicht tegen zich aan en wachtte tot Luke zijn school had afgemaakt. Ze winkelde en feestte, ze fluisterde lieve woordjes tegen haar dochter en dronk bourbon, flirtte en sliep alleen, smachtend naar gezelschap.

Luke Kane verliet de jezuïetenschool met een kleine kist boeken, een toelating tot Harvard en honderd dollar contant. Terwijl de overige studenten zich in de armen van hun wachtende ouders stortten, liep hij boordevol van een gevoel van lotsbestemming weg. Hij zette de boekenkist neer en ging erop zitten, duim uitgestoken in de wetenschap dat de eerste de beste auto voor hem zou stoppen, en liftte naar San Francisco. Hij bracht de nacht door in bars rond Market Street, dronk bier, morste schuim op zijn gesteven overhemd, brulde en juichte mee met iedere man die zijn pad kruiste. Toen hij diep in de nacht buiten kwam, zijn kist verdwenen, zijn das al uren kwijt, bespeurde hij zijn prooi in de buurt. Hij vond het huis in een zijstraat van Market Street, betaalde voor drie vrouwen en wipte de nacht door tot het ochtend werd, billen samengeknepen, schouders hoog als een gewonde stier. Terwijl hij sliep bleven de vrouwen bij hem, rookten zwijgend, keken alleen maar naar zijn gezicht terwijl hij droomde van de ontmoeting met zijn moeder.

Luke Kane kwam in de zomer van 1947 vijf dagen te laat thuis, de auto met chauffeur kwam met een zwaai tot stilstand voor Lucinda en Sugar die hem op de trappen van het huis in East Hampton stonden op te wachten. Achterin werd Luke Kane langzaam wakker, zijn haar vet en slap, zijn kleren vies en gekreukeld, zijn huid vaalgrauw van het niet wassen. Hij geeuwde en rekte zijn rug die stijf was van het buigen over te veel lichamen, want tegen het einde van zijn verblijf in San Francisco verlangden de vrouwen meer naar hem dan naar geld. Luke Kane deed het portier van de auto open en stapte langzaam uit, terwijl hij zijn hand boven zijn ogen hield tegen de zon. Hij keek zwijgend naar zijn moeder. Waar ze eens fijn en ingetogen was geweest, was ze nu opgeblazen door de bourbon, haar gezicht aangetast door te veel drank. Hij keerde zich van haar af en zag Sugar, die haar babyvet inmiddels kwijt was en van wie het gezicht open en vol hoop en bewondering was en haar strakke korte jurk omspande precies de goede plaatsen. Luke Kane keek naar zijn zus en glimlachte.

1997

Sam de Scharrelaar zit in zijn hokje in de XXX Bioscoop op 42nd Street. De gaskachel sist en druppels condens glijden langs het besmeurde glas, waardoor het beeld van de straat trilt. Sam zit tussen zijn opvallende tanden te peuteren met een stukje karton dat hij van zijn pakje Winstons heeft gescheurd. Het is zeven uur 's ochtends en de vuilnismannen, groen en grijs, vegen de stoepen en spuiten de goten schoon, een schuimende golf vuil en papier, flessen, condooms, half-opgegeten pizza's en hotdogs voor zich uit jagend. De mannen vegen om de zwervers heen die op straathoeken, in portieken en op banken liggen. Voor het eerst in maanden beschijnt de zon dit dagelijkse ritueel en Sam knijpt zijn ogen toe tegen de schittering van het natte troittoir, staart naar een brandkraan zonder hem te zien, en peutert een stukje vuil van tussen zijn tanden. Sam is graag in deze bioscoop – een van de meest verlopen onderdelen van zijn zakenimperium. Hij kan hier, in dit snikhete hok, zijn gedachten de vrije loop laten, zonder afleiding.

Een verlopen figuur komt naar het loket, zwaar ademend en met ogen waar het vocht uitdruipt, nagels zwart van het straatvuil. Hij zoekt in zijn zakken en haalt een biljet van vijf dollar tevoorschijn, schuift het onder het gewapende glas door. Sam scheurt een kaartje af en geeft dat aan de man, ondertussen zijn adem inhoudend, terwijl hij probeert te overleven op de lucht waarmee hij enkele ogenblikken daarvoor zijn longen heeft gevuld, probeert de stank te ontwijken. Sam kijkt de man in het gezicht, wordt triest van de zweren op zijn voorhoofd, door de wond op zijn neus die gehecht moet worden, maar onverzorgd blijft en ontsteekt. De man schuifelt weg, de anonimiteit van de bioscoop in, en Sam leunt met zijn ellebogen op de toonbank, wrijft in zijn ogen. Hij is Bronwen kwijt. Ze is niet teruggekeerd. En, bovendien, wie is verdomme inspecteur Flanagan? Wat heeft hij met Bronwen te maken?

Sam de Scharrelaar is niet op zijn gemak, prikkelbaar. Hij kan de getuite lippen van zijn maagzweer voelen die zich diep in de bloedvatrijke, zure wanden van zijn maag opmaakt om hem een zoen te geven. Terwijl hij daar zit, bewegingloos, valt hem plotseling de onnatuurlijke stilte in de stad op. Waar getoeter en gebrom, geschreeuw en gejoel te horen zouden moeten zijn, heerst alleen maar stilte. Hij kan zijn eigen adem horen die zachtjes tegen zijn handpalmen blaast, kan zijn maag horen rommelen. Waar is Bronwen? Sam denkt aan wat zijn koninkrijk allemaal omvat – de bioscopen, de winkels, de clubs, de bars en casino's, die als een lint langs de hele Atlantische kust zijn te vinden. Hij denkt aan zijn klanten, veracht ze allemaal. Alles ging zo goed, alles liep op rolletjes, zijn wraak bijna voltooid, bijna volbracht. De operatie een paar nachten eerder was vlekkeloos verlopen. Sam was voorbereid geweest op een laatste worsteling met de gevestigde orde, had zich er op verheugd die orde in zijn eigen zwaard te zien vallen. Maar nu waren daar die stilte en de afwezigheid van Bronwen. In veel opzichten deed het er helemaal niet toe – maar iets in die vrouw uit Wales had hem geraakt.

Een pieper trilt tegen zijn bovenbeen en Sam zucht. Hij pakt zijn jasje en sluit het loket voor hij de zaal binnenglipt waar hij een kastje in een donkere hoek van het slot doet en de telefoon pakt die daar hangt. Sam de Scharrelaar weet dat de FBI iedere beweging van hem in de gaten houdt, weet dat ze iedere telefoon aftappen, elk mobieltje afluisteren. Maar van deze telefoon weten ze niets.

Sam draait zijn rug naar het scherm en spreekt zachtjes in het mondstuk. 'Ja?'

'Er komt iemand uit L.A. Hij heeft je naam gekregen. Hij komt op bezoek.'

'Wanneer komt-ie?'
'Kweenie, man.'
'Hoe kan ik hem herkennen?'
'Je herkent hem wel.'
'Wie is hij?'
'Een verdomde geest, man. Moet je mij niet vragen. Hij is gevaarlijk.'
'Voor mij?'
'Niet als je hem netjes behandelt.'
'Wat wil-ie?'
'Wat wil iemand, verdomme, nou? Een dienst, man, hij wil dat je hem een dienst bewijst.'
De verbinding wordt verbroken en de stilte raast weer in Sams hoofd.
De verlopen figuur die eerder naar binnen was gegaan, schuift langs Sam, mompelt, gulp open, jas los. Sam doet een stap achteruit, botst tegen de muur terwijl Chum Kane langsglijdt en het gezicht van Sam de Scharrelaar in zijn geheugen prent.

Het felle licht van de aprilzon schijnt op de vlekken in Bronwens geboende gezicht terwijl ze in de achteruitkijkspiegel haar kapsel keurt. Ze maakt een geluid en opent haar tas, haalt lippenstift tevoorschijn, draait hem behendig open en verft met vaste hand haar lippen. Flanagan kijkt naar haar en wou dat ze mooier kon zijn als dat is wat ze zo graag wil.
'Nou – waar zijn we?' vraagt Bronwen terwijl ze haar wangen met de poederkwast bewerkt.
'East Hampton.'
'Waarom zijn we hier?'
'Het is vlak bij de plek waar de Kanes hebben gewoond. Ik ga proberen hier wat informatie los te peuteren, eens zien wat ik te weten kan komen.'
'Hoe?' Bronwen probeert de lokken rond haar ronde gezicht in het gareel te krijgen.

'Weet niet. Gewoon vragen.'

'Hmm.'

'Kijk, Bronwen, je zou me een enorme dienst bewijzen als je me de foto liet zien...'

Bronwen klikt haar tas dicht. 'Geen schijn van kans. Als ik je hem zou laten zien, waarom zou je me dan nog meenemen? Ik bedoel, ik ben niet hier vanwege m'n knappe smoeltje.' Ze klautert de auto uit.

Flanagan slaat een ritme op het stuur, probeert zijn gedachten te ordenen. Bronwen tikt tegen het raam en hij draait het omlaag. 'Hoe lang denk je dat je bezig bent?' vraagt ze.

'Paar uur.'

'Ik ga winkelen. Ik voel me vreselijk in deze kleren en het ziet er hier aardig genoeg uit om eens rond te kijken.'

'Dan zie ik je hier om een uur of twee.' Flanagan start de auto en rijdt achteruit de parkeerplaats uit.

'Veel geluk!' roept Bronwen, en zwaait met een slap handje.

Flanagan rijdt het parkeerterrein af en slaat rechtsaf, terug naar het politiebureau aan de boulevard waar ze op de heenweg zijn langsgekomen. Omdat hij niet heeft gemerkt dat ze al vanaf New York door een auto werden gevolgd, heeft hij ook niet in de gaten dat dat niet langer het geval is.

Keeler kijkt hoe Flanagan wegrijdt, uit het zicht verdwijnt op de gezegende, met goud geplaveide straten van de Hamptons, kijkt toe terwijl hij vol ongeloof luistert naar de stem van zijn superieur op de politieradio.

'Keeler – zorg dat je als de donder maakt dat je terugkomt – bij voorkeur gisteren. Er is hier wat loos.'

'Maar, meneer, ik volg een spoor.'

'Kan me geen donder schelen – hoor je me. Kan me geen donder schelen. Je bent op jacht naar niks en weet je wat er hier aan de hand is? Dat verdomde wijf van gouverneur Jefferson is op Fifth Avenue neergeschoten door twee agenten.

Godverdomme neergeschoten door twee agenten voor het oog van honderden verdomde getuigen. Kom als de sodemieter terug, Keeler.'

De radio brengt alleen nog maar geruis voort en Keeler kijkt naar zijn chauffeur. 'Gouverneur Jefferson? Kut.' Keelers ingewanden draaien om in zijn lijf. 'Shit.' Zijn vingertoppen worden koud, gevoelloos. 'Jezus – vergeet Flanagan maar. Eropaf – schiet op, *rijden*!'

De onopvallende auto rijdt met piepende banden weg van het parkeerterrein, luid toeterend, in de richting van de stad.

New York City – april

M –

Zit nu al een paar dagen in New York. Iedere keer dat ik hier kom krijg ik nieuwe kracht. Weet je nog die eerste keer dat we kwamen en hier het weekend bleven? In een of andere prachtflat in de buurt van Central Park. Was van een vriendje van je, geloof ik. Ik weet het niet zeker meer, want het is al zo lang geleden. Ik weet nog wel dat we laat op vrijdagavond Grand Central binnenliepen, dat we door de lobby liepen met allemaal mensen om ons heen die ons niet kenden, en dat we naar die buitenissige klok keken waar iedereen stond te wachten. We namen een taxi naar het appartement en we lachten de hele tijd dat we met de lift naar boven gingen, zenuwachtig, bang dat we zouden worden gesnapt, we hadden het gevoel dat we veel te veel geluk hadden. Ah, shit – en toen dat appartement, de tapijten zo dik dat we er over struikelden. Zo zacht dat we erop hebben gevrijd. Weet je *dat* nog? Voor die open haard met engeltjes en harpjes, druiven en vijgen. We hebben daar uren naar liggen kijken.

En weet je nog dat het, toen we eindelijk klaar waren elkaar te bewonderen, laat was, twee uur 's nachts misschien, en dat we een taxi namen naar de Village en een achterafbar vonden die helemaal geen bar bleek te zijn – alleen maar een Chinese winkel met een tafel op het trottoir en hij verkocht ons een paar flessen Kirin en zat maar naar ons te kijken, zonder te lachen, terwijl we die leegdronken, alsof hij bang was dat we de tafel zouden jatten? Toen zijn we naar Bleeker Street en Christopher Street gewandeld en vonden een club met een rij ervoor van wel een blok lang en jij heupwiegde naar die gorilla bij de deur en glimlachte naar hem, je brak zijn hart. Hij tilde de ketting op en liet je erdoor en je greep mij beet en trok me naar binnen en dat brak zijn hart nog een beetje meer.

Ik wil al die dingen nog eens doen. Ik wil zonder angst door een treinstation wandelen. Ik wil met de auto naar het strand. Ik wil lachen en naar de film en in restaurants eten. Ik wil doen wat iedereen doet. En ik wil die dingen samen met jou doen.

Veel liefs,
Chum

Iris in Diamond Days is onrustig. Het is alsof ze voelt dat haar eerstgeborene dichterbij komt, alsof ze gewaar wordt dat hij nadert. Ze doet nog steeds haar oefeningen, heft haar armen, strekt haar benen, balt haar vuisten in de bescherming van de duisternis. De directrice heeft zich nog niet bewogen, nog niets gezegd, lijkt wel dood onder de lakens te liggen. Iris houdt haar de hele dag in de gaten, terwijl de tropisch hete zon zijn boog aan de hemel beschrijft, zijn stralen schuin door de afdeling werpt. Iris heeft vriendelijk geknikt en geglimlacht ten teken van dank dat het personeel haar samen met haar vriendin in een kamer heeft gelegd, heeft beleefd de politiemensen die haar kwamen ondervragen om de tuin geleid. Iris wil niet dat de directrice ergens anders wordt gelegd, wil haar in de gaten kunnen houden, zodat ze haar kan wurgen, haar kan doen stikken.

Maar vandaag is Iris onrustig. Misschien is ze door de oefeningen een beetje bij zinnen gekomen, misschien komt het omdat ze haar eigen dood voelt naderen – wie zal het zeggen?

Vandaag wil ze haar foto's zien, wil ze Charlie zien met zijn voet op de bumper van een auto en het huis in East Hampton, wil zichzelf met meer aan deze aarde binden dan alleen een infuus. Maar wanneer ze een verpleegster vraagt – en dat kost Iris heel wat tijd – haar de foto's te brengen, haar flintertjes geheugen, haast de verpleegster zich weg en roept een dokter. De dokter, veel verstand en weinig gevoel, vertelt Iris dat alles in het Emerald Rest Home dat niet vastgeklonken zat is verbrand. Matrassen, lakens, dekens, handdoeken, bedden, meubels, papieren, dossiers, foto's – alles is in de vuilverbrander gegaan.

'Die plek was de droom van iedere microbioloog,' merkt de dokter op. 'Er waarden daar virussen en bacterieën rond waar je nog nooit van had gehoord.'

Iris keert haar gezicht naar de muur, keert zich voor het eerst in dagen af van de directrice. Ze zal niet huilen, want ze kan zich de energie niet veroorloven. Ze zal niet huilen onder het oog van deze man in de witte jas die nog jonger is dan Charlie Kane nu moet zijn. Ze zal niet huilen omdat ze al genoeg heeft gehuild. Ze staart naar de muur, tot de dokter zucht, zijn schouders ophaalt en wegloopt. Iris ligt in haar bed, nog maar zevenenvijftig jaar oud, een versleten verzameling herinneringen en botten, en herinnert zich de dag dat ze de trap afrende en in Luke Kanes auto stapte, herinnert zich het bosje uien dat ze nooit voor haar moeder heeft gekocht. Iris weet, nu, dat deze tijd, een paar dagen schat ze, de enige tijd is die ze nog heeft om met alles in het reine te komen, om zich de dingen te herinneren die alleen zij ooit heeft meegemaakt. Toen ze de trap afrende naar Luke Kanes auto, in Luke Kanes armen, dacht ze dat ze een keuze maakte.

'Dat deed je ook,' mompelt ze, 'je maakte een keuze.' Iris praat voor het eerst in jaren tegen zichzelf. Ze spreekt tegen zichzelf in een kamer die wordt verlicht door een zon die feller schijnt dan ze ooit had kunnen denken toen ze die keuze maakte. Haar stem is zo veranderd dat ze het geluid nauwelijks herkent. 'Het was alleen de verkeerde.' Ze slaakt een zucht. Denk eraan, denkt ze bij zichzelf, denk eraan hoe Charlie in de tuin wandelde, denk aan hoe Charlie Lydia vasthield. Denk aan Lydia. Iris hoest en de directrice verroert zich. 'Denk, denk, denk,' mompelt ze binnensmonds.

De avond gaat voorbij terwijl Iris haar best doet alle dagen die ze heeft vergeten weer in haar herinnering te roepen, haar leven door een fijn zeefje te laten lopen, zich bewust van het feit dat ze te veel informatie kwijt is om de film tot een lopend, samenhangend geheel te maken. Het ene moment ziet ze Charlie die opkijkt van zijn krant, glimlachend, terwijl zij naar hem toe loopt, het volgende ziet ze Luke Kanes hand, de binnenkant, zo gedetailleerd dat zijn levenslijn en de kronkels op zijn duim net zo duidelijk zichtbaar zijn als de wegen en rivieren op een landkaart. Het volgende moment ziet ze Lydia, met haar scheve grijns die te pas en te onpas tevoorschijn kwam, terwijl ze op de po zit en zachte, gele drollen produceert. 'Met Lydia is het nooit goed gekomen,' mompelt Iris, 'Nooit goed.'

De zon wikkelt zich om de wereld, glijdt weg van Iris' kamer, terwijl zij zich nog een keer probeert te herinneren hoe Charlie Kane is weggegaan, maar nog steeds levert dat niet meer op dan een blanco pagina. Er is iets gebeurd... iets duisters nestelt zich in een hoekje van haar geest. Maar als ze in gedachten een stapje in die richting doet, doet die duisternis een stapje terug. Dat doet Iris meer verdriet dan wat dan ook – dat ze zich niet kan herinneren hoe Charlie eruitzag toen hij wegging, toen ze hem voor het laatst zag.

LUKE KANE

Toen Luke Kane uit de auto kwam gerold voor het huis van zijn moeder in Hampton, verlopen door de dagen dat hij in San Francisco aan de boemel was geweest, moest Lucinda haar ogen afschermen van het felle zonlicht om hem te kunnen zien, hield haar trillende hand boven haar bloeddoorlopen ogen. Zeven jaar had ze haar zoon niet gezien, had hem zich herinnerd als een slordige manjongen met een bruine huid, prikkelbaar als een bergleeuw, die met haar het bed had gedeeld. De man die ze nu de trap op zag lopen naar de galerij was een onbekende voor haar. Zijn gezicht, zag ze, was hard en heerlijk onder de strepen vuil. Ze zag hoe hij zijn ogen over haar liet gaan, kromp ineen bij de gedachte aan de jaren die voorbij waren gegaan en deinsde achteruit toen ze de glimlach zag die doorbrak toen hij Sugar zag. Met een van de weinige instinctieve moederlijke gebaren die ze ooit zou maken, trok Lucinda Sugar tegen zich aan en probeerde een lach tevoorschijn te toveren voor haar zoon terwijl ze het zuur wegslikte dat uit haar maag opkwam. Lucinda mocht dan vervreemd zijn van de man die op haar af kwam gelopen, maar die glimlach kende ze maar al te goed. Luke Kane nam zijn moeder en zus in zijn armen en de geur van verschaalde alcohol, vermengd met een aroma dat Lucinda herkende, omgaf hen en nam de plaats in van de zoute lucht die vanuit de oceaan kwam aangewaaid.

Lucinda dronk aanzienlijk minder gedurende de zomermaanden dan ze in jaren had gedaan, want ze moest de wacht houden; ze moest Sugar beschermen tegen de wolf. Ze kreeg sproeten en haar huid verbrandde terwijl ze in de duinen zat en keek hoe Sugar speelde. Haar haar ging kroezen en splijten omdat ze keer op keer ging zwemmen in het zoute water en op de Sound rondstuiterde in speedboten, doodsbang van het geslinger en gestamp waar Sugar zoveel genoegen in schepte. Ze was aanwezig bij kinderbarbecues, ging met Sugar naar de stad, zat in de zon te kijken als Sugar tennisles had, paardrijles, zwemles.

Iedere avond las Lucinda Sugar voor, praatte haar in slaap en stopte de frisse lakens rond haar in. Als Sugar eenmaal haar ogen had dichtgedaan, deed Lucinda de luiken dicht, pakte een glas en een fles bourbon, ging bij Sugars bed zitten en keek hoe het licht dat door de houten luiken scheen veranderde van diepblauw in zwart. Terwijl ze iedere avond zat te wachten tot Luke Kane thuiskwam, dacht ze aan haar echtgenoot die in zijn huis in Westchester zat, alleen en rechtschapen. Ze had hem al jaren niet meer gezien. De cheques kwamen, de cadeautjes kwamen, de rekeningen werden betaald. Hij ging niet bij haar weg, zoals hij had beloofd, liet haar nooit volledig in de steek. En toen Lucinda zag hoe Luke Kane lachte toen hij naar Sugar keek, wist ze, eindelijk, dat Theodore altijd al gelijk had gehad. Hij had gelijk gehad toen hij Luke Kane wegstuurde, had gelijk gehad toen hij haar verbood hem nog te zien. Het leek erop dat Luke Kane alles was wat zijn vader vreesde dat hij was.

Ze wachtte iedere avond tot ze hoorde dat Luke Kane thuiskwam, tot ze de klap hoorde waarmee de deur van zijn kamer dichtsloeg, tot ze zeker wist dat hij sliep. Pas dan pakte ze haar glas en fles en ging ze naar haar eenzame slaapkamer. Zelfs 's avonds laat was ze zich bewust van zijn lichaam, terwijl ze een vluchtig bezoek bracht aan dromenland, waar ze maar even bleef, nooit in het lange fluisterende gras ging liggen om echt te slapen. Ze zweefde ergens in de ruimte tussen bourbon en onrust, alert op het geluid van een deur die openging.

Theodore Kanes geld en zijn status zorgden ervoor dat zijn zoon zonder veel vragen weer in de boezem van de gegoede kringen van de Hamptons werd opgenomen. Niemand haalde het in zijn hoofd om te vragen waarom Luke Kane zo lang was weggeweest, waarom hij zijn ouders nooit had bezocht. In plaats daarvan vochten de bankierszonen om zijn aandacht, onder de indruk van zijn houding, zijn knappe trekken, zijn arrogantie. Ze haalden rare streken voor hem uit, deden hun best om zijn aandacht te trekken, liepen waar ze maar konden achter hem aan. Luke was zich bewust van hun fratsen en aanvaardde hun bewondering als iets waar hij recht op had. Dagelijks kwamen er uitnodigingen binnen voor feestjes, vistochtjes, weekends in Nassau en Cape Cod, barbecues en wedstrijden.

Luke Kane wilde niets liever dan ouder zijn, uit de buurt te zijn van zijn moeder, van de Hamptons, weg van die eindeloze bierslemperijen en stompzinnige snoeverijen van de jongens om hem heen. De meisjes en hun moeders vond hij banaal en seksloos. Hij gaf er de voorkeur aan de dag in zijn eentje door te brengen in de duinen, in de hete augustuszon te liggen met zand tussen zijn tanden, heter en heter te worden, zijn kruis kokend heet, tot hij het niet meer kon houden en naar de zee rende en zich in de golven stortte. Iedere ochtend gooide hij een handdoek op de achterbank van zijn auto en reed kilometers naar lege privé-stranden, waar hij in de zon lag en zijn huid donkerder en donkerder werd en dacht aan wat hij zou worden, wat hij zou gaan doen in de wereld, wat hij zou gaan doen *met* de wereld. Wanneer de zon zijn kracht verloor reed hij terug naar East Hampton, hongerig en stijf van het zout. Als hij thuiskwam trof hij het huis vaak ogenschijnlijk leeg aan, dan douchte hij en kleedde zich in stilte aan. Wat dat betrof waren zijn dagen net zo kuis en ascetisch als ze op de jezuïetenschool waren geweest.

's Avonds zat hij vaak op het terras in een oude schommelstoel, met zijn voeten op de balustrade, en keek uit over de oceaan, haren gekamd, zijn huid vrij van zout, maar gevoelig waar hij door de zon was verbrand. In zijn hand hield hij een beslagen glas, gevuld met wodka. Hij zat zo stil, dat Lucinda hem vaak niet zag terwijl ze achter hem van kamer naar kamer ging. Hij kon haar horen ijsberen, hoorde de vloer kraken terwijl ze heen en weer liep, zich opwond. Luke had haar gerust kunnen stellen, had kunnen zeggen: 'Sugar interesseert me niet, ze is te jong', maar dat deed hij niet omdat het hem te veel moeite was.

Sommige nachten zat hij er uren, steeds zijn glas bijvullend, en luisterde naar het geluid van de golven wanneer het te donker geworden was om ze nog te kunnen zien. Soms ging hij naar een feestje, liet zijn o-zo-blauwe ogen op een wijdogig meisje vallen en nam haar mee naar een strand of een parkeerplaats langs de weg, waar hij haar verleidde. Deze ontmoetingen verveelden hem omdat de vrouwen ofwel pretendeerden niet goed te begrijpen wat er aan de hand was en dan begonnen te huilen als hij ze op de achterbank van zijn auto drukte waar de vochtige handdoek van zijn dagelijkse zwempartij in een bal onder hen lag; of ze gaven te makkelijk toe, hun dikke, geurige ledematen gehoorzaam voor hem spreidend. Soms sloeg hij de vrouwen, sloeg hun gezichten tegen het leer van de bank, en hoorde dan met genoegen het gekreun dat daar op volgde. Hij besloot zich, die zomer, te beperken tot vrouwen, omdat hij niet wilde dat iets zijn vertrek uit dat huis zou verstoren, ondanks het feit dat er iedere dag heel wat eenzame mannen in de duinen rondzwierven die hem verlangend aankeken.

Bij een paar gelegenheden gedurende die lange, hete, stille zomer, spraken Luke Kane en Lucinda met elkaar, tijdens het ontbijt, tijdens een cocktailparty, wanneer ze elkaar tegenkwamen op het strand; ze spraken met elkaar als vreemden, met een merkwaardig soort formele beleefdheid. Lucinda wist dat haar zoon zijn tijd afwachtte, wachtte tot hij kon vertrekken, dat hij alleen maar in het huis was omdat hij geen ander onderdak had. Luke Kane wist dat het Lucinda niets kon schelen wat hij deed, waar hij heen ging, met welke vrouwen hij omging, zolang hij maar een flink eind uit de buurt van zijn zus bleef. De liefde was voorbij tussen hen, tussen moeder en zoon.

Het leek alsof er eerder een paar ogenblikken dan maanden waren verstreken sinds het moment dat Lucinda op het terras had staan wachten om haar geliefde Luke Kane welkom thuis te heten, maar toch wilde ze nu dat hij weg was, en ze keek toe hoe hij zijn koffers en kisten in zijn auto laadde die hem naar Harvard zou brengen. Ze trok Sugar tegen zich aan, hield haar stevig vast terwijl Sugar wuifde en een kushandje wierp naar de vreemde, stille, knappe broer. Luke Kane knipoogde en wierp een kushand terug, keek Sugar strak aan, probeerde haar er in gedachten toe te brengen iets te doen, iets te zeggen. Lucinda fronste haar voorhoofd en wachtte tot Lukes auto uit het zicht was verdwenen voor ze Sugar losliet.

1997

Inspecteur Flanagan wordt aan het lijntje gehouden door de politie van East Hampton. Er is tegen hem gezegd dat hij moet wachten en dat er zo iemand bij hem komt. Hij zit nu al langer dan een uur op de harde houten bank in de hal te kijken naar agenten die pennen likken, met muizen klikken, de telefoon opnemen en vraagt zich af waar ze toch allemaal mee bezig zijn – het bureau maakt nauwelijks de indruk midden in de georganiseerde misdaad te zitten. Om eerlijk te zijn, wekt het bureau eerder de indruk van een tweederangs bedrijfje. Diep binnen in hem borrelt het van woede als hij zichzelf van de bank hijst en naar de balie loopt. 'Neem me niet kwalijk?'

Een jonge agente, die volgens Flanagan niet ouder is dan zestien, kijkt verstoord op. 'Ja, meneer. Waar kan ik u mee helpen?'

Flanagan verplaatst zijn gewicht van zijn ene voet naar zijn andere. 'Ik zit nu al meer dan een uur te wachten. Er was tegen me gezegd dat er iemand zou komen.'

'Wat wilt u precies, meneer?'

'Ik heb,' Flanagan brengt zijn kolkende binnenste tot bedaren, 'ik heb een paar vragen over een gezin dat vroeger hier in de buurt woonde.'

'Dan stel ik voor dat u naar de bibliotheek gaat, meneer. Daar hebben ze dat soort informatie.' De lege, onschuldige ogen van de agente staren in Flanagans rood aanlopende gezicht.

'Dan stel ik voor dat je nu verdomme met een paar antwoorden op de proppen komt,' zegt Flanagan kalm.

De agente doet een stapje achteruit, legt haar handpalmen op de balie. 'Met alle respect, meneer. Uw houding...'

Flanagan zoekt in zijn zak en haalt zijn penning tevoorschijn, iets dat hij eigenlijk niet had willen doen, maar de tijd dringt en met ieder moment dat voorbijgaat worden geheugens minder en komen toekomstige gebeurtenissen dichterbij. 'Misschien dat dit de zaken wat sneller laat verlopen. Agent, ik wil alles weten van een familie die Kane heet en jaren geleden hier in de buurt woonde. Ze woonden ergens in East Hampton. Allereerst wil ik hun adres, en als ik daar ben wezen kijken wil ik dat je me alles vertelt wat je erover weet. Duidelijk?' Flanagan is beschaamd over zijn eigen agressiviteit, over zijn dreigende houding.

'Natuurlijk, inspecteur. Eén moment, alstublieft.' De jonge politievrouw draait zich om en graaft in een lade van een kast, haalt er een dossier uit en bladert er in. 'Eén nul zeven acht Apaquogue Road,' roept ze over haar schouder. 'Hier de straat uit en dan de derde weg rechts. Links, en dan ziet u het een paar kilometer verderop. Het kijkt uit op het strand. Er loopt een oprijlaan vanaf de weg.'

'Dank je, agent. Ik ben over een uurtje of zo terug en ik zou het op prijs stellen als je dan aanvullende informatie voor me klaar hebt liggen.'

Het heeft inspecteur Flanagan heel wat kilometers, heel wat weken en meer dan genoeg geld gekost om eindelijk bij 1078 Apaquogue aan te komen. Het heeft hem zelfs zoveel tijd gekost, en via een omweg die hij zich niet had kunnen voorstellen, dat hij al bijna vergeten is waarom hij aan deze zoektocht is begonnen. Terwijl hij in zijn auto zit, heet nu, in de ongewoon krachtige middagzon, bedenkt hij zich dat het winter was toen hij erover begon te denken op zoek te gaan naar Mister Candid. Hij weet ook dat zijn eigen persoonlijke jacht al jaren daarvoor is begonnen, toen hij zich realiseerde dat Mister Candid geen bedenksel was van de media, geen vleesgeworden droom van een of andere journalist, dat er werkelijk, in de realiteit, niet bedacht, een Lancelot bestaat, een *chevalier mal fait*. Flanagan doet zijn uiterste best zich te herinneren waarom hij hier is – waarom is dat belangrijk?

'De vraag,' mompelt hij in zichzelf, 'je hebt een vraag die je hem moet stellen. Kom op, kom op.' Flanagan worstelt zich uit de auto en draait zich om en kijkt naar het huis van de familie Kane, 1078 Apaquogue Road.

Er is niet meer over dan een skelet, een ruïne, een *schim* van een huis. Torens zijn vervallen, het terras zakt door, er zit geen glas meer in de ramen, deuren hangen scheef aan roestige, kapotte scharnieren. Het dak is ingestort en stukje bij beetje in de hal terechtgekomen, drie verdiepingen lager. Een enorme boom heeft met zijn dikke wortels moeiteloos de oostkant van het huis opgetild. De tuin is een wildernis van gras en woekerende klimplanten en schrale struiken, verstrengeld in een eeuwigdurende driedimensionale omarming, heeft bezit genomen van wat er nog van het gazon over is.

Flanagan kijkt met open mond naar de bouwval, zich niet bewust van de auto's die achter hem langs rijden, slanke, blonde vrouwen die met één hand Porsches besturen terwijl ze op weg zijn naar het winkelcentrum, naar kantoor, het bed van hun minnaar. Hij heeft nog nooit een gebouw gezien dat zo desolaat was, zo misbruikt. Hij heeft nog nooit een bouwwerk gezien waar zo weinig om gegeven werd, dat nog overeind stond. Hij leunt op het dak van zijn auto en staart met open mond. Het verbaast hem dat hij zoiets *hier* vindt, dit enorme stuk grond bij het strand – bijna op het strand, zo dichtbij dat je het zout kunt ruiken – in wat onroerend goed betreft een van de duurste gebieden ter wereld.

'Ik kan het niet geloven,' zegt Flanagan terwijl hij opnieuw naar de jonge agente aan de balie loopt. 'Ik kan niet geloven dat ze dat huis gewoon hebben laten wegrotten. Wat is daar aan de *hand*? Heeft er sinds de Kanes iemand gewoond?'

De agente houdt een zachte, blanke handpalm op, in een

gebaar dat bedoeld is om Flanagan het zwijgen op te leggen. 'Eh... heeft u – heeft u een ogenblikje, meneer?' De jonge vrouw pakt de telefoon op de balie en spreekt er zachtjes in, haar rug naar Flanagan gekeerd. 'Er komt zo iemand bij u, meneer. Neem me niet kwalijk.' Ze draait zich om en schuifelt weg en doet de deur zachtjes achter zich dicht.

Flanagan begint te zweten. Hij heeft geen bevoegdheid hier, had de agente niet zijn penning onder haar neus moeten houden, had niet zo dreigend moeten doen. Hij overweegt even weg te gaan, denkt dan aan de sneeuw die de grond bedekte toen hij aan zijn tocht begon die naar dit moment zou leiden, en blijft waar hij is. Een deur, vele kamers verderop, slaat dicht en Flanagan weet dat er iemand naar hem op weg is en zijn handen worden klam. Achter hem gaat een deur open en Flanagan draait zich om en ziet een man, zo stevig, zo vaderlijk, dat hij het wel kan uitschreeuwen van opluchting.

'Inspecteur?'

'Ja.'

'Ik geloof dat u informatie wilt over het huis van de Kanes?'

'Dat klopt.'

'Mag ik uw penning even zien?'

Flanagan geeft de man zijn penning en gaat op de bank zitten waar hij uren eerder van is opgestaan.

De brigadier geeft hem zijn penning terug. 'Florida. U heeft hier niets te zoeken.'

'Dat weet ik. Dat *weet* ik. Ik rekende eigenlijk een beetje op wat broederliefde. Ik werk aan een zaak en ik was in de buurt, dus ik dacht, waarom niet?'

'U was in de buurt?' De brigadier trekt een wenkbrauw op.

'Nou, ik ben met vakantie en... u weet hoe dat gaat.' Flanagan geneert zich voor zijn slappe antwoord.

De brigadier schudt een sigaret uit een pakje en houdt hem vast, houdt hem alleen maar vast, zonder hem aan te steken.

'Ik ben jaren geleden gestopt, maar ik vind het lekker om er een te pakken, alleen maar vast te houden, weet u wel, alsof ik hem op kan steken als ik daar zin in heb. Dan lijkt het niet zo erg.' De brigadier speelt met de sigaret, stampt met zijn laarzen op de vloer en keert zich weer naar Flanagan. 'Nou, wat was het dat u wilde weten?'

'Ik wil meer weten over de Kanes – over het gezin dat op een nul zeven acht Apaquogue woonde. Ik zou het zeer op prijs stellen als u me alles vertelde wat u weet.'

De brigadier gaat naast Flanagan zitten en kijkt in Flanagans open, eerlijke gezicht. 'Die zaak is jaren geleden al gesloten.'

'Zaak? Wat voor zaak?'

'De zaak Kane. Het moet zeventien, misschien wel achttien jaar geleden zijn. Zo rond 1980, denk ik.'

'Wat voor zaak?'

'Dat weet u niet? Ik dacht dat u zei dat u aan de zaak werkte.' De brigadier kijkt peinzend.

'Dat doe ik ook. Ik ben op zoek naar iemand en ik vermoed dat hij misschien iets met de Kanes te maken heeft.'

'In dat geval wens ik u veel geluk. Sterker nog, ik wens *hem* geluk. We hebben jaren naar de Kanes gezocht en ze nooit kunnen vinden.'

'Wat bedoelt u?'

'Precies dat – we hebben ze nooit gevonden.'

'Ik begrijp het niet.'

De brigadier gaat verzitten, slaat zijn armen over elkaar en leunt achterover. 'Oké – zoals ik al zei is het allemaal een jaar of zeventien geleden gebeurd. De ene dag woonden de Kanes nog in het huis aan Apaquogue en het volgende moment waren ze verdwenen. Ik bedoel, het duurde een paar dagen voor we bij het huis kwamen – er was geen reden toe. Het was het weekend van Thanksgiving, de hulp was vrij, dus niemand viel iets op. Maar... toen we daar kwamen – verdorie. Het was een bloedbad. Ik had nog nooit zoiets gezien. Er was geen plekje in de keuken dat niet onder het bloed zat –

de vloer, het plafond, alles. Ze vonden vier verschillende plassen bloed – vier mensen, twee bloedgroepen. Het vreemde was dat hun kleren, geld, creditcards, alles, was achtergelaten. Er was niets gestolen, niets vernield. Het enige dat was verdwenen was een auto – een bijzondere antieke auto, weet u wel? Een Chevy, een Pontiac? Nee, wat was het nou ook alweer? Een Eldorado, Cadillac Eldorado uit 1950. Die werd *wel* gevonden, een paar weken later, ergens in Missouri als ik me goed herinner. Gewoon achtergelaten op straat, de sleutels er nog in. De forensische dienst heeft alles onderzocht, maar het enige dat we vonden waren dezelfde bloedgroepen en een paar vingerafdrukken. Maar die komen niet overeen met wat dan ook in onze archieven. Uiteraard hebben we opsporingsberichten verspreid, maar dat leverde niets op. We hielden de bankrekeningen in de gaten, maar die veranderden nooit, er ging geen geld af en er kwam geen geld bij. Dat is vreemd, kan ik u wel zeggen, want er staan honderdduizenden dollars op. We hebben de zaak een jaar of zeven, acht geleden gesloten. We moesten wel, want er gebeurde helemaal niks. Niemand zag iets, niemand hoorde iets, ze zijn gewoon verdwenen.'

'En hoe zit het met het huis? Is er is nooit iemand geweest die het heeft gekocht? Ik bedoel, het is een eerste klas plek, moet miljoenen waard zijn.'

'Niemand *kan* het kopen. Het heeft nooit te koop gestaan. Juridisch gedoe – er moet twintig jaar verstreken zijn voor het kan worden vrijgegeven. Er zijn geen schuldeisers of zo.'

'Het is nog steeds eigendom van de Kanes?'

'Zeker weten.'

'Kende u ze? Kende u de familie?'

De brigadier fronst zijn voorhoofd en tikt met de onaangestoken sigaret op de bank. 'Ja, ik kende ze. Zo'n beetje iedere politieman in de omtrek kende ze.'

'Hoezo?'

'Het was *geen* gelukkig huis. Dat kwam vooral door hem,

Luke Kane.' De brigadier schudt zijn hoofd. 'Ik heb nog nooit zo'n knappe klootzak gezien. Hij had een leuke vrouw, een stel kinderen, meer geld dan u of ik in ons hele leven bij elkaar zien en hij was de verachtelijkste klootzak die ik ooit ben tegengekomen.'

'Wat bedoelt u?'

'Hij moet wel duizend keer zijn aangehouden voor rijden onder invloed, ongelukken, mishandeling. Hij kwam op de een of andere manier overal onderuit. De beste advocaten, te veel geld. Hij zat de hele tijd achter vrouwen aan. En een paar mannen, volgens sommigen. Verdorie, de meeste keren zaten zij achter *hem* aan. Een paar vrouwen hebben een aanklacht tegen hem ingediend – u weet wel, mishandeling, verkrachting, dat soort dingen. Maar dat werd ook niks – per slot van rekening zaten deze vrouwen hem achterna. Dat ligt nu misschien wel anders, maar dit is zo'n vijfentwintig jaar geleden. Een heleboel mensen vermoedden dat hij zijn vrouw sloeg en ze moest inderdaad een paar keer naar het ziekenhuis om te worden opgelapt, maar ze deed het altijd voorkomen alsof ze een ongeluk had gehad. Ik weet het niet, maar ik denk dat hij het had gedaan.'

'U mocht hem niet?'

'Om u de waarheid te zeggen, was ik doodsbang voor hem. Hij kon soms heel erg aardig zijn, een echte charmeur, maar je had altijd het idee dat hij elk moment volledig om kon slaan. Ik had er altijd de pest aan als ik daarheen moest. Iedere agent die ik ken had daar de pest aan. En nog iets raars – Luke Kanes zus woonde bij het gezin, heeft er altijd gewoond, voorzover ik me kan herinneren. Nou *dat* was me nog eens een mooie vrouw. Heel knap. Ze was toen *de* vrouw om mee om te gaan, alsof ze koninklijk bloed had of zo. Alle vrouwen in de stad wilden haar altijd op hun feestjes en bij hun clubs, u weet hoe dat gaat. Er werd heel wat afgekletst over die twee, Luke Kane en Sugar Kane – zo werd ze genoemd, Sugar. Er was iets vreemds met hen, de manier waarop ze met elkaar omgingen, alsof ze getrouwd waren en de echtgenote de zus was. Het zou me niets verbazen als daar wat aan de hand is geweest.' De brigadier zucht, schudt zijn hoofd, steekt de sigaret terug in het pakje. 'Ik weet het niet – er waren te veel ongelukken, te veel toevalligheden, te veel klachten. Hoe meer onderzoek we pleegden, rondvroegen, verhoorden, hoe meer we over hem te weten kwamen, Luke Kane. Zoals ik al zei, het was geen gelukkig huis.'

Flanagan zit te luisteren, zijn hoofd licht gebogen, zijn handen knijpen zo hard in zijn knieën dat hij de botten voelt kraken. 'U zei dat er ook nog kinderen waren.'

'Dat klopt.'

'Weet u nog hoe ze heetten?'

'Het is al lang geleden. 'Kom, wat was het ook alweer. Ik kan het wel voor u opzoeken. Nee, wacht – Charlie... Charlie en... en Lydia. Dat was het.'

'Kende u ze?'

'Nee, niet echt. Ik had altijd met ze te doen, met Luke Kane als vader. Niet dat hij daar nou zo vaak was. Charlie was een leuke knul, erg rustig, erg beleefd. Hij was ook erg slim, een genie, zeiden ze. Hij is naar Harvard gegaan of een van die topuniversiteiten, toen hij nog jong was, dertien, veertien zoiets. Het is zonde – hij was zo'n leuke knul, weet u wel, door en door *goed* zoals je dat soms hebt met kinderen. Hij zou zeker iets speciaals hebben bereikt. Ik denk dat hij zijn stempel wel op de wereld gedrukt zou hebben. Hij was misschien wel schrijver of wetenschapper of zoiets geworden.'

'En hij is ook verdwenen?'

'Ja. Hij was dat weekend over voor Thanksgiving, dat weten we tenminste. Hij is nooit teruggekeerd op Harvard, is hier ook nooit meer opgedoken. Net als de rest. Hij is voor het laatst ergens in Massachusetts gesignaleerd.' De brigadier gaat staan en rekt zich uit, zijn dikke buik trots over zijn riem hangend. 'Dat is het. Dat is alles wat ik u kan vertellen. Dat is alles wat ik weet.'

Flanagan gaat staan en schudt de brigadier de hand. 'Ik waardeer het zeer dat u tijd heeft willen vrijmaken, meneer.' Hij denkt aan Iris die duizenden kilometers verderop in haar bed ligt, denkt aan haar gezicht toen ze de beroerte kreeg en laat de hand van de brigadier los. 'Nog één ding – wat denkt u dat er dat weekend is gebeurd?'

De brigadier schudt zijn hoofd. 'Geen idee. Ik heb er al lang niet meer aan gedacht. Ik weet het niet. Ik denk dat ze allemaal dood zijn, al jaren dood zijn. Als Luke Kane er iets mee te maken had, kan er van alles zijn gebeurd. Hij was slim genoeg en gek genoeg en rijk genoeg om alles te doen wat je maar kunt verzinnen.'

Keelers gezicht jeukt, want de zweetdruppels lopen langs zijn wangen. Hij staat in een kamer met airconditioning – de temperatuur wordt daar constant op achttien graden gehouden – en hij staat te zweten. Zijn baas, de chef, zit achter zijn bureau, zijn gezicht ondoorgrondelijk, maar de woede straalt van hem af. Deze veeleisende, onopvallende man met een gezicht dat je meteen weer vergeet, jaagt Keeler doodsangst aan.

'Om even samen te vatten, afgelopen nacht omstreeks nul vijfhonderd uur is een tweeënvijftigjarige blanke vrouw neergeschoten, naar het schijnt door twee agenten van het New Yorkse politiekorps, op de hoek van Fifth en Fifty-first Street. Jij was op dat moment in de buurt.'

'Ja, meneer. Ik zat in een ongemarkeerd voertuig, eh, te posten voor een hotel.'

'Je hebt niets gezien?'

Keeler hoest even, veegt stiekem zijn gezicht af. 'Ik, eh, ik zag een paar takelwagens langskomen en ik hoorde wat sirenes. Dat is het wel. Mijn verdachte kwam op dat moment uit het hotel en ik ben hem gevolgd, het gebied uit.'

'Laten we ons even tot de saillante feiten beperken: het hele incident is gezien door tweehonderdzeventien mensen, die allemaal verklaren dat ze hebben gezien hoe een politiewagen ter plaatse arriveerde. De twee agenten zijn uitgestapt, hebben hun dienstpistool getrokken en de dame in kwestie kwam naar hen toegelopen, pratend. De agenten zeiden helemaal niets. In plaats daarvan richtten zij hun wapens en schoten op haar, raakten haar vier keer in de borst. Eén kogel ging dwars door haar hart en ze was binnen een minuut dood. Op dat moment arriveerden nog twee politiewagens en toen liep de situatie al snel uit de hand. Het slachtoffer werd later geïdentificeerd als Jessica Millicent Jefferson, echtgenote van gouverneur Thomas Jefferson de tweede.'

Keeler wou dat hij de avond tevoren geen whisky had gedronken, weet zeker dat de kamer stinkt naar de zure dampen die in zijn ingewanden borrelen.

'De kranten van vanochtend staan vol stukken over politiegeweld en verantwoordelijkheid. De burgemeester is al hier geweest en hij schreeuwde dat de FBI officieel moet worden ingeschakeld om dit uit te zoeken. Het Congres en de Senaat, zowel de Republikeinen als de Democraten, zitten me op de nek. Vanmiddag belt de president. Wat denk jij van de hele toestand tot dusver, Keeler?'

'Ik denk, meneer, ik denk dat het niet acceptabel is.'

'Niet acceptabel? *Niet acceptabel?* Nou, dat klopt, maar ik denk niet dat deze beschrijving recht doet aan wat er hier aan de hand is. De stad is, zoals ze dat noemen, onrustig.' De chef staat geluidloos op van zijn stoel en keert Keeler de rug toe om naar het uitzicht over Manhattan te kijken. 'Ik kan Fifth en Fifty-first vanaf hier zien, Keeler. Kom eens kijken.' Keeler slikt en veegt met een klamme hand over zijn gezicht. Hij wou dat hij wat kauwgom had om zijn whiskyadem te maskeren. Hij gaat naast zijn superieur staan en laat zijn blik over de skyline gaan. 'Kijk, Keeler, daar beneden, daar is het gebeurd. Als ik gisteravond had gewerkt, had ik alles kunnen zien gebeuren. Had het misschien kunnen voorkomen. Dat zou je je tenminste kunnen voorstellen. Maar,' de man draait zich naar Keeler en bestudeert zijn profiel, 'je zou het bij het verkeerde eind hebben. Ik had het niet kunnen voorkomen, zelfs als baas van de FBI had ik het niet kunnen voorkomen. Want de schutters waren geen agenten van het korps van New York. Ze droegen het uniform, reden in de juiste auto, ze hadden zelfs de houding van de elite van New York, maar het waren geen agenten.'

Keeler fronst zijn voorhoofd. 'Ik snap het niet.'

'Blijkbaar is er twee weken geleden een politieauto gestolen in de Bronx en nooit teruggevonden. De uniformen zijn makkelijk genoeg. Het is donker, er is een gevecht gaande op straat, een ongeluk met alleen maar blikschade om de aandacht af te leiden. Tweehonderdzeventien getuigen zagen hoe twee agenten een rijke, blanke vrouw neerschoten op Fifth Avenue. De schutters zijn nooit meer teruggegaan naar hun auto, ze zijn doodgemoedereerd weggewandeld.'

'Maar *waarom* is ze neergeschoten? Wat heeft zij met *wat dan ook* te maken? Een ontvoering zou kunnen, maar waarom is ze vermoord en zijn ze daarna weggelopen?'

'Dat is een vraag die ik mezelf ook heb gesteld.'

Keeler kauwt op een gescheurde nagel, probeert zijn geest helder te krijgen, probeert het raderwerk in beweging te krijgen. 'Het slaat nergens op.'

'Helaas is ze niet in de gelegenheid ons te helpen, dus we zullen moeten speculeren. Dat wordt nog lastiger wanneer we in ogenschouw nemen dat de auto waarin zij meereed vijf kilo pure cocaïne in de achterbak had liggen.'

Keeler gaapt zijn superieur aan. 'U houdt me voor de gek.'

'Ik wou dat dat waar was. Het enige positieve is dat de chauffeur van haar auto bij ons bekend is en op dit moment in een cel zit te wachten tot we hem verhoren.'

'Heeft een van de agenten die ter plaatse kwamen iets gezien? Wat dan ook?'

'Nee, de situatie was te gespannen toen ze aankwamen.'

'Shit.' Keeler wrijft over zijn glimmende schedel. 'Shit. Dit loopt uit de hand.'

'Wat je zegt, het loopt hopeloos uit de hand. En ons werk is de zaken ín de hand te houden. Ik wil dat jij die chauffeur ondervraagt. Je weet wat je moet vragen – zorg dat je de informatie krijgt. We moeten hier een einde aan maken. We moeten beginnen muren op te trekken, vragen te stellen. We moeten de zaken onder controle krijgen.' De baas gaat zitten en schuift een dossier over het bureau. 'Dit is alles wat we hebben.'

Keeler voelt aan het dossier, voelt hoe dun, onvolledig het is. 'Meneer, mag ik wat zeggen?'

'Ga je gang.'

'Ik had de leiding over het team dat de Jeffersonmoorden elf jaar geleden onderzocht. Ik weet dat Jeffersons zoon daar verantwoordelijk voor was.'

'Vertel me eens iets wat ik nog niet weet.'

'Ik wilde... ik wilde er gewoon zeker van zijn dat u dat wist.'

'Is genoteerd. Ik weet ook dat je gisteravond ene inspecteur Flanagan aan het volgen was, die, als ik me goed herinner, destijds een tijdje met je aan die zaak werkte.'

Keeler staart zijn baas aan. 'Ja, ja, dat klopt.'

'Toeval verbaast mensen altijd. Ik vraag me af waarom.'

New York City – april

M –

Ik moet je vertellen over mijn vliegreis naar Newark. Ik kom bij mijn stoel en daar zit een vrouw die aan alle kanten uitpuilt. Ik bedoel, ze woog bijna tweehonderd kilo en ze had twee stoelen tot haar beschikking en dan nog zat ze tussen de armleuningen geklemd. Ze was *enorm*. Maar ondanks dat had ze een zekere waardigheid. Aan de andere kant van me zat een gek, zo'n wedergeboren idioot die me vroeg of ik God in mijn leven had toegelaten. Dus de volgende paar uur waren een verrukking. Ik bedoel, hij zat daar maar te kwekken, de bijbel te citeren, ik probeer het verlangen te onderdrukken om om een bourbon en een prop te vragen en Reuzenvrouw zit maar te draaien om gemakkelijker te zitten. De film begint en de gek besluit het volume voluit te zetten en schreeuwt maar dat hij in extase is. Heb je daar wel eens van gehoord? Blijkbaar zijn sommige Amerikanen in extase, dat wil zeggen, uitverkoren door God om in de volgende wereld gezegend te worden. Maar hij pikt ze er de hele tijd uit – gooit ze in het paradijs naar het hem goeddunkt. Je kunt gewoon in de bioscoop zitten, bijvoorbeeld met nog tien minuten van *Seven* te gaan, en plotseling vindt je Schepper dat je wel deugt en plukt je uit je stoel. Dus terwijl Kevin Spacey met zijn grote ogen rolt en het hoofd in de doos arriveert, zit jij ineens voor de hemelpoort. Om zijn woorden kracht bij te zetten, haalt de gek gevallen aan van mensen die zijn verdwenen, van wie nooit meer iets is vernomen, en is zich er blijkbaar niet van bewust dat mensen er soms voor kiezen om te verdwijnen.

Reuzenvrouw begon te lachen. Ze brulde, ze snikte, sloeg op haar dijen en het vliegtuig trilde. Toen draaide ze zich naar de gek en zei: 'Wat een gelul' en begon weer te lachen. Ik heb nog nooit zo'n stem gehoord. Hij klonk naar warme chocola en lichtgebakken biefstuk, watervallen en rook van een houtvuur. Iedereen in het vliegtuig stopte waar hij of zij mee bezig was en luisterde naar die stem. Haar lach was als een warm kaneelbroodje, dik en zoet, bijna te uitnodigend. Ik begon met haar te praten, alleen maar om haar wat te horen zeggen. Ik vroeg haar van alles, willekeurig wat, om haar aan het praten te krijgen. Ze was naar Vegas geweest voor de begrafenis van haar moeder en terwijl ze erover praatte was het net of je plaatjes zag van haar verdriet en de kleuren van haar hart voelde. Haar stem maakte me dat allemaal duidelijk.

Toen ik jou kuste rook ik citroenen. Toen ik in je was, was ik in extase. Ik mis je zo ontzettend.

Veel liefs,

Chum

Bronwen en Flanagan liggen zwijgend op het grote bed in het L-A-Zee Motel aan de rivier bij Hampton Bays. Het bed kraakt als Bronwen zich omdraait om haar sigaret uit te maken. Ze gaat weer op haar rug liggen en vouwt haar handen onder haar alarmerende borsten en zucht. 'Dus je bent niks wijzer geworden?'

Flanagan schudt zijn hoofd. 'Niet echt.'

'Waarom niet, man? Wat is het probleem? Als hij hier gewoond heeft, moet er toch iemand zijn die hem kent.'

Flanagan gaat zitten en kreunt. Hij is moe en terneergeslagen. Hij voelt meelij voor Bronwen die Chum Kane wil vinden zodat ze gerust kan zijn. Hij heeft ook medelijden met zichzelf. Hij heeft rook proberen te vangen, een schim nagejaagd. Hij weet niet meer of Chum Kane bestaat – heeft daar geen bewijs van. Hij is er ook niet meer zeker van dat Mister Candid daarbuiten echt bezig is de zaken recht te zetten voor de onzaligen. Hij is in de war gebracht door de nieuwverworven wetenschap over Luke Kanes moordzuchtige karakter – *Hij was slim genoeg en gek genoeg en rijk genoeg om alles te doen wat je maar kon bedenken.* Hij laat zich weer op bed vallen, maakt het aan het schudden. 'Bronwen, hoe oud is Chum Kane op die foto die jij hebt?'

'Ik weet het niet. Twintig? Misschien, ik weet het niet.'

'Staat er een datum op de achterkant of zoiets?'

Bronwen gaat naar de badkamer, sluit zich enkele ogenblikken op, komt dan weer terug. 'Ja – iemand heeft geschreven "Thanksgiving negentientachtig".'

'Bronwen, mag ik hem alsjeblieft bekijken?'

'Je weet dat je dat niet mag.'

'Bronwen, Bronwen.' Flanagans stem is hees, vermoeid. 'Ik weet dat je denkt dat ik de foto van je zal afpakken en je hier achterlaat, maar dat doe ik niet, echt niet. Ik ben een fatsoenlijke vent. Dat is zo'n beetje alles wat ik ben – een fatsoenlijke vent. Veel meer zal ik nooit worden. Ik laat je niet achter. Je snapt het niet, hè? Je snapt niet waar dit allemaal om gaat. Het gaat *alleen maar* om fatsoen. Of iets dat er op lijkt. Ik moet een bevestiging van iets zien te vinden en ik denk dat Chum Kane de enige is die een paar vragen kan beantwoorden die ik wil stellen. Daarom is het zo belangrijk voor me om hem te vinden. Als hij is wie ik denk dat hij is, dan moet ik weten hoe hij schone handen houdt. Hoe hij met zichzelf kan *leven*. Ik moet erachter zien te komen of hij gelijk heeft.' Flanagan zucht. 'Laat me alsjeblieft de foto zien.'

'Het is het enige dat ik heb.'

Flanagan draait zich om op het bed om Bronwen aan te kunnen kijken. Ze ligt oncomfortabel op het randje van het bed, haar hoofd tussen haar dikke schouders getrokken, haar bleke huid nat van stille tranen. 'O, Bronwen. O, het spijt me. Ik wilde je niet op je huid zitten. En, trouwens, wat bedoel je? Dat is het enige dat je hebt. Dat kan niet.'

Bronwens stem is plakkerig als stroop. 'Toch is het zo. Het is *wel* waar. Ik kijk naar zijn foto en dan denk ik dat ik veilig zou zijn als ik hem maar kende. Dat ik dan anders zou zijn. Dat ik dan, ik weet het niet... dat ik dan zou deugen. Dat is alles. Dat ik dan zou deugen, want ik weet dat het nu niet zo is. Maar hij zou alles veranderen, dat weet ik zeker.'

'Wat bedoel je – je deugt niet?'

Bronwen hoort de vraag niet. 'Sommige dingen die ik heb gedaan nadat ik Sam had ontmoet. Met mannen naar bed, dat soort dingen. Nou, ik kan nu, hier, in deze kamer, niet geloven dat ik dat heb gedaan. Het was net alsof ik ergens anders was. Snap je wat ik bedoel? Ik lig hier met jou op bed en we hebben allebei onze kleren aan en we zouden er niet over peinzen iets te doen, weet je wel, iets, wat dan ook, en toch, al die dingen die ik heb gedaan... Vreemd, de dingen die mannen willen.' Bronwen haalt een dot toiletpapier uit haar zak en snuit haar typisch fijngevormde neus. 'Maar als ik naar hem kijk, dan heb ik het gevoel... dat ik hem ken? Dat hij het antwoord is op vragen waar ik nooit over heb nagedacht. Alsof het allemaal in orde zou komen als ik maar bij hem was.

Ik kan het niet uitleggen. Ik begrijp niet waarom jij hem wilt vinden, maar ik heb het gevoel dat ik wel moet.'

'Bronwen, toen ik vanmiddag in de stad was, ben ik naar de bibliotheek gegaan en ik heb het jaarboek van de middelbare school van negentieneenenzeventig gevonden. Ik heb een foto van hem gezien. Ik weet hoe hij eruitziet.'

Bronwens gezicht krijgt een verslagen uitdrukking en ze veegt snot weg met haar pols. 'Dus je hebt me niet meer nodig?'

'Bronwen, *natuurlijk* heb ik je nodig. Wie moet me anders koekjes voeren terwijl ik aan het rijden ben? Wie moet anders de kaart lezen en me zeggen welke kant ik op moet? *Natuurlijk* heb ik je nodig.' Flanagan schuift over het bed en legt een grote, harige hand op Bronwens dij. 'Bronwen, ik wil iets tegen je zeggen. Vind je het goed dat ik je knuffel terwijl ik je het vertel? Wil je niet liever gaan liggen en dan knuffel ik met je terwijl ik het vertel. Wil je dat?'

Bronwen kijkt hem aan, haar ogen rood van de tranen. Ze snikt. 'Ja. Oké, ik ga liggen. Maar geen geduvel.' Ze laat zich op het bed zakken en legt haar hoofd op Flanagans brede borst – een borst die zo groot is dat er liters whisky in kunnen rijpen, een leven vol hoop. Hij streelt haar hoofd en begint te praten.

'Jaren geleden, Bronwen, jaren geleden, toen jij nog zo jong was en je kinderleven leefde in...'

'Llanerchymedd, Ynys Môn.'

'Ja, precies, in Ynys Môn, toen begon in Amerika een legende. De mensen begonnen te geloven dat er een man bestond, ergens, die onrecht bestreed, die ervoor zorgde dat alles weer goed werd, hetzelfde waar jij het over had. Bijna net zoals Clint Eastwood in *The Man With No Name*. Iemand die de stad kwam binnenrijden, het probleem oploste, de lijken telde en weer vertrok.'

'Je bedoelt Mister Candid, of niet? Ik zag iets over hem op tv, bij *Oprah*. Zij zei dat hij niet bestond.'

Flanagan sluit zijn ogen en ademt, ademt zo diep in dat het is alsof hij voor de hele wereld ademt. Hij neemt een besluit. 'Ik denk dat hij wel bestaat. Ik denk dat het zou kunnen dat Chum Kane en Mister Candid een en dezelfde zijn.'

Het L-A-Zee Motel is nog maar drie jaar geleden gebouwd, maar toch staat het op dat moment te trillen. Een lichte beving, een verwringen van de verbindingen. Niets dat zichtbaar is. Bronwen kijkt naar het imposante, bebaarde gezicht dat Flanagan toebehoort.

'Bronwen, ik heb vandaag een lang gesprek gehad met een agent van hier. Waar het om gaat, waar het om gaat... o, verdorie. Waar het om gaat is dat hij me vertelde dat Chum Kane zeventien jaar geleden is verdwenen, samen met de rest van zijn familie. Het weekend van Thanksgiving, zeventien jaar geleden. November negentientachtig. Hij zei ook dat verondersteld wordt dat Iris dood is, maar wij weten dat dat niet zo is, toch? Ik moet je ook vertellen, het spijt me, dat ook wordt aangenomen dat Chum Kane dood is. Mag ik alsjeblieft de foto zien?'

'Waarom?'

'Bronwen, Thanksgiving is de laatste donderdag in november. Jij hebt de laatst bekende foto van Chum Kane, die is genomen op de avond voor hij verdween. Snap je het niet? Toen ik in de bibliotheek was, stonden er foto's in de kranten, in het jaarboek, maar daarop is hij pas dertien. Hij ging toen naar de universiteit. Hij ging van de middelbare school af toen hij dertien was. Ik moet de foto van de *man* zien.'

Bronwen haalt beverig adem, drukt haar hoofd steviger op Flanagans borst. 'Hij is zo knap.'

'Laat eens zien.'

Bronwen steekt haar hand in haar T-shirt, duwt hem in haar beha en haalt een polaroid tevoorschijn. 'Ik wil hem wel terughebben,' zegt ze terwijl ze hem aan Flanagan geeft.

De foto voelt warm in Flanagans hand, warm omdat hij tegen Bronwens borst genesteld heeft gelegen. Langzaam draait hij hem om en kijkt naar Chum Kane. En wat hij ziet is een lange, blonde man, op zijn gemak, met zichzelf en met zijn postuur. Zijn gezicht is vierkant, met donkerblonde stoppels. Zijn ogen zijn kobaltblauw. Hij laat een voet op de bumper van een auto rusten – leunt op een elleboog, lacht bijna. En je weet, je weet gewoon, dat degene die de foto heeft gemaakt iets heeft gezegd dat hem spoedig aan het lachen zal maken. Je voelt gewoon de glimlach van de fotograaf terwijl de sluiter open- en dichtgaat.

'Je kunt haar bijna horen,' fluistert Flanagan.

'Wat?' Bronwen gaat verliggen en gaat teder met een vinger over Chums gezicht.

'De vrouw die de foto heeft genomen – je kunt haar iets horen zeggen dat hem aan het lachen maakt.'

'Hoe weet je dat het een vrouw is?'

'Omdat hij niet zo zou lachen voor een man. Dat is duidelijk. Ik weet niet hoe ik dat weet, maar het is zo.'

'Mag ik hem terug?'

'Natuurlijk.' Flanagan geeft de foto aan Bronwen en zij stopt hem weer in haar beha.

'Wat ben je nu van plan?' vraagt ze.

'Ik ga naar huis.'

'Wat? Geef je het op?'

'Er is niets meer dat ik kan doen. De politie is zeventien jaar naar hem op zoek geweest – ik kan me niet voorstellen dat ik iets vind dat zij over het hoofd hebben gezien.'

'Maar hoe zit het dan met die vrouw die de foto heeft genomen? Hoe zit het met haar? Die moet vast iets weten.'

'Bronwen, de politie zal haar alles wel gevraagd hebben wat ze wilden weten. Het is al zo lang geleden dat ze zich hem waarschijnlijk niet eens meer kan herinneren. Je weet toch wat er achter op de foto staat? Nou, ik denk dat hij haar ergens heeft afgezet, of haar een bezoek heeft gebracht en toen weer naar huis is gegaan. De foto is een polaroid – ze moeten hem ergens onderweg hebben genomen. Hij hoefde niet te worden ontwikkeld, dus de politie kon niet eens om het rolletje vragen.'

'Dus dat is het? Je geeft het op?'

'Ik ben moe, Bronwen. Ik moet terug. Ik moet weer aan het werk.' Flanagan wil Bronwen niet vertellen wat hij over Luke Kane te weten is gekomen – dat Chum Kane geen partij kan zijn geweest voor deze bevoorrechte, machtige, verknipte man, zijn vader.

LUKE KANE

Toen Luke Kane op Harvard aankwam was hij niet verontrust toen hij zich omringd zag door succesvolle jongens, want dat had hij verwacht. Het leed echter geen twijfel dat de genialiteit van geen van de jongens kon tippen aan die van hem: Luke Kane straalde van gezondheid, er hing een sfeer van gevaar om hem heen, als een helder gloeiende stralenkrans die andere nachtbrakers aantrok. Hij studeerde zo hard als nodig was, vermeed de luidruchtige jongeren van Long Island die hij gedurende de zomer had ontmoet en bracht de nachten zwervend door de straten van Boston en Cambridge door. Gedurende de jaren die hij daar doorbracht, dacht hij aan Harvard als een lomp, rood gebouw, warm en comfortabel, boordevol vlees. Hij rookte, hij dronk, hij bracht de jaren neukend door en leerde ondertussen alles over financiën en zakendoen. Iedere maand stortte Theodore geld op zijn bankrekening, genoeg om hem uit de Hamptons weg te houden waar Lucinda en Sugar ouder werden in hun huis aan het strand. Luke Kane investeerde een deel van het geld en spendeerde de winst aan vrouwen en mannen. Hij was beleefd tegen zijn leraren, charmant tegen zijn minderen als hij daar zin in had, onweerstaanbaar voor alle anderen. Zijn geld (zoon van Mister Steel – die, uiteindelijk, miljoenen had verdiend toen de oorlog Europa overspoelde), zijn vierkante kaak, zijn lange, slanke lichaam, dat schijnbaar moeiteloos bokste en roeide, zwom en tenniste, maakten van hem een magneet. Zijn leven op de universiteit was één grote kerstvakantie, een eindeloos cadeau, en iedere dag ging er weer een deur voor hem open. Hij vloog door zijn opleiding, en haalde uitsluitend de hoogste cijfers en lof.

Verleiding, wanneer die zich voordeed, verscheen vaak in

de vorm van een weelderig figuur, afgetekend tegen een achtergrond van licht en rook in een donkere bar. Of soms op de stranden van Martha's Vineyard, waar brede, gebronsde ruggen die uitliepen in smalle, strakke kontjes zijn aandacht trokken. Hij was discreet, hij was terughoudend. Wanneer hij het gevoel kreeg dat zijn handen jeukten, dacht hij weer aan die jongen op Christchurch en aan de smaak van zout bij Mono Lake. Er waren mannen op Harvard met meer talent, die gezegend waren met de ijver, integriteit en het gevoel voor burgerzin waar Theodore zo naar verlangd had in zijn zoon, maar toch waren het niet zulke hoogvliegers als Luke Kane. Hij werd een legende in ieders ogen, behalve in die van hemzelf. En dat was het gouden randje van zijn jeugd: hij aanvaardde het eerbetoon, maar was zich bewust van de leegheid van de legende. Hij had zichzelf voldoende leren kennen om te weten hoe ver zijn tekortkomingen gingen.

Hij maakte in die jaren op de universiteit één vergissing, één beoordelingsfout die hem zelf verbaasde. In zijn laatste jaar reisde hij naar New York City om daar het weekend door te brengen en betaalde voor de diensten van een lange, zwarte amazone. Het was duidelijk dat hij nooit hoefde te betalen, maar het geld maakte de opwinding voor hem alleen maar groter. Ze gingen met zijn tweeën naar haar kamer en daar begonnen Luke Kanes handen te hard te jeuken. Terwijl hij daar stond te hijgen, naakt, bij het raam, en naar de met bloed besmeurde vrouw op het bed keek, vloog de deur open en kwam haar pooier binnengestormd: een enorme neger in een donker pak die met vertrokken gezicht naar het wrak op het bed keek. Zelfs toen Luke Kane voor het eerst in drie jaar naar het huis in de Hamptons belde, de loop van een revolver hard tegen zijn ribben gedrukt, was hij kalm, zijn stem afgemeten. Want hij wist dat Lucinda zou betalen om zijn naam uit de kranten te houden. Hij en de pooier zaten op de vloer te roken, deelden een flacon bourbon en praatten terwijl zij wachtten tot de auto de afstand van Long Island had afgelegd.

Toen het geld eenmaal was gearriveerd, in een blauwe linnen zak, stond de pooier Luke Kane toe zich aan te kleden en schudde hem de hand toen hij wegging en zei dat het prettig was geweest zaken met hem te doen. De vrouw was dood, maar, ach, dat gaf niet, daar kwam hij wel overheen. Luke Kane stapte naar buiten de ochtendschemering in en huiverde, niet door de kilte van de ochtend, maar vanwege het gevoel dat hij zichzelf niet in de hand had gehad.

Zijn moeder schreef hem dat laatste jaar voor zijn afstuderen, eiste dat hij haar in een hotel in Boston zou ontmoeten. Toen ze elkaar in de lobby ontmoetten was Luke Kane gekleed in een licht katoenen broek en een wit, loshangend katoenen overhemd en hij zag tot zijn genoegen dat Lucinda het warm had in haar pakje van Dior en dat haar enkels boven de lichte, kleine schoenen opgezet waren. Ze werden naar een afgescheiden hoekje in de bar geleid en Lucinda bestelde bourbon waar hij genoegen nam met bier. De drie jaar die voorbij waren gegaan sinds ze elkaar voor het laatst hadden gezien, hadden haar geen goed gedaan; ze waren ronduit wreed voor haar geweest. Haar haar was dun en dor, haar huid was uitgedroogd door zon, drank en sigaretten. Hij kon zich niet meer voorstellen dat hij ooit zijn armen naar haar had uitgestrekt over de sneeuwwitte lakens van het echtelijk bed.

'Je studeert dit semester af?' Zelfs haar stem, altijd zacht en fluisterend, klonk nu als schuurpapier.

'Ja.'

'Wat ga je daarna doen?'

Luke Kane haalde loom zijn schouders op en zijn blik ging even naar een passerende tweedejaars, die zich omdraaide (Luke Kanes reputatie was alom bekend) en glimlachte.

'Eerlijk gezegd kan het me helemaal niets schelen wat je gaat doen.' Lucinda streek een lok bleek haar uit haar gezicht, dronk haar glas leeg en gebaarde om nog een bourbon. 'Het enige wat ik van je wil is dat je niet terugkomt naar East Hampton.'

'Maar moeder, dat is mijn thuis.' Hij glimlachte.

'Dat kun jij misschien vinden, maar je familie denkt daar anders over.'

'Hoe denk je me tegen te houden?'

Lucinda's kleine, blauwe ogen knepen nog verder samen terwijl ze hem aankeek. 'Dat kan ik niet. Maar je komt niet terug. Daar zal Theodore wel voor zorgen als ik hem dat vraag. Maar ik heb liever niet dat dat nodig is.'

'Me onterven, bedoel je dat?' Luke Kane fronste zijn perfecte wenkbrauwen.

Lucinda haalde haar schouders op en streek haar kousen glad.

Hij keek hoe zijn moeder bourbon verzwolg alsof het moedermelk was, hoe haar mond het levenswater opzoog. Hij keek berekenend. 'Dat heeft hij toch al gedaan, of niet soms?'

'Ik zou het niet weten.'

'Nog steeds het gelukkig getrouwde stelletje, nog steeds het volmaakte gezinnetje?'

Lucinda keek naar hem met iets dat op onverschilligheid leek. 'Misschien niet. Maar we hebben een regeling getroffen die ons allebei bevalt. En wat geld aangaat, ik weet het niet en het kan me niet schelen ook of jij nu wel of niet wat krijgt. Wat mij betreft is er genoeg voor iedereen.'

Luke Kane keek weer naar zijn moeder, die zat te drinken en te roken, ongemakkelijk op de bank zat te draaien met het zweet op haar sproetengezicht. Hij dacht aan zijn vader – die hij niet meer had gezien sinds de dag dat Joegoslavië zich overgaf – een man van staal met een hart van steen. 'Ik neem aan, moeder, dat je nooit iets van Ewald Hering hebt gelezen?'

Lucinda's onscherpe blik richtte zich een ogenblik op haar zoon. 'Wat is dat?'

'Ewald Hering. Hij heeft de uitdrukking "genetisch geheugen" bedacht – absolute onzin natuurlijk, want niets dat hij aandraagt kan worden bewezen waar het genen en erfelijkheid betreft. Maar toch. Hering betoogde dat door het genetisch geheugen dril "weet" dat het in kikkers moet veranderen.'

'Waar heb je het over?'

'Ik zat net naar je te kijken en ik bedacht dat ik moet hebben vergeten net als jij en Theodore te worden.'

'Je komt niet naar huis.'

Deze wending in het gesprek herinnerde Luke Kane aan de koppigheid van idioten. 'Ik heb je nog niet bedankt voor het geld dat je een paar maanden geleden naar Manhattan hebt gestuurd.'

'Doe geen moeite. En vertel me alsjeblieft niet waar het voor was. Dat wil ik niet weten. Ik doe het overigens geen tweede keer.' Lucinda wenkte een ober en bestelde nog maar weer een bourbon.

'Nee, dat dacht ik al.' Luke Kane boog zich voorover en plaatste zijn ellebogen op de tafel tussen hen in. 'Ik denk dat we maar beter tot overeenstemming kunnen komen, een soort verdrag. Is het bij je opgekomen dat ik niet eens naar huis *wil* komen? Dat ik mijn tijd helemaal niet in dat trieste, lege huis wil doorbrengen? Waarom zou ik dat willen?'

'Ik ken één verdomd goeie reden.' Lucinda maakte de ene sigaret uit en stak de volgende op. 'Daarom wil ik je daar niet hebben.'

'Wat, vraag ik me af, zou Hering daar van maken? Waar komt *dat* genetische geheugen vandaan? Denk eraan dat je met je moeder slaapt?' Luke Kane glimlachte en zag er onwaarschijnlijk knap uit.

'Ik heb wat geld van mezelf. Ik geef je wat je hebben wilt.'

'Ik denk het niet, moeder. Ik denk niet dat jij me kunt geven wat ik wil. Maar je kunt me genoeg geld geven zodat ik in de stad kan gaan wonen. En ik denk dat een afstudeercadeau op zijn plaats is. Ik studeer per slot van rekening *summa cum laude* af.'

Lucinda pakte haar tas, ging staan en plukte aan haar rok

die door het zweet aan de achterkant van haar dijen zat geplakt. Ze keek neer op haar zoon, zei: 'Schrijf me' en liep door de lobby de kolkende hitte van het centrum van Boston in.

Luke Kane zag hoe ze haar hand opstak en in een taxi stapte. Hij zag zijn moeder nooit meer terug. Hij schreef haar echter wel; een verstandige brief waarin hij niet veel vroeg, niet meer dan, zoals hij al had gezegd, geld om zich in de stad te kunnen vestigen. Het verzoek om een Cadillac Eldorado als afstudeercadeau was een gril, een bevlieging. Hij wist dat ze hem die zou geven, omdat het een middel was waarmee hij bij haar en Sugar uit de buurt kon blijven. De dag dat hij van Harvard wegreed, met twee studiegenoten in de Eldorado, zuidwaarts door sneeuw en ijs in de richting van zon en warmte, lichtten de stoffige vlakten van Nevada op door het splitsen van atomen en werden de slaapkamers van Boulder City blauwachtig verlicht terwijl een paddestoelvormige wolk opsteeg.

Het was een ongelukkige samenloop van omstandigheden dat Luke Kanes verlangen om aan de winterkou van de noordoostelijke kuststreek te ontsnappen zo precies samenviel met de tiende verjaardag van Iris Chandler. Het was ook een ongelukkig toeval dat zijn reisgenoten hem vroegen te stoppen, zodat zij een paar flessen Thunderbird konden kopen op een plein in Hoboken, New Jersey.

1997

Tijdens de nacht in Diamond Days is de stilte koning. Het verpleeghuis is zo stil dat het mogelijk is het wegvloeien van leven te horen; dat wegvloeien klinkt als drogende inkt op papier. Iris ligt in haar bed en staart naar het vage silhouet van haar voormalige folteraar aan de andere kant van het gangpad. Iris' hersenen kloppen zachtjes, de elektrische impulsen zo zwak dat ze niet langer voldoende zijn om gedachten op te wekken of haar geheugen aan te spreken (zeker niet haar genetisch geheugen). De impulsen kunnen er alleen voor zorgen dat Iris' lichaam ademhaalt en slikt, slaapt en zucht. Maar vanavond zijn ze sterker en ze herinnert zich dat ze een taak heeft – ze moet de directrice vermoorden.

Iris trekt de infusen uit de dunne, rimpelige huid van haar pols. Ze slaat de lakens terug en denkt – vaag – aan wat haar te doen staat. Ze hoopt dat de herinnering aan lopen, een meer dan zeventien jaar oude herinnering, terugkomt. Ze maakt zich zorgen, want al weet ze dan nog hoe ze moet lezen en praten, ze *kan* geen van tweeën meer. Ze hoopt ook dat haar botten niet zo broos zijn dat ze zullen breken. Haar voeten komen op de vloer, die hard en koud aanvoelt, en voorzichtig verplaatst ze haar gewicht van de matras naar haar enkels. Ze staat te zwaaien op haar benen, houdt zich vast aan haar bed. Iris staat rechtop. Ze schuifelt, pijnlijk langzaam, over de luttele meters linoleum, haar bloed zakt in haar voeten, als rode kiezelstenen. Als haar hersenen die naam waardig waren geweest, zou ze zich duizelig hebben gevoeld. Ze staat over de directrice gebogen, haar schaduw valt over het verwoeste gezicht van de vrouw, en ze herinnert zich dat ze een kussen nodig heeft. Zuchtend keert ze terug op haar wankele schreden, propt een kussen onder het stompje en gaat weer naar het bed van de directrice. Iris vraagt zich even af of ze iets moet zeggen. Een paar woorden? Een kort gebed? Het lijkt zo onbeleefd om de vrouw zo zonder een woord van afscheid te verstikken. Maar wat kan zij, Iris, in vredesnaam zeggen? Dus houdt ze het kussen in haar hand en laat zich voorover vallen, probeert zich naar voren te werpen, maar glijdt in plaats daarvan over het bed – net als Charlie 'Chum' Kane al die jaren geleden. Ze ligt half over de directrice heen, terwijl haar ene elleboog het dikke kussen tegen de mond van de vrouw drukt. De directrice verzet zich tot haar verbazing niet. Iris heeft een heel vreemd gevoel – alsof de directrice opgelucht is dat ze wordt verlost van haar eindeloze verlangen. Ze weet wanneer de directrice dood is, kan het door het dons en katoen heen voelen. Ze ademt zwaar, haar kleine aders barsten door de inspanning, het bloed sijpelt in haar huid en organen, en Iris maakt zich los van het lichaam en schuifelt terug naar haar eigen bed. Ze laat zich op de lakens zakken en zucht nog eens. Ze duwt de naalden weer in haar pols, trekt het laken over haar uitgeteerde lichaam en luistert naar haar geest die uit elkaar klapt. Misschien komt het door al het lawaai in haar hoofd dat ze niet meer weet *waarom* ze gedaan heeft wat ze heeft gedaan. Waarom ze voor het eerst in zeventien jaar weer gelopen heeft. Iris laatste gedachte is dat ze ervan genoten heeft.

Genetisch geheugen.

Terwijl Iris' geest nog één keer opflakkert en dan sterft, schrikt Flanagan wakker in zijn bed in het motel. Hij kan Bronwen horen snurken, hetgeen nauwelijks een verrassing kan worden genoemd, want ze ligt nog steeds met haar hoofd op zijn borst. Flanagan, vol energie, absoluut verkwikt door tien uur slaap (of misschien door de aanwezigheid van Bronwen), maakt zich zachtjes van haar los en ze rolt op haar rug, armen uitgespreid. Pas wanneer hij op de plastic wc-bril zit, zijn darmen leegt, dringt het tot hem door. De auto, op de polaroidfoto. De bumper van de auto, de uitstekende koplampen – het is een Cadillac Eldorado. Zonder twijfel van 1950. De auto die ze in Missouri hebben gevonden. Hij denkt aan het vervallen huis aan Apaquogue, denkt aan de vrouw die Chum Kane aan het lachen maakte. Flanagan wil niet langer naar huis.

'O, sorry,' zegt Bronwen blozend als ze de inspecteur betrapt terwijl hij zijn achterste afveegt.

Vreemd, denkt Flanagan, dat een verpleegster naakt voor een zaal vol vreemden kan dansen en toch in verlegenheid wordt gebracht als iemand zich ontlast. 'Bronwen,' zegt hij terwijl hij zijn gulp dichtritst, 'ik ga *niet* naar huis.'

'Wat vertel je me nou, man. Dat je van mening bent veranderd?'

'Ja. Laten we ergens gaan ontbijten en dan op pad.'

'Waarheen?'

'Ik weet het niet. Daar moet ik nog over nadenken.'

Bronwen en Flanagan hebben meer gemeen dan alleen hun omvang. Het is niet verbazingwekkend dat ze allebei van eten houden. Als ze zitten te eten kunnen ze nergens anders aan denken. Terwijl worstjes, spek, gebakken aardappelen, roereieren, tomaten en toast, voorafgegaan door cornflakes en melk, gevolgd door een driedubbele portie ijs, van hun borden verdwijnen, glimlachen ze verlegen naar elkaar, allebei opgelucht zich in het gezelschap te bevinden van een medeliefhebber van buikbekleding. Eindelijk schuiven ze hun lege borden van zich af en wrijven over hun maag. Flanagan boert zachtjes.

'Zo, dat was lekker,' zegt hij en pulkt een restantje worst tussen zijn tanden vandaan.

'Als we sodabrood hadden gehad, was het perfect geweest,' merkt Bronwen op. 'Nou, gaan we?'

Flanagan neemt een slokje van zijn koffie en kijkt naar de voorbijrijdende auto's die op weg zijn naar de stad, flitsend en oogverblindend in het aprilzonnetje. Hij vertelt Bronwen over de auto, over de vrouw. 'Ik krijg haar maar niet uit m'n hoofd.'

'Wie?' vraagt Bronwen met een ondertoon van jaloezie.

'De vrouw die de foto genomen heeft.'

'Ik snap nog steeds niet hoe je er zo zeker van kunt zijn dat het een vrouw is.'

'Dat weet ik gewoon. Mag ik hem nog eens zien?'

Bronwen kijkt tersluiks het restaurant door, steekt snel een hand in haar decolleté en vist Chum Kane tevoorschijn. Ze legt de foto op de rode, gebarsten formicatafel en de twee kijken ernaar.

'Ik snap nog steeds niet waarom je denkt dat een vrouw die heeft genomen.' Bronwen fronst haar voorhoofd, tuit haar lippen en de inspecteur ziet dat ze, in een bepaald licht, op een puddingbroodje lijkt.

LUKE KANE

Luke Kane was eenentwintig toen hij naar zijn penthouse in de Upper East Side verhuisde. Hij meubileerde het appartement, kocht een veilige garage voor zijn Eldorado en vond een baan op Wall Street. Dat laatste was niet zo moeilijk: hij belde gewoon met een Harvardman bij de Hunter-Philipshandelsbank en werd uitgenodigd voor een etentje in plaats van een sollicitatiegesprek, want Luke Kanes beheersing van de financiële nuances was bekend.

New York City, of liever gezegd Manhattan, paste prima bij een man als Luke Kane. Hij was per slot van rekening een van die mensen met geld en van goede komaf, een knap uiterlijk en een goede smaak. Met het geld kon hij de tijd kopen die hij nodig had. Hij kon ook stilzwijgen kopen als dat nodig was. Hij genoot van de aanblik en de geluiden van de stad, zijn kaarsrechte straten, de brede boulevards, de kleine stukjes lucht die tussen de wolkenkrabbers zichtbaar waren. Hij vatte het gewicht en plechtstatigheid van de grote eiken deuren van de Hunter-Philipsbank op als een persoonlijk compliment. Hij genoot van de sfeer in de discrete eetzalen en restaurants, hun hoge ramen gedrapeerd met zware gordijnen, glimmend zilver op lelieblank damast. Hij hield ervan om een paar straten te wandelen voor hij een taxi aanhield om hem naar Hanover Street te brengen, zodat hij zijn weg kon banen door de menigte die het slechter getroffen had. Hij liet zijn haar knippen bij Luigi in Baxter Street in Little Italy, zijn schoenen poetsen door een neger die een stalletje had op de hoek van West 43rd en Madison. Zijn pakken werden handgemaakt, zijn overhemden kwamen uit Londen. In het weekend propte hij zijn Eldorado vol met collega's en hun vrouwen en reed naar Atlantic City om daar de dagen te vergokken. Of ze reden naar Cape Cod en gingen zeilen, voeren de kleine, provinciale havenstadjes in en uit. Soms reed hij naar Long Island, voor cocktailparty's, dineetjes, barbecues en om met een speedboot te varen. Maar hij ging nooit naar East Hampton, bracht nooit een bezoek aan zijn moeder en zus. Afspraak, vond hij, was afspraak. Hij had het geld aangenomen van zijn moeder (geld dat zich, net als een virus, vele malen vermenigvuldigde, schijnbaar zonder dat er iemand aan te pas kwam), dus hield hij zich aan de overeenkomst.

Luke Kane was het roofdier boven aan de menselijke voedselketen. Zijn arsenaal omvatte ieder wapen waarmee hij de eer van iedere vrouw, het zelfvertrouwen van elke man, kon lospeuteren en weggooien. Dus waarom miste hij dan iets toen hij eenmaal achter in de twintig was? Dan zat hij in de kleine uurtjes in zijn appartement, das los, haar in de war, terwijl een slok bourbon zijn weg zocht door zijn ingewanden, en keek door het raam naar de lichter wordende lucht. Luke Kane had genoeg zelfkennis om te weten dat als iemand het in zijn hoofd zou halen om op een bepaalde manier op hem te kloppen, hij hol zou klinken. Dat *betreurde* hij niet; hij zat gewoon 's ochtends vroeg in zijn eentje en verbaasde zich erover.

Op een avond toen hij in zijn weelderige appartement naar de neongekleurde hemel achter het raam zat te kijken, een fles Jack Daniel's losjes in zijn gemanicuurde hand, kwam er een beeld in hem op, leek het venster te vullen terwijl hij zat te kijken. Het was het beeld van Sugar Kane die op de trappen van het huis in East Hampton stond met Lucinda's arm stevig om zich heen. Hij haalde zich de perfecte ronding van Sugars wang, gebruind door de zomerzon, voor de geest, herinnerde zich haar verlegen glimlach en de kushand die zij hem had toegeworpen. Hij onderzocht de leegte binnen in zich en vroeg zich opnieuw af hoe die kon worden gevuld. Met een grom kwam hij overeind uit zijn stoel, deed zijn stropdas af en hees zich in zijn astrakan jas.

Terwijl hij naar de garage liep waar de Eldorado op hem stond te wachten, ging de menigte op het trottoir voor hem opzij. Zelfs snelgeklede pooiers – hoed in de ogen, het gezicht verborgen achter sigarettenrook en ademwolken door de koude lucht, roodlippige vrouw aan iedere arm – gingen eerbiedig opzij om Luke Kane doortocht te bieden. Hij kwam bij de garage en trok de deuren open, waarbij het metaal een geluid produceerde dat als pistoolschoten weerkaatste in de lege, natte straat. Hij had de fles nog steeds in zijn hand en nam een slok alvorens zich in het zachte leer te laten zakken en de auto te starten. Hij bleef een ogenblik zitten – een kort, geladen moment – en dacht na over wat hij aan het doen was, dacht na over de restricties van de afspraak, de waarde van zijn woord. En toen hield hij op met nadenken en begon te rijden. Naar het noorden via Fifth Avenue, dan oostwaarts over de Queensboro Bridge, langs Parkway naar East Hampton, Long Island. Toen hij daar aankwam, parkeerde hij de auto in de beschutting van een boom en liep over het strand tot hij bij de duinen voor het huis van de Kanes kwam.

Het huis, dat hij zeven jaar niet had gezien, was niets veranderd. Het keek blind naar de oceaan, de luiken gesloten tegen de mist uit zee. De tuinen waren weelderig en de oprijlaan goedverzorgd, en in het bleke ochtendlicht kon hij vaag de schommelstoel zien waarop hij had gezeten, met zijn voeten op de balustrade, en luisterde hoe Lucinda door de kamers achter hem dwaalde, zeven zomers voor Luke Kane zijn jas dicht om zich heen trok en in de duinen hurkte, rokend en drinkend, met zand dat vochtig in zijn kleren drong terwijl hij wachtte tot de zon opkwam.

Toen de hemel lichter begon te worden, werd zijn geduld beloond. In het metaalgrijze ochtendgloren zag hij hoe de luiken werden geopend en een gouden vierkant licht zichtbaar werd waarin Sugar Kane rondliep. Ze boog zich uit het raam, draaide haar hoofd om naar de hemel te kunnen kijken, keek links en rechts naar het strand en verdween. Een paar minuten later ging de deur naar het terras open en kwam ze naar buiten, gehuld in een dikke badjas, een handdoek om haar nek, badslippers aan haar voeten. Ze liep op een drafje de trap af naar het strand en passeerde Luke Kane, die gehurkt in het zand achter een paar plukjes helm zat, op een paar meter afstand. Hij keek toe hoe zij de badjas van zich af liet glijden, de slippers uitschopte en vervolgens de lome, bijna vlakke golven in rende. Hij huiverde toen zij in het water dook, stelde zich de ijsblauwe kou voor. Na verloop van tijd stond Luke Kane op, veegde het zand van zijn jas en broek en liep naar de waterkant. De hemel veranderde ieder moment van kleur, het spel van licht maakte zowel de lucht als de oceaan dan weer lichter, dan weer donkerder. Sugars armen sneden door het water en in zijn ogen was het net alsof ze met iedere slag engelenvleugeltjes achterliet. Hij raapte de badjas en de handdoek op en hield ze uitnodigend op toen ze aanstalten maakte om naar het strand te komen. Hij wist dat zijn gezicht baadde in het volle, glorieuze licht dat plotseling boven de wolken aan de horizon scheen, en daardoor zachter leek. Hij wist ook dat zijn pikzwarte haar was verwaaid, dat zijn jas als een mantel wapperde. Hij wist, om kort te gaan, dat hij er geweldig uitzag, goddelijk.

Desondanks aarzelde Sugar toen ze hem zag, bleef staan, een stil, zwart silhouet, tot haar knieën in het water. Ze sloeg haar handen om haar bovenarmen en deed een stap achteruit. Hij kon haar gezicht niet onderscheiden.

'Wat wil je?' riep ze, haar stem ijl van wind en angst.

'Gewoon, even gedag zeggen, denk ik.'

Sugar deed nog een stap achteruit en hij stelde zich voor hoe koud ze het moest hebben. Hij liep naar het water, er voor zorgend dat zijn glimmend gepoetste schoenen niet nat werden, en hield andermaal de badjas op.

'Hé, kom op, kom eruit.'

'Wat wil je?'
'Herken je me niet?'
Hoewel hij haar ogen niet kon zien, voelde hij wel haar blik op zijn gezicht. 'Luke?' Haar stem beefde terwijl er een rilling door haar heen voer.
'Zeker wel. Kom. Kom eruit.'
Sugar waadde naar de kant, zichzelf wrijvend, en nam de badjas van hem aan. Ze droogde haar haar en keek hem aan en hij glimlachte. 'Wat doe je hier?' vroeg ze.
'Ik wilde eens zien hoe het met je gaat.'
'Maar je mag hier helemaal niet komen.'
'Dat weet ik. Maar ik wilde het toch. Kom, laat mij maar even.' Hij nam de handdoek, ging achter Sugar staan en wreef de dikke strengen zwart haar, waardoor de geur van zout vrijkwam.
'Maar je *mag* hier helemaal niet komen.'
'Misschien niet. Maar nu ik er toch ben, waarom drinken we niet een kop koffie of zoiets?'
Sugar draaide zich om, en eindelijk kon hij haar gezicht zien in het gouden licht. Het was alsof hij in een spiegel keek en de eindeloze leegte binnenin werd eindelijk gevuld. Zij tweeën, broer en zus, stonden op het harde vochtige zand en keken elkaar aan, elk in stilte vol bewondering voor wat hij of zij zag.
Sugar wendde haar blik af en nam de handdoek uit Luke Kanes handen. 'Dat kan niet. Je mag niet binnenkomen.'
'Dat weet ik. Maar waarom ga jij je niet aankleden, dan zie ik je zo voor het huis. We kunnen naar de stad gaan en een plekje zoeken.'
Sugar staarde hem weer aan, wreef afwezig over de handdoek. 'Ik mag niet met je omgaan.'
'Ik heb mijn auto een eindje verderop in de straat geparkeerd. Ik wacht daar wel op je.'
Luke Kane glimlachte en wandelde weg, handen diep in zijn zakken, zijn gepoetste schoenen ondanks zijn voorzich-

tigheid nu vlekkerig van het zeewater. Hij wachtte in de Eldorado, met draaiende motor, en warme lucht uit de verwarming blies over zijn voeten. Hij keek, één keer, in de spiegel en zag dat zijn kin bedekt was met donkere stoppels – hij zag er losbandig uit, gevaarlijk. Terwijl het laatste beetje bourbon hem in zijn greep kreeg, doezelde hij wat, met zijn hoofd tegen het raampje geleund. Daardoor miste hij zijn moment van triomf – het schouwspel van Sugar Kane, gekleed nu, in een spijkerbroek en een ruimvallende wollen trui die van hem was geweest toen hij nog een jongen was, die het pad kwam af gelopen in zijn richting. Het was het geluid van Sugar die tegen het raampje tikte dat hem wekte en hij opende het portier, zij glipte naar binnen en hij reed weg.

Zij reden in stilte tot ze een eettent vonden in de buurt van Amagansett die open was. Het was nog niet eens zeven uur 's ochtends en de man achter de toonbank stond geeuwend zijn schort voor te binden. Hij bracht hun koffie toen ze in een hoek waren gaan zitten en uitkeken op een verlaten straat.

'Het ziet er naar uit dat het een prachtige dag wordt,' zei hij en veegde de tafel af met een vochtige doek. 'Ergens op weg naartoe?'

'Ja,' zei Luke Kane.

'Dat dacht ik al – ik ken de meeste mensen hier in de buurt. Hé – wacht eens even... u moet...' De man staarde Luke Kane aan en vervolgens Sugar. Het gezamenlijke effect van hun hemelsblauwe ogen deed hem terugkeren naar zijn toonbank. Zonder precies te weten waarom, vond hij een bezigheid die hem noodzaakte naar de keuken achterin te gaan.

'Nou – hoe gaat het met je?' vroeg Luke Kane. 'Ik heb je niet meer gezien sinds je... zeven was? Acht?'

'Ik was acht,' zei Sugar en roerde melk door haar koffie. 'Ik weet nog dat je thuis was. Ik weet nog dat je wegging.'

'Heeft moeder ooit gezegd waarom ik niet thuis mocht komen?' Hij wilde dat Sugar nee zou zeggen, want hij voelde voor het eerst schaamte om Lucinda – niet vanwege wat er was gebeurd, maar vanwege het feit dat zij haar schoonheid had verloren.

'Nee.' Sugar stak haar hand uit naar zijn sigaretten, stak er een op en leunde achterover. 'Ik denk... ik denk dat ik het eigenlijk nooit wilde weten. Ik bedoel,' en ze blies een wolk rook naar de laaghangende lamp, en door het gebaar leek ze ouder dan haar vijftien jaar, 'het moet iets heel ergs zijn geweest, of niet?'

'Misschien.'

'Je wilt het me niet vertellen?'

'Zie het maar als een jonge man die te ver is gegaan, die een grens heeft overschreden.'

'Je bent echt niet van plan het me te vertellen, hè?' Sugar glimlachte. '*Zo* erg kan het nooit zijn geweest.'

'Misschien niet – maar toch vertel ik het je niet.'

'Ah, kom op. Anders ga ik alleen maar aan vreselijke dingen lopen denken. Heb je een auto gestolen of zoiets? Of misschien, eh, misschien heb je iets uitgevreten met een meisje? Of...' Sugar zat een beetje op en neer te wippen in haar stoel terwijl ze zich probeerde voor te stellen wat haar broer toch gedaan kon hebben dat zo slecht was.

Luke Kane raakte haar hand aan en hield een vinger tegen zijn lippen. 'Ssst, ik vertel het je toch niet.'

Sugar keek naar een vrachtwagen die voorbijreed, afgeladen met meloenen, gevaarlijk zwaaiend onder het gewicht.

'Zie je je vader wel eens?' vroeg haar broer.

'Hij is ook jouw vader. Waarom zeg je dat hij míjn vader is?'

Luke Kane haalde zijn schouders op, plukte een stukje tabak van het puntje van zijn tong. 'Ik heb hem al zo lang niet meer gezien dat ik hem bijna vergeten ben. Ik denk op geen enkele manier aan hem.'

Sugar fronste haar voorhoofd. 'Hij stuurt een cheque als ik jarig ben en met Kerstmis. Hij kwam vroeger wel eens op bezoek, naar het huis. Maar toen is hij daarmee gestopt en het kon me niet echt wat schelen want hij leek altijd een beetje ongelukkig wanneer hij er was. Ik bedoel, zelfs toen ik nog heel klein was wist ik al dat hij niet gelukkig was. Het is grappig, ik hou nog wel van hem, ook al zie ik hem niet. Maar ik ken hem niet echt, ik denk dat ik hem altijd heb bewonderd.'

Luke Kane glimlachte. 'Ja, hij was altijd een bewonderenswaardig man. Zijn woord was overal goed voor.' Hij draaide zich om en bestelde meer koffie. 'Laten we het er niet meer over hebben – hoe staat het met jou? Hoe gaat het op school?'

En terwijl Sugar hem vertelde over de kostschool bij Greenwich, Connecticut, een meisjesschool waar ze al sinds ze vijf was de hele week doorbracht, terwijl ze verhalen vertelde over leraren die een hekel aan haar hadden, feestjes op de slaapzaal, pesten en successen behalen, keek Luke Kane naar haar. Sugar was mooi, al was ze nog maar vijftien, goedgemanierd en vol van het zelfvertrouwen dat geld met zich meebrengt. Haar gezicht bleef je bij. Terwijl zij sprak zat Luke Kane te roken en koffie te drinken, draaide zijn kopje rond in zijn handen en keek hoe zij lachte of bedenkelijk keek.

'Heb je een vriendje?' vroeg hij ten slotte.

'O, god. Nee!' Sugar lachte en lachte.

'Kom op – dat is toch niet zo'n gekke vraag?'

'Nou, afgelopen zomer *was* er wel een jongen die ik leuk vond. Hij heette Rick en hij was strandwacht. Maar dat is zo banaal, weet je wel? De strandwacht, bruin en blond? Dat was gewoon zo *banaal*.'

Luke Kane voelde een steek van jaloezie en hij beet zijn tanden op elkaar toen de herinnering bij hem bovenkwam: van de priester die liep te lachen aan de oevers van Mono Lake. Hier stond hij machteloos, want de herinnering aan Rick op het strand in '56 zou Sugar altijd bijblijven.

'Dus je hebt geen vriendje?'

'Nee. Ik denk dat ik gewoon geen tijd heb. Ik bedoel, wanneer ik op school ben? Het enige dat we doen is studeren. En in de vakantie is mam altijd in de buurt.'

'Misschien is ze alleen maar bezorgd om je?'

Sugar zat te draaien op haar stoel. 'Maar ik word gek van haar. Ze is veel te beschermend, weet je wel? Het valt zelfs mijn vriendinnen op. Je weet wel, ze generen zich voor mij.'

Sugar reikte over de tafel en pakte Luke Kanes arm, stroopte de mouw van zijn dikke jas op om naar zijn horloge te kijken. 'Jee, het is al bijna negen uur. Ik moet weg, anders wordt moeder gek. Ik bedoel, oké, ze wordt dan wel niet wakker voor het middag is of zo, maar op een dag als vandaag is ze op tijd voor het ontbijt.'

'Drinkt ze nog zoveel?'

'Ja, ik denk het wel. Ze doet er heel stiekem over, maar ik weet nu waar ik op moet letten. Kom – we moesten maar gaan.'

De man in de keuken kwam niet eerder tevoorschijn dan toen ze vertrokken waren. Hij ruimde hun kopjes op, leegde de asbak en keek naar het biljet van vijf dollar dat Luke Kane had achtergelaten. Terwijl hij de tafel nog eens schoonveegde, reed een witte Eldorado voorbij het raam, met Sugar Kane uit het raam hangend, lachend.

Voordat Sugar uit de auto stapte die opnieuw onder de grote boom stond geparkeerd, vroeg haar broer of ze zin zou hebben hem eens in New York op te zoeken.

'Woon je in de stad?' vroeg ze.

'Waar anders? East Eighty-second. Ik heb een geweldig appartement. Als je zin hebt kun je overkomen en dan gaan we naar de film en uit eten.'

Sugar ging weer zitten, probeerde haar haar te kammen met haar vingers. 'Grappig weet je, jarenlang ben je een soort boeman geweest! Maar dat klopt niet. Je bent net als iedereen. Je bent net als ik.'

'Nou, heb je zin om op bezoek te komen?'

'Ja... maar dat kan niet. Moeder zou het niet goed vinden.'

'Moeder hoeft het niet te weten. Kun je niet een keer weg van school?'

'Nou, misschien. Maar dan komen er wel leugens en zo aan te pas.'

'Kijk – het is niet alsof ik Rick ben of een of andere knul van de universiteit. Ik ben je broer. Het wordt tijd dat we elkaar beter leren kennen. En, zoals je al opmerkte, ik ben geen boeman.'

'Mmm.'

'Hier heb je mijn telefoonnummer. Bel me maar als je zin hebt om te komen, oké?'

'Oké. Ik moet gaan. Bedankt voor de koffie.' En ze glimlachte naar hem terwijl ze wegliep.

Uiteraard, drie weken later, tijdens een donkere avond in oktober terwijl de eerste sneeuw van die winter viel, belde Sugar Luke Kane. Ze had met een vriendin geregeld dat die zou zeggen dat ze met zijn tweeën bij een tante in Boston zouden gaan logeren. Dus, kon ze het weekend naar zijn appartement aan East 82nd komen?

1997

Edison Keeler zit in zijn kantoor en wrijft over zijn roze schedel terwijl om hem heen telefoons rinkelen en e-mails op zijn scherm verschijnen. Voor hem ligt een blocnote en een potlood. Het kantoor is ondergronds, het licht komt van kleine halogeenlampen die scherpe grijze schaduwen werpen. Keeler heeft zich in zichzelf teruggetrokken, heeft zich teruggetrokken in de schedel waarover hij wrijft. Hij is zich niet bewust van het schrille geluid van de telefoons, zich niet bewust van de voortdurende beweging op zijn scherm. Op de blocnote heeft hij namen geschreven, een wervelende rij namen die maar in zijn hoofd blijft rondmalen: Mister Candid? Chum Kane? Flanagan? Gouv. Jefferson? Jessie Jefferson? Bronwen? Hij onderstreept de laatste. Bronwen.

Inspecteur Flanagan had niets te veel gezegd toen hij opmerkte dat Keeler de beste rechercheur was die hij ooit had gekend; dat Keeler net zo lang piekerde tot feiten zich aandienden. (Bronwen.) Keeler had gedacht dat Flanagan alleen maar wilde neuken toen hij de club verliet, verder niks. Maar nu weet hij dat er iets anders aan de hand is – Flanagan denkt dat Bronwen iets heeft dat hij wil hebben en dan bedoelt hij niet haar lichaam. Maar wat kan het dan zijn? Het laatste waar Flanagan het over had gehad was Mister Candid en terwijl hij aan het woord was had Keeler een bijna bijbelse gloed in Flanagans ogen gezien, alsof hij – god, sta hem bij – op zoek was naar de waarheid.

Keeler komt uit zijn trance, draait zijn stoel en begint verwoed op het toetsenbord voor hem te rammen en na verloop van tijd verschijnen korrelige zwartwitbeelden op het scherm. Een naakte Bronwen draait op haar eeltige voeten, haar erotische bewegingen krijgen een komisch effect door het slechte camerawerk. Het is een opname van de beveiligingscamera's van de club, afkomstig van een hele serie verborgen camera's. Hij stopt de film bij een close-up van haar gezicht en downloadt het beeld, pakt het schijfje uit de computer en loopt met lange passen door de witgeschilderde gangen tot hij zijn bestemming heeft bereikt. De techneuten nemen het schijfje aan, laden het beeld en vergroten het tot Bronwens gelijkenis met een lekkernij van de bakker onmiskenbaar is. Het beeld wordt afgedrukt en Keeler neemt het mee naar het kantoor van zijn baas, legt het op tafel in het airconditioned kantoor. De chef kijkt naar Bronwens portret met iets dat op afkeer lijkt.

'Wie is dit?'

'Ik weet niet hoe ze heet.' Keeler merkt tot zijn ongenoegen dat hij weer zweet. 'Ik wil haar antecedenten nagaan.'

'Waarom? Volgens mij heb je belangrijker zaken aan je hoofd.'

Keeler gaat met een hand over zijn voorhoofd. 'Ik denk dat ze er op de een of andere manier bij betrokken is.'

'Erbij betrokken is? Wees wat duidelijker, Keeler.'

'Ik heb dit van de beveiligingscamera's in de club; zij trad daar op. Ze is met Flanagan weggegaan en was bij hem toen ik hem volgde. Ik kan het niet uitleggen.' Keeler kijkt in de nietszeggende, bleekgrijze ogen van zijn superieur. 'Ik... ik voel het aan m'n water. Dat is alles. Het heeft allemaal met elkaar te maken.'

De chef gaat staan en loopt naar het raam, dat uitziet op de weg waar Jessie Jefferson neerging, haar hart doorboord door kogels van de New Yorkse politie. Keelers reputatie als iemand die als geen ander het verband tussen feiten zag, was hem vooruitgesneld. Keelers instinct kon beter voorspellen dan een wichelroede. Maar... maar... maar... De chef weet veel dingen die voor Keeler verborgen zijn gebleven. Om een voorbeeld te noemen, Keeler weet niet wie Sam de Scharrelaar is. Sam moet met rust worden gelaten; hij moet zich niet bedreigd gaan voelen. De chef draait zich om en kijkt bedenkelijk als hij ziet hoe Keeler glimt.

'Ik wil niet dat je nog naar de club gaat. Laat dat maar aan mij over. Ik stuur er iemand heen die discreet wat vragen kan stellen. Ik wil dat jij ondertussen verdergaat met de zaak Jefferson. Ik wil dat je over,' de superieur kijkt op zijn horloge, 'een uur de chauffeur van haar auto ondervraagt. Je kunt de verhoortechniek gebruiken die je maar wilt.'

'Ja, meneer.'

'Breng verslag uit.' De chef keert Keeler zijn rug toe en laat zijn ogen over de maffe, gebroken skyline gaan, alsof daar de antwoorden zijn te vinden.

Terwijl Keeler in zijn kantoor zit te wachten tot het tijd is de chauffeur te ondervragen, dwaalt zijn geest af, dwaalt terug naar de Hamptons. Waar, vraagt hij zich af, is Flanagan? Er is bijna een dag voorbijgegaan sinds Keeler Flanagan voor het laatst heeft gezien en hij wordt niet meer gevolgd. Keeler pakt de telefoon en draait Flanagans nummer in Miami en spreekt met de inefficiënte Harris.

'Ah, eh, mijn naam is Keeler van de politie in New York. Ik heb jaren geleden met Flanagan gewerkt. Misschien heeft hij mijn naam wel eens genoemd?'

'Nee.'

'Nou, kijk, ik ben een vriend van de familie en ik moet hem dringend spreken.'

'Oké. We zullen het zo aanpakken – geeft me uw directe nummer, dan controleer ik alles en dan kunnen we praten. U weet dat ik alles moet natrekken.'

Terwijl Keeler wacht tot hij wordt teruggebeld staart hij naar de lijst namen op de blocnote. *Bronwen*. De telefoon gaat over.

'Oké,' zegt Harris. 'Wat kan ik voor u doen? Ik weet niet waar Flanagan is. De eikel is verdwenen.'

'Zijn er boodschappen voor hem achtergelaten – of door hem? Of wat dan ook?'

'Nou, eh, ja. Een vrouw heeft voor hem gebeld. Als u het mij vraagt heeft hij een paar dagen vrij genomen om achter de meiden aan te zitten.'

Keeler houdt de hoorn een eindje van zijn hoofd en kijkt er vol verbazing naar. Hij probeert zich Flanagan voor te stellen die achter de meiden aanzit en schudt zijn hoofd. 'Hoe lang kent u Flanagan al?'

'Shit, niet zo lang.'

'Juist. Wie was die vrouw die heeft gebeld. Heeft u een nummer?'

'Ogenblikje... hier heb ik het. Een of andere vrouw die Twyla Thackeray heet. Haar nummer is in Miami, zes een acht nul drie drie negen.'

'Bedankt, Harris. Ik stel dit zeer op prijs.'

'Luister, ik weet niet wie u bent en het kan me niet zoveel schelen of u een vriend van hem bent of niet. Maar misschien moet u weten dat er een aanhoudingsbevel voor Flanagan is uitgevaardigd – hij is tot verboden gebied verklaard.'

'Een *aanhoudingsbevel?*'

'En een opsporingsverzoek. Hij is verdwenen en hij loopt met zijn penning te zwaaien waar dat niet hoort.'

'U probeert me wijs te maken dat Flanagan wordt gezocht?'

'Daar lijkt het wel op. Dus als u iets van hem hoort, vraag hem dan of hij zichzelf wil aangeven. Hij heeft een of andere vrouw bij zich en zij zit ook diep in de nesten.'

Keeler legt de hoorn op de haak, fronst zijn voorhoofd, en belt opnieuw. Uiteraard wordt hem verteld dat hij met het Emerald Rest Home in Naples, Florida, spreekt, maar dat het, helaas, gesloten is. Het Emerald Rest Home? Keeler krabbelt de naam neer, voegt hem toe aan de lijst van overige namen. Keeler is het eens met zijn superieur – toevalligheden zouden je niet moeten verbazen. Hij kijkt even op zijn horloge. Het is twee uur 's nachts en het is tijd om met de chauffeur van de onfortuinlijke Jessie Jefferson te gaan praten.

New York City - april

M –

Nou, ik ben nog steeds in New York – de sneeuw is verdwenen en de zon heeft er zin in. Ik leef als een vorst in de Four Seasons. Ik moet zeggen dat het wel wat heeft om iedere ochtend in dezelfde kamer wakker te worden, in hetzelfde bed en iedere ochtend in dezelfde pot te pissen. Ben gisteren naar de Village geweest (ik heb met opzet een route gekozen die me langs het appartement voerde waar we toen verbleven – het ziet er nog steeds verveloos, maar niet vervallen uit) en heb er wat rondgelopen, me onder de menigte gemengd. Het was er vergeven van de gekken en Japanners en studenten en zakenlieden. Ik kocht een *Times Atlas* bij een van de stalletjes achter Washington Square en ik heb die op bed in mijn kamer liggen bestuderen, heb mijn reis van de afgelopen zeventien jaar gevolgd. Wat een zooitje – tienduizenden kilometers kriskras over het continent, met mijn arm uit het raampje van een auto bungelend, of vastgeklemd in een vliegtuigstoel, of met mijn slapende reet op een stoel in een Greyhound. Was het dat allemaal waard?

Ik ben ook (met een van mijn onelegante vingers) de route nagegaan die we in Europa zullen volgen. Ik vind dat we in Tromsø moeten beginnen en ergens aan de Turkse kust moeten eindigen – zo lang we maar tijd hebben om in Italië rond te hangen. Dat heb ik altijd al gewild. We kunnen een ezel kopen of zoiets en door Le Crete Senesi wandelen, met een grote stofwolk achter ons aan en donkere cypressen voor ons, als Maria en Jozef of zoiets. Ik denk dat ik mijn hele leven al met die reis bezig ben, of in ieder geval sinds ik jou ken. Zoals ik al zei – ik moet Sam de Scharrelaar spreken, dan nog een reisje maken naar Florida en dat is het dan wel. We hebben geld waarmee we alle tijd van de wereld kunnen kopen. We kunnen overal naartoe gaan, doen wat we willen. Ik kan gewoon niet zeggen hoe opgewonden ik ben – ik voel me weer zoals toen ik jong was en veel minder wist dan nu.

De volgende dag: Ik heb dit al eens geprobeerd. Ik gaf het allemaal op en liet Mister Candid achter – liet hem achter op een kade in Bellingham, Washington. Ik tikte tegen m'n hoed, zwaaide met m'n hand en liftte via de Caribou Highway naar Prince George en ging toen naar het westen, naar Prince Rupert en stapte op een schip dat naar Juneau ging. Ik voer dagen noordwaarts, door Clarence Strait en Stephen's Passage – ik volg die route nu, ga langs ieder lijntje op de kaart. Ik herinner me eilanden vol naaldbomen, de rollende stammen, in het goede spoor gehouden door sleepboten en netten. Ik herinner me een school orka's die het schip volgde, moeiteloos zwemmend, een scherp contrast van zwart en wit. Arenden zweefden boven ons, zeeotters dreven voorbij en timmerden op de schelpen die ze op hun borst geklemd hielden, met op hun gezicht een uitdrukking van constante verbazing. Ik stond elke avond aan de reling, mijn lichaam gewend aan de trillingen van de machines onder mijn voeten, ik merkte het niet eens, en het was net alsof de hele wereld voorbijkwam. Het was zomer en er groeiden wilde azalea's op de oevers, kleurige vlekken op de oevers van alle eilanden en inhammen. Ik stond daar met een biertje in mijn hand en ademde diep in – zonder spijt over de man die ik had achtergelaten in Bellingham. Ik had het gevoel dat het me gelukt was, dat ik me bevrijd had, het achter me had gelaten. Die kustlijn: vanuit de hoogte neergevallen op een wereld die het niet kon schelen, in miljoenen stukjes uiteengespat en vervolgens verdronken. Die zomer sliep ik niet. Ik stond iedere avond aan de reling terwijl het schip voorbij stadjes gleed die op palen stonden te wiegen, over rivieren gebogen die zilver leken door de zalm, tinten grijs in het vreemde zonlicht. Want, uiteraard, stond de zon rond middernacht nog laag aan de hemel. Middernachtzon, die meer tinten blauw en grijs tevoorschijn toverde dan ik wist dat er bestonden.

Ik ging in Juneau van boord en bleef daar een tijdje, hing rond in het Alaska Hotel. Toen kocht ik een auto in

Anchorage en reed met mijn gebruikelijke omwegen een paar weken rond, kampeerde en stookte iedere avond vuurtjes van aangespoeld hout, lag plat op mijn rug op restanten van de oudste rotsformaties ter wereld en keek naar de sterren. Misschien begon ik toen, tijdens die korte, grijsblauwe nachten – terwijl ik keek hoe de zon en de maan ondergingen en weer opkwamen tussen de bergpieken, ondertussen luisterend naar grizzly's die in de buurt rondscharrelden, zichzelf krabden en verlangden naar de sappigste, lekkerste organen die ik in me heb – jou te reconstrueren, op cartesiaanse wijze, zoals we inmiddels weten. (Ik denk, dus jij bent.) Ik begon de stukjes in elkaar te passen, al die beelden van je die ik in mijn hoofd heb: je bukt om een paar papieren op te rapen, een trieste uitdrukking op je gezicht; naakt in een auto, met je benen uit het raam; je bent koffie aan het malen met je mond op een bepaalde manier die je anders nooit had, terwijl ik cijfertjes maal. Ik bracht de nachten door met mijn schouders tegen het gneis gedrukt, terwijl ik probeerde Peano's vijfde hypothese, de kwantumtheorie en de waanzin van Leibnitz op een afstandje te houden, en ondertussen jouw gezicht voor mijn geestesoog opbouwde. Ik was toen heel tevreden – op een bepaalde manier vredig, alsof ik eindelijk alleen was. Ik wilde naar Alaska omdat de mensen het daar over 'buiten' hadden – waarmee ze alles bedoelden dat niet bij Alaska hoorde, alsof er een dingohek over het continent liep zoals ze in Australië hebben. Er is zelfs een eiland dat Unalaska heet, alsof je zodra je genoeg had van het echte Alaska naar dat eiland kon gaan en het tegenovergestelde kon doen, wat het dan ook was. Maar dat was allemaal prima, dat was wat ik wilde, want Mister Candid was aan de andere kant van het hek.

En nu lopen mijn vingers over de kaart, gaan over bergen, door valleien en over gletsjers, op weg naar Denali. Op een dag, laat in de zomer, reed ik in mijn gedeukte 4x4 in de richting van het National Park. De zon stond hoog aan de hemel en elanden liepen in de berm te scharrelen en te donderjagen, de weg zelf slingerde als een pijl in harde wind, draaiend en kerend door een landschap zoals ik nog nooit had gezien. 'Blue Moon' van Cowboy Junkies was op de radio en dat was wel toepasselijk, want ik kon hem recht voor me zien, hoog in een witblauwe lucht, en ik zong uit volle borst mee. Ik kwam een flauwe bocht door en voor me stond een hele sliert auto's op de tweebaansweg. Misschien wel een kilometer lang, twee kanten op. En middenin deze twee keurige, beleefde files was een ongeluk gebeurd voor een hut aan de kant van de weg; zwaailichten van politieauto's flikkerden en gedeukt chroom glinsterde in de bosjes. Ik wachtte nét als iedereen, wachtte tot er iets zou gebeuren. Wachtte misschien wel een halfuur, ondertussen met mijn vingers op het stuur trommelend en aan de radio draaiend. Maar toen moest ik naar de wc, dus stapte ik uit de auto en liep in de richting van de hut. Het moet me ongeveer tien minuten hebben gekost om daar te komen, tegen een flauwe helling op. Toen ik dichter bij de agenten en het ongeluk kwam hoorde ik plotseling een geluid dat ik nooit eerder had gehoord en sindsdien nooit meer heb gehoord – al heb ik nog wel eens iets gehoord dat er erg op *leek*: het was het geluid van een vader die moest toezien hoe zijn dochter stierf terwijl er niets werd gedaan. Hij was een beer van een vent, met een dikke blonde baard en hij brulde, huilde, *schreeuwde* dat iemand iets moest doen terwijl we allemaal stonden te wachten op het geluid van een helikopterrotor dat nooit kwam. Terwijl ik langzaam naar de wc liep, hoorde ik nog een geluid. Het was de andere bestuurder, wiens auto was geslipt en tegen de vader en zijn dochter was geknald. Die vent zat gebogen over het stuurwiel, bloed droop van zijn gezicht en het portier was zo gedeukt dat ze hem moesten lossnijden. En hij huilde maar. Hij huilde niet zoals jij en ik zouden doen, maar als een klein kind. Hij bleef maar roepen 'Help me, help me' en er was een agent die met hem probeerde te praten, maar je wist gewoon dat die vent niet luisterde. En ik kon aan de stem van die man horen dat hij van de wereld was. Niet meer van deze wereld was. Die vent was opgefokt door coke of speed of drank of een combinatie daarvan. Hij kon zelfs helemaal niks voelen, behalve zelfmedelijden. Ik ging de hut binnen en probeerde te piesen, maar dat lukte niet. Toen ik weer bij mijn auto was ben ik omgedraaid en via een andere route naar Denali gereden.

Die avond, terwijl ik met een biertje in een oude treinwagon zat die ze daar als bar gebruiken, stond de radio aan en ik hoorde dat het kleine meisje aan meerdere verwondingen was gestorven en dat de andere bestuurder het had overleefd. De hond van het meisje, een labrador, was ook omgekomen bij de botsing. De hond heette Tinkerbell en toen ik dat hoorde, heb ik mijn hoofd op mijn armen gelegd en ben gaan huilen en ik kon er niet mee ophouden en ik probeerde het wel en ik kon er niet mee ophouden en toen ik opkeek, met snot en tranen op mijn gezicht, stond Mister Candid daar tegen de bar geleund en hij keek naar me, zonder glimlach.

Waar het om gaat is, ik dacht dat hij aan de andere kant van de afrastering was – ik dacht dat hij 'buiten' was – maar dat was hij niet.

Hoe dan ook, ik denk dat de reden dat ik je dit allemaal heb verteld, is dat ik wil dat je weet dat ik heb geprobeerd Mister Candid achter me te laten. Ik *heb* geprobeerd weg te lopen. Maar deze keer meen ik het. Ik laat Mister Candid achter op een andere kade, of in een busstation of ergens in een vertrekhal. Het doet er niet toe waar. Ik weet dat ik dat kan, want deze keer kom ik jouw kant uit. Ik zal je vinden. Misschien ga ik zelfs wel terug naar Gideon. Hij weet wel hoe je zoiets aanpakt.

Veel liefs,
Chum

'Gideon. Meer weet ik verdomme niet.' De chauffeur van de auto van de dode Jessie Jefferson zit te zweten in de benauwde kamer. Keeler zit op een bureau met zijn dunne benen te bungelen, zijn aandacht is volledig gericht op het gezicht van de chauffeur. 'Meer weet ik verdomme echt niet, man,' jammert de chauffeur.

Keeler trekt zijn wenkbrauwen op. 'Gideon? Neem je me nou in de maling? Gideon, net als in de bijbel?'

'Ja, net als in de klotebijbel.' De handen van de chauffeur zijn rusteloos, duwen tegen de stof van zijn spijkerbroek, spelen met een versleten Zippo, vliegen dan weer omhoog en friemelen aan zijn haar. 'Heb je wat te roken?' Keeler knikt naar een collega en een pakje Salem verschijnt op tafel. De chauffeur heeft moeite met het aansteken van de sigaret, zijn handen maken immers ongecoördineerde bewegingen.

Keeler schraapt zijn keel terwijl de rook omhoogkringelt. 'Oké, de feiten: je rijdt 's morgens om vijf uur met mevrouw Jefferson op de hoek van Fifth Avenue en Fifty-first Street. Je auto raakt betrokken bij een aanrijding. Je stapt uit en er ontstaat een woordenwisseling tussen jou en de andere bestuurder die erbij betrokken is. Mevrouw Jefferson stapt uit en staat vlakbij. Er ontstaat een handgemeen en jij gaat neer. Op dat moment komt er een politieauto aan met twee agenten. Mevrouw Jefferson begint naar ze toe te lopen terwijl jij daar op het trottoir ligt. De agenten raken mevrouw Jefferson, die ongewapend is, vier keer en lopen vervolgens weg terwijl er meer agenten arriveren. Nadat jij bent aangehouden en het ambulancepersoneel heeft verklaard dat mevrouw Jefferson dood is, wordt er vijf kilo coke ontdekt in de kofferbak van mevrouw Jeffersons auto. Klopt het tot dusver allemaal?'

De man knikt, de sigaret samengeknepen tussen duim en wijsvinger, zijn strotklepje gaat met een hoorbare klik dicht als hij slikt.

'Ziet er niet zo best voor je uit. Hoe lang ben je al chauffeur van mevrouw Jefferson?'

'Eh, dat ben ik niet. Ik bedoel, dat was ik tot nu toe niet. Gisteren was de eerste keer. Ik viel in voor haar vaste chauffeur.'

'Waarom?'

'Kweetnie. Luister, ik heb niks gedaan. Ik ben geen dealer, ik raak die troep niet aan. Ik kreeg een telefoontje dat ik naar het huis van de Jeffersons moest en haar naar een of ander chic feest moest rijden. Daarna moest ik haar rond een uur of vijf naar de stad brengen. Er zou een aanrijding komen en ik moest gaan vechten. En dan moest ik weglopen. Gewoon weglopen. Zo had het allemaal moeten gaan. Ik wist niets af van die coke en ik wist niet wat er met haar zou gebeuren. Shit, als ik dat had geweten had ik dat klusje niet aangenomen. Duizend dollar voor al dit gedonder? Dacht het verdomme niet.' Hij drukt de peuk kapot in een asbak en z'n handen vliegen weer alle kanten op. 'Ik wil verdomme een advocaat.'

Keeler buigt zich voorover. 'Wist mevrouw Jefferson van de coke?'

'Weet ik niet. Ik denk niet dat ze van iets wist. Ze had 'm om. Ze had al een paar martini's op toen ik haar kwam halen. Ze was zwaar aangeschoten, man.'

Keeler laat zijn blik over het gezicht van de man dwalen, terwijl hij in zijn hoofd alle mogelijkheden nagaat. De chauffeur heeft, zegt Keelers gevoel, geen enkele reden om te liegen. 'Heeft ze iets gezegd? Iets dat je op de een of andere manier opviel?'

De man kijkt nadenkend, kijkt naar zijn handen en vlecht zijn vingers in elkaar. 'Ik wil een advocaat.'

Keeler glimlacht. 'Dat komt in orde. Maak je geen zorgen. Als jij me helpt, zal ik m'n best voor je doen. Misschien kunnen we een deal sluiten.'

De man staart in Keelers uitdrukkingloze ogen. 'Ik weet van niks. Ze was gewoon een dronken rijke snol. Ik bedoel, je weet wel, het was al lastig om te verstaan wat ze zei.'

'Wat zei ze dan precies?'

'Ik wil een advocaat.'

'Wat zei ze?'

De man staart nog steeds naar Keeler, trillend, maar koppig. 'Ik wil een advocaat.'

'Ik zal je eens wat zeggen. Als dit ook maar een beetje lijkt op wat ik denk dat het is, dan heb je helemaal geen advocaat nodig, maar moet je een ander *leven* hebben. En dat is iets dat geen advocaat je kan bezorgen. Maar ik wel. Ik kan je zelfs een nieuw gezicht bezorgen, nieuwe vingerafdrukken, een grotere lul, als je dat zou willen.' Daar moet Keelers collega om glimlachen. 'Wie is Gideon? Waar komt die naam vandaan?'

'Dat is de enige naam die ik in verband hiermee ken. Een vent belde me, dat heb ik verteld. Hij klonk oud, en hij zei iets over Gideon.'

'Wie *is* hij dan? Wie is Gideon?'

'Ik heb hem vroeger in L.A. gekend. Gideon heeft me hier werk bezorgd.'

'*Werk*? Hoezo – heeft Gideon je cv bekeken en je een klinkende referentie gegeven voor de headhunters?' Keeler laat zich van het bureau glijden en gaat voor de chauffeur staan, buigt zich voorover tot zijn gezicht nog maar centimeters van dat van de chauffeur verwijderd is. 'Je schijnt te vergeten dat we je al kennen. Je bent een stuk uitschot – dat weet ik en dat weet jij. Je bent een klusjesman. Je doet de vieze karweitjes die niemand anders wil doen. En dit is daar een prima voorbeeld van. Wie is Gideon, verdomme?'

'Ik wil een advocaat.'

'Nou, daar kun je dus wel naar fluiten. Wie is Gideon?'

De chauffeur buigt zijn hoofd, haalt zwaar adem.

Keeler komt nog dichterbij, zijn speeksel sproeit over het gezicht van de chauffeur als hij zegt: 'Je begint me verdomme behoorlijk te irriteren. Kom op... kom op. Laat je al deze ellende over je heen komen voor duizend dollar? Wie is Gideon?' De chauffeur mompelt iets en Keeler houdt zijn hand achter zijn oor. 'Versta je niet.'

De chauffeur slikt. 'Hij is gewoon een maatje van vroeger. Hij stelt verder niks voor. Hij trekt op met die lui van de bende van Twenty-first; bezorgt spul voor ze. Hij woont in Culver City. Hij is verdomme gewoon een koerier.'

Keeler komt snel overeind en gaat de kamer uit. Hij loopt op een sukkeldrafje door de gang, probeert er niet aan te denken hoe lang het is geleden dat hij heeft geslapen, probeert nog steeds het beeld van die kleine begraven handen kwijt te raken. Eenmaal in zijn kantoor pakt hij de telefoon. Tien minuten later staat hij weer in de deuropening van de verhoorkamer en hij wenkt zijn collega, die zich voor de kamer bij hem voegt.

'We hebben eindelijk eens mazzel,' zegt Keeler. 'Dit zul je niet geloven. De politie van Los Angeles heeft vanmiddag een jonge zwarte man aangehouden, ene Winston Luther Gibson, ook bekend als Gideon. Hij is gearresteerd na een schietpartij. Hij is twee keer eerder gearresteerd. Hij had ook een envelop met dertigduizend dollar op zak. Blijkbaar heeft hij verklaard dat hij dat gekregen had en dat hij dat wilde gebruiken om naar de universiteit te gaan. Naar de universiteit.' Keeler en zijn collega glimlachen. 'Hij staat bekend als een straatjongen uit Twenty-first Street. In ieder geval zetten ze hem op het vliegtuig. Hij kan hier om een uur of elf, misschien twaalf, zijn.'

Keelers instinct werkt nu op volle toeren, alsof het zijn eigen privé-show wil opvoeren. Keeler voelt dat hij ergens steeds dichterbij komt, maar hij weet nog steeds niet wat precies. Hij vraagt zich af of Flanagan al hetzelfde begint te voelen.

LUKE KANE

De avond dat zijn zoon zijn dochter verleidde, genoot Theodore Kane van een informeel dineetje bij een vriend thuis, even buiten Westchester. Hij zat te lachen, hief zijn glas voor nog een paar centimeter bloedrode Saint Emillion toen zijn vingers verkrampten, het kristal kapotknepen, precies op het moment dat Luke Kane bij Sugar binnendrong. Theodores vrienden kwamen toegesneld om hem te helpen, terwijl bloed en wijn zich vermengden in zijn handpalm. Hij staarde met nietsziende ogen naar het witte tafelkleed terwijl het tapijt rood kleurde, en hij wist dat er iets aan de hand was. Dat het *weer gebeurde*. Zijn vrienden, bezorgd vanwege zijn bleke kleur, brachten hem naar huis en hielpen hem in bed nadat ze een dokter hadden gebeld. De dokter, een gevoelige man die met zijn vingertoppen niet alleen de polsslag kon waarnemen maar ook hoe het stond met de wil van de patiënt om te overleven, schudde zijn hoofd en zei tegen de vrienden dat ze zich op het ergste moesten voorbereiden. Dus trokken ze stoelen bij en waakten die nacht bij Theodore.

Theodore Kane was geboren in 1880, in een gouden tijdperk waarin het miljardenland werd geregeerd door industriemagnaten. Zijn vader had in de burgeroorlog gevochten, Theodore had de indiaanse oorlogen meegemaakt, de Spaans-Amerikaanse oorlog, de Boksersopstand, de Eerste Wereldoorlog, de Tweede Wereldoorlog en Korea. Hij had zijn leven geleid in gewelddadige tijden waarin hij een fortuin had vergaard. Mister Steel lag op zijn sterfbed, zich bewust van de rustige ademhaling van zijn vrienden, en overdacht zijn leven. Hij had de ambitie gehad een dynastie te stichten die vergeleken kon worden met die van de Astors, de Vanderbilts, Morgans en Carnegies, maar hij had gefaald. In plaats daarvan was hij erin geslaagd het ondenkbare voort te brengen. Als hij maar de moed had gehad, dan had hij het allemaal kunnen tegenhouden.

Theodore haalde de ochtend en wou dat dat niet zo was. Nu hij het had opgegeven, een gebroken man, bleef hij in bed, nam de telefoon niet op, maakte zijn post niet open, at zijn maaltijden niet. Maanden later, om twee uur 's nachts, een tijdstip waarop harten ophouden te kloppen, stierf Theodore. Er was niemand bij hem, niemand om gebeden te mompelen of zijn voorhoofd te betten. Mister Steel roestte eenvoudig weg.

Luke Kane bewoog ritmisch op zijn zus en dacht aan zijn vader, zijn moeder, dacht aan stilte, aan zich heel voelen, en lachte. Het was, toen Sugar eenmaal in zijn appartement was aangekomen – met rode wangen van de ijskoude wind en de opwinding over het bedrog, de leugens die ze de schooldirectrice had verteld – een kwestie geweest van een paar uur waarin hij haar mee uit eten had genomen, voortdurend wijn had gevoerd en vervolgens in een liggende, kwetsbare positie had gemanoeuvreerd. Maar wat zijn plezier vergrootte, was dat Sugar ook lachte. Ze wekte de indruk dat ze helemaal niet zo kwetsbaar was. Om precies te zijn kwamen Luke Kane en Sugar samen klaar in een chaos van zweet en gelach; de eerste keer van vele die nog zouden volgen.

In het daaropvolgende jaar, waarin Sugar zestien werd en Luke Kane negenentwintig, zagen ze elkaar vaak. Sugar kwam dan met de trein aan op Grand Central, waar Luke haar stond op te wachten. Ze aten samen in de beste restaurants – waar de obers toegeeflijk glimlachten terwijl zij de oudere broer en de jongere zus bedienden – en gingen vervolgens naar het appartement op East Eighty-second waar ze samen de nacht doorbrachten. De mate waarin ze door zichzelf in beslag werden genomen, nam toe naarmate ze vaker in de spiegel van elkaars gezichten keken. Geen van beiden voelde schaamte, geen van beiden had het idee dat hun leven verwrongen was; ze hadden het gevoel dat de wereld weer in orde was.

Op een avond toen ze naakt op Luke Kanes bed lagen en zwijgend rookten, herinnerde hij zich hoe hij jaren eerder in New Jersey op de top van een heuvel had gezeten en naar het neon halssnoer van Manhattan had gekeken, met een fijne, bleke hand in zijn schoot. Dat meisje was klein en gedwee geweest, aanbiddelijk. Eindeloos dankbaar zelfs. Ze zou hem, wist hij, alles vergeven. En als hij zich na zo'n lange tijd het kleine, hartvormige gezicht van dat meisje nog zo helder voor de geest kon halen, moest hij haar misschien maar de zijne maken.

'Misschien ga ik wel trouwen,' zei Luke Kane.

'Waarom?'

'Omdat dat van me wordt verwacht.'

'Met wie ga je trouwen?'

Luke Kane vertelde Sugar over Iris, beschreef haar de ontmoeting van jaren eerder. Sugar moest lachen.

'Ben je niet jaloers?' vroeg hij haar.

'Waarom zou ik? Het klinkt alsof ze een geest is. Hoe denk je haar te vinden?'

'Ik vind haar wel.' Luke Kane maakte zijn sigaret uit en greep naar het lichaam van zijn zus. 'Maar dan kan ik jou een tijdje niet meer zien.'

'Dat geeft niet. Dit is nog niet voorbij.' Sugars ogen schitterden.

'Nee.'

Sugar keerde zich naar haar broer, kroop in zijn armen. 'Je hebt dit eerder gedaan, hè? *Daarom* ben je de boeman.'

(Genetisch geheugen.)

De volgende dag reed Luke Kane met de Eldorado naar Hoboken, New Jersey. Hij reed rond door de straten, listig als altijd, op zoek naar een grijs houten huis. Uiteindelijk kwam hij een hoek om en zag Iris Chandler op de trap van een veranda op hem zitten wachten.

1997

Bronwen zit in een bar op Harvard Square op Flanagan te wachten en huivert van de kou in de al te zeer gekoelde lucht. De tafels om haar heen zijn allemaal bezet door studenten, waarvan de meesten stilletjes zitten te lezen, te blokken voor hun examen. Bronwen doet het bandje van haar beha goed, pulkt tussen haar tanden, staart naar de carrosserie van een halve Oldsmobile die uit de muur steekt. Ze verveelt zich. Flanagan is al uren weg, is uren geleden verdwenen in de ingewanden van de universiteitsbibliotheek. Bronwen gaat verzitten en haar stoel kreunt hoorbaar. Iedere keer dat de deur opengaat stroomt fel licht van het plein binnen, verblindt haar. Ze steekt nog maar eens een sigaret op, ondanks de smerige smaak op haar tong, wanneer de deur opengegooid wordt en Flanagan voor haar staat. Bronwen houdt haar hand op tegen het licht.

'Kom op, man. Is het gelukt?'

Flanagan bestelt een biertje en een hamburger, gaat tegenover Bronwen zitten. 'Een beetje, een beetje.'

Bronwen kijkt bewonderend toe hoe hij de hamburger verslindt, het glas leegdrinkt en nog eens hetzelfde bestelt.

'Ik heb alle jaarboeken en archieven gevonden. Daar ben ik niet veel wijzer van geworrden dan ik al wist. Chum Kane was een genie, is een genie. Ik heb een beetje met mijn penning lopen zwaaien en ik kreeg toegang tot een paar van zijn dossiers. Hij is geboren in negentienachtenvijftig in New York City. Toen hij drie was loste hij al ingewikkelde wiskundige vraagstukken op en kon hij lezen. Dat was de periode dat de Kanes naar het huis in East Hampton verhuisden. Hij ging daar naar de plaatselijke school en kreeg thuis les tot hij dertien was, eindexamen deed en hierheen kwam, naar Harvard.

Omdat hij nog zo jong was woonde hij tot zijn achttiende bij een mentor. Ik heb geprobeerd die mentor te achterhalen, maar die is elf jaar geleden overleden.' Flanagan pauzeert even en neemt een hap van zijn hamburger, knoeit schijfjes augurk op de tafel.

'Nou? Wat heb je nog meer gevonden?' Bronwen is onrustig, verveeld als ze is door alle details die ze te horen krijgt.

Flanagan slikt. 'Nou, het punt is dat Chum Kane in zesenzeventig zijn doctoraal heeft gehaald en aan zijn promotie is begonnen. Hij woonde toen op de campus. Drie jaar later verdedigde hij zijn proefschrift en op de leeftijd van eenentwintig was hij volwaardig onderzoekswetenschapper, gaf college. Ongelooflijk, absoluut ongelooflijk. Toen ging hij naar huis voor het weekend van Thanksgiving in negentientachtig, en is nooit meer gezien.'

Bronwen kijkt hem sceptisch aan. 'Nou en? Ik dacht dat je dat allemaal al wist?'

Flanagan leunt achterover in zijn stoel, lacht breeduit terwijl hij over zijn buik wrijft. 'Het is altijd een geruststelling als je vermoedens worden bevestigd.'

'Gefeliciteerd hoor.' Bronwen kijkt gemelijk en werpt een onderzoekende blik op de schalen chips op de bar.

'Toen ik klaar was met de archieven ben ik een eindje gaan wandelen. Ik ben naar de slaapzaal van Chum Kane gegaan en heb wat rondgevraagd. Eén gelukje, meer heb je niet nodig. Er was daar een conciërge, een Ierse knaap, een jaar of drie-, vierenzestig. Doet dat werk, dat schoonmaken van die kamers, al meer dan veertig jaar. Blijkt dat zijn familie uit dezelfde plaats komt als de mijne.'

Bronwens blik dwaalt van de schalen chips naar Flanagans gezicht.

'Dus we zijn even naar buiten gegaan en hebben een tijdje op een muurtje gezeten, herinneringen ophalend aan dingen die ik zelfs nog nooit heb gezien.' Toen vroeg ik Fergus naar onze vriend Chum Kane. Blijkt dat hij hem heeft gekend, goed heeft gekend. Hij mocht hem graag en heeft een paar jaar zijn kamer schoongemaakt. Ik denk dat je alles over iemand te weten komt als je zolang zijn kamer schoonhoudt.' Flanagan glimlacht.

'En?' Bronwen legt haar hand op haar hart, drukt de foto van Chum Kane dicht tegen haar huid.

'Schijnbaar was Chum een echt aardige vent – rustig, harde werker. Geen pretenties. Hij liep niemand voor de voeten, hij liet zich niet voorstaan op wat hij had bereikt. Fergus zei dat Chum altijd vriendelijk was, altijd vijf minuten over had voor een praatje. En een van de dingen waar hij dan over praatte was zijn vriendin.'

Bronwens hart slaat over onder Chums gezicht.

Flanagan schudt zijn hoofd. 'Je had zijn gezicht moeten zien, Fergus' gezicht, toen hij het over de vriendin had. Het leek wel of hij verliefd op haar was. Hij zei dat Chum en zij misschien twee, drie jaar bij elkaar waren. Ze bleef altijd in zijn kamer overnachten toen hij nog hier was, voordat hij een appartement kocht, en Fergus kende haar goed. Ze heette Marilyn.'

Bronwen ziet wapperende witte rokken, rondingen en ademloosheid aan haar geestesoog voorbijtrekken.

'Marilyn was, naar het schijnt, een kleine donkerharige vrouw met vreemd groene ogen. Theologiestudent. Zij en Chum waren onafscheidelijk. Ze maakten zelfs zo'n indruk op Fergus dat hij zich nog kan herinneren dat ze zeventien jaar geleden samen weggingen voor Thanksgiving. Hij weet nog dat hij die ochtend naar huis liep en dat Chums Eldorado aan de overkant van de straat stopte, voor Chums appartement, en dat Marilyn instapte met wat bagage bij zich. Ze lachten met z'n tweeën en ze riep naar Fergus, zwaaide toen ze wegreden. Hij heeft geen van tweeën ooit meer gezien. Marilyn woonde blijkbaar in Plymouth, Massachusetts. Het ziet er naar uit dat we gelijk hadden – Chum moet haar thuis hebben afgezet, nadat ze die foto van hem had genomen, en toen is hij doorgereden naar de Hamptons.'

'En toen?'

'Dat is het probleem. En toen? Wat is er die avond gebeurd? Wat is er verdomme toch *gebeurd?*'

'Wat is er van haar geworden? Van Marilyn?' Bronwens varkensoogjes zijn samengeknepen.

'Ik heb geen idee. Ik heb het nummer geprobeerd dat in haar dossier stond, maar er werd niet opgenomen. Zij is gestopt met haar studie toen Chum verdween. Gestopt en vervolgens ook verdwenen. Is van huis weggegaan, dat zegt Fergus tenminste, en heeft alle contacten met Harvard verbroken. Dat was zeventien jaar geleden,. Dat is een lange tijd. Het was Marilyn die de politie heeft gebeld omdat ze ongerust was. Ik denk dat ze heeft zitten wachten tot hij haar na het weekend kwam halen, om haar weer hierheen te brengen. Maar hij is nooit gekomen.'

Bronwen slaat plotseling met haar hand op de tafel en de stille studenten om hen heen kijken op terwijl Flanagan zachtjes een boer laat van schrik. Bronwen leunt voorover, haar geweldige borsten op tafel. 'Wat er ook is gebeurd, het moet vreselijk zijn geweest. Chum Kane was een professor of hoe dat dan ook heet, hij had een vriendin, hij had een *plekje* in de wereld. Hij was veilig. Het was Thanksgiving en hij ging naar huis, naar zijn familie. Het kan niet iets te maken hebben gehad met hem. Het kan geen *keuze* zijn geweest.'

Flanagan kijkt Bronwen scherp aan. 'Naar huis naar zijn familie.' In zijn gedachten ziet hij het beeld van een sleutel, glimmend en scherp, ronddraaiend in de ruimte. De familie van Chum – de sleutel van Iris. Iris moet daar geweest zijn dat weekend. Ze was tenslotte Chums moeder. Ze moet bezig zijn geweest de kalkoen te vullen, de pompoen te snijden, de tafel te dekken. Iris moet weten wat er dat weekend van Thanksgiving is gebeurd. Ze heeft het adres van het huis in East Hampton al prijsgegeven – misschien als hij maar lang genoeg doorvroeg, als hij het *vriendelijk* vroeg, wel, wie weet wat Iris nog allemaal zou ophoesten. Hij weet dat Iris hem wel mocht, zich tot hem aangetrokken voelde. Ze zou nu wel een beetje hersteld zijn.

Flanagan duwt zijn stoel achteruit, schraapt ermee over de gehavende, kale vloer. 'Kom mee, we hebben nog een eind rijden voor de boeg.'

'Waar gaan we heen?'

'Terug naar het Emerald Rest Home. Voorzover ik het kan bekijken, heeft nog niemand zich gerealiseerd dat Iris de moeder is van Chum Kane, behalve de directrice – maar die kan ik wel baas. *Daar* ligt ons voordeel. Iris kent het antwoord al zeventien jaar. Kom op, laten weg gaan.'

Terwijl zij door de gangpaden van de A&P lopen, ondertussen hun karretje vullend met chips en cola, koekjes en repen, valt Flanagans oog op de landelijke kranten in een rek en hij leest dat Jessica Jefferson op straat in New York City is doodgeschoten. Hij blijft stokstijf staan, een gezinspak Animal Crackers in zijn hand. Terwijl hij het artikel vluchtig leest, ziet hij een klein bericht, rechtsonder op de pagina, over de voortvluchtige inspecteur P. Flanagan van de politie in Florida.

New York – april

M –

Het is allemaal geregeld. Ik heb de man gebeld en we spreken elkaar morgen in Battery Park, Sam de Scharrelaar en ik. Hij zegt dat ik hem aan zijn tanden kan herkennen – 'de mooiste tanden van de staat'. Ik heb hem maar niet verteld dat ik hem al bekeken heb in de bioscoop. Vreemd – daar leek hij een trieste, rimpelige schim van een man. Moeilijk je voor te stellen dat hij omgaat met de groten der aarde. Maar ik denk dat ik beter dan de meesten zou moeten weten wat een beetje misleiding en toneelmake-up allemaal mogelijk maken. Ik regel dit laatste baantje/taak/moord wat dan ook en dan kom ik naar je toe. Ik vraag me af of je me zult herkennen als je de deur opendoet en ik voor je sta.

Veel liefs,

Chum

Keeler heeft zes uur geslapen wanneer zijn wekker rinkelt en hem uit een diepe slaap haalt. Hij ligt op de zwartleren bank in zijn kantoor, met één voet bungelend over de rand. Voor hij aan iets anders denkt – voor hij zijn eigen naam herinnert, uitgevogeld heeft waar hij is, zich herinnert dat hij vader is – rolt er een lijst af in zijn hoofd, een lijst namen. Daar is er één aan toegevoegd: Gideon.

Keeler laat zich van de bank glijden, kleedt zich uit en stapt onder de douche die aan zijn kantoor grenst. Vijftien minuten later zit hij, gekleed in een schoon, geperst pak, aan zijn bureau en leest het dossier van Gideon. Een uur later stapt hij de kamer binnen waar Gideon, handboeien om, aan een kale tafel zit. Keeler gaat naast een collega zitten, zet een kop koffie voor Gideon neer. Terwijl Gideon zijn handen uitsteekt om de koffie te pakken, gooit Keeler de envelop met dertigduizend dollar op tafel. Gideon aarzelt, kijkt Keeler met bloeddoorlopen ogen aan en zijn handen vallen terug in zijn schoot.

'Die koffie is voor jou,' zegt Keeler zachtjes, maar Gideon verroert zich niet. 'Pak aan,' zegt hij en duwt de kop een stukje in de richting van de zwarte jongen, ziet – net als Chum – hoe Gideon gedachteloos in zijn kruis wrijft.

Gideon staart hem aan, pakt zijn koffie. 'Sigaret,' zegt hij. Het is geen vraag. Keeler gebaart naar zijn collega die een pakje Salem over de tafel schuift. 'Klotementhol,' merkt Gideon op en geeft zichzelf vuur.

Keeler schraapt zijn keel. 'Winston Luther Gibson? Zo heet je toch?'

Gideon wrijft met de muis van zijn hand in zijn ogen, zijn rechterbeen wipt op en neer, steeds maar op en neer.

'Oké. Dus je heet Gideon. Nou, dan zal ik je zo maar noemen, Gideon.'

'En ik noem jou kloothommel.'

'Waar komt dat geld vandaan, Gideon?'

'Rot op, kloothommel.'

'Dertigduizend dollar. Een hoop geld voor zo'n schoffie als jij. Waar komt het vandaan?'

'Je kunt me nergens van beschuldigen, kloothommel.' Gideons rechterbeen danst de horlepiep.

'Dan heb ik een nieuwtje voor je, Gideon: we hebben helemaal geen aanklacht nodig. We zijn geen politie.'

Achter het waas in Gideons ogen flikkert even iets. Maar ja, het is ook veertien uur geleden dat hij voor het laatst een shot heeft gehad. Hij wordt langzaam clean. 'Geen politie?'

'Je zit in de problemen.'

'Rot op.'

Keeler gaat staan en rekt zich uit, verkreukelt de schouders van zijn pas gestoomde pak. Hij gaat op de hoek van de tafel zitten, laat een been met aan het eind een elegante schoen bungelen. 'Ik heb je dossier gelezen – da's niet zo fraai, hè? Je levensverhaal? Helemaal niet zo fraai. Verslaafd geboren, moeder overleden toen je twee was. Ik heb het allemaal gelezen – alle rapporten van de sociale dienst, alle verslagen van de schoolpsychiaters. Ik weet alles van je. Ik had niet gedacht dat ik meelij met je zou hebben, maar dat heb ik wel.'

'Ik heb je medelijden niet nodig, kloothommel.'

'O, ik denk van wel.' Keeler zwaait van de tafel, gaat tegenover Gideon zitten zodat hij hem recht aan kan kijken. 'Je moeder is overleden omdat ze een shot versneden heroïne nam.'

'Dat weet ik.' Gideon staart naar Keeler, daagt hem uit het leven nog zwaarder voor hem te maken.

'Natuurlijk weet je dat. Maar wist je ook dat dat versnijden opzettelijk is gebeurd? Ik bedoel dat iemand de dealers uit de weg wilde hebben door hun voorraad te verpesten. Een of andere vent heeft uitgevogeld wat er precies nodig was om er dodelijke heroïne van te maken. Hij heeft alle dope gekocht die hij maar kon vinden, zodat de dealers het wel moesten versnijden, er meer van moesten maken. Wat ik bedoel is dat het hier eigenlijk om moord gaat.'

Gideon zegt niets, maar zijn mond beweegt. Het waas over zijn ogen trekt op. Keelers ingewanden beginnen te tollen, net als de lijst namen in zijn hoofd deed. Dat is zijn instinct dat zich ermee bemoeit. Hij durft er zijn arm onder te verwedden.

'We hebben een vermoeden wie het gedaan kan hebben. We proberen hem te pakken te krijgen, Gideon. We zitten hem al jaren achter zijn vodden en beginnen een beetje een idee te krijgen. Waar heb je dat geld vandaan?'

Uit zijn evenwicht gebracht zegt Gideon: 'Hij heeft het me gegeven, man. Ik heb het niet gepikt. Hij heeft het me gegeven en gezegd dat ik naar school moest.'

Keeler kijkt de jonge man aan. 'Hoe heet hij? Die knaap die duizenden dollars weggeeft.'

Gideon knijpt zijn ogen samen, zijn been gaat op en neer. 'Dat ga ik jou niet vertellen, kloothommel. Ik heb niks gedaan.'

'Gideon, Gideon – hoe kun je dat nu zeggen? Je bent betrokken bij twee schietpartijen, vijf inbraken en drie zware gevallen van mishandeling. En jij zit me hier te vertellen dat je een engeltje bent?' Keeler kijkt hoe Gideons handen bewegen en ziet andere, kleinere witte handen voor zich. Hij schudt zijn hoofd. 'Je moet vanwege de schietpartijen voor de rechter verschijnen en je bent al veel vaker dan drie keer veroordeeld.' Keeler zwijgt en laat de woorden in de lucht hangen. Gideon mag dan niet hebben gestudeerd, maar hij heeft jaren weten te overleven in de straatjungle.

'Kun jij wat regelen?' vraagt Gideon.

'Misschien.'

'Oké, klootho mmel – wat wil je?'

'Zegt de naam Jessie of Jessica Jefferson je iets?'
Gideon wiebelt met zijn hoofd, maakt zijn nekspieren los, probeert tijd te winnen. 'Ja.'
'Wat? Wat zegt die naam je?'
'Ze is bij het een of ander te grazen genomen.'
'Probeer je me te vertellen dat ze dealde?'
Gideon grinnikt. 'Ben je gek geworden, of zo? Ze was een rijk blank kreng – waarom zou die gaan dealen? Ze is erbij genaaid.'
'Waarom?'
Gideon haalt zijn schouders op. 'Hoe moet ik dat weten? Ze had iemand kwaad gemaakt.'
'Wie?'
Gideon haalt weer zijn schouders op. 'Hoe moet ik dat verdomme weten?'
'Gideon, jij woont in L.A. – vierduizend kilometer hier vandaan. Hoe kon Jessie Jefferson iemand kwaad hebben gemaakt?'
'*Hier*, kloothommel, ze zat iemand *hier* dwars, in New York.'
'Wie?'
'Hoe moet ik dat weten?'
Keeler leunt achterover, zijn vingers trommelen een ritme op het tafelblad. Hij ziet eruit alsof hij op zijn hoede is, maar dat is maar schijn – hij heeft zich in zijn gedachten teruggetrokken. Daar roert zich iets: stukjes die op hun plaats zouden moeten vallen blijven maar ronddraaien als ongrijpbare vogeltjes. Hij kijkt naar de jonge zwarte man – knap en verdoemd. Keeler wrijft zijn slapen. Spreekt zachtjes. 'Gideon, ik wil dat je goed luistert naar wat ik te zeggen heb – ik wil dat je je mond houdt. Alleen maar luisteren. Maar ik wil wel dat je de hele tijd dat ik aan het woord ben één ding goed onthoudt – ik kan je helpen. We weten een beetje hoe het bij een bende in zijn werk gaat, dat ze met heel wat organisaties verbonden zijn. We weten dat er een heleboel geld omgaat, dat

er een hoop afspraken en handeltjes tussen die organisaties plaatsvinden. We weten dat geen van die organisaties legaal is. Er worden wapens gekocht, drugs gekocht en verkocht. Namen en contacten gaan rond, er worden contracten gesloten. We weten dat sommige van die namen die van advocaten of agenten of wat dan ook zijn – mensen die de bendes van informatie voorzien. We weten dat de bendes betalen voor namen – of ze op een andere manier krijgen – en ze doorverkopen. We weten dat dit een geavanceerde operatie is, snap je wat ik bedoel? We weten dat de bendes mobiele telefoons gebruiken, e-mail, geheime bergplaatsen. Dat ze boodschappers gebruiken. Dat ze informatie doorsluizen en dat het ze niet kan schelen aan wie, als het maar geld oplevert. Volg je me nog?'

Gideon heeft zijn wenkbrauwen gefronst, zijn handen zijn nog steeds druk in de weer. 'Ja.'

'Wat weet jij hier allemaal van af? Weet je iets? En denk eraan, ik kan je helpen.'

'Ik weet verdomme helemaal niks.' Gideon kijkt schichtig de kamer rond. Dit is niet wat hij had verwacht.

'Wat doe jij precies, Gideon? Ik bedoel, wat doe jij nou zo'n hele dag?'

'Boodschappen. Ik ben een boodschappenjongen.'

'Wat houdt dat precies in, Gideon?'

'Waarom zou ik jou dat aan je neus hangen?'

'Ik kan je helpen – weet je nog?'

Gideon krimpt een beetje ineen, wiebelt met zijn hoofd; hij recht zijn schouders. Maar hij is zestien jaar oud en hij is bang voor de magere man. 'Gewoon – ik krijg een naam door of zoiets en dan ontmoet ik iemand en vertel het hem. Of ik wacht ergens tot ik word gebeld, of een pa-pa-pakje krijg. Ergens. Weet je wel? Soms moet ik een...' Gideon maakt een gebaar 'een... envelop overhandigen. Met nummers en namen en zo.'

'Wat voor namen en nummers, Gideon?' vraagt Keeler.

'Weet ik niet.' Gideon laat zijn hoofd hangen; hij staart naar de vloer en zijn handen vallen stil.

'Wou je zeggen dat je nooit eens kijkt? Die papieren bekijkt? Misschien als een soort verzekering voor het geval er iets misgaat?'

Gideon schudt zijn hoofd en Keeler weet waarom.

'Gideon, jij kunt niet lezen of schrijven, hè?' Gideon verroert zich niet. Keeler kijkt even naar zijn collega. 'Vertel me eens over die vent die je het geld heeft gegeven.'

Gideon gaat plotseling rechtop zitten, vouwt zijn handen en leunt met zijn stoel achterover. 'Hij is blank. Lijken allemaal op elkaar, snap je wat ik bedoel?'

Keelers collega geeft een schop tegen de stoel en Gideon valt op zijn rug, zijn hoofd komt met een bonk op de betegelde vloer. 'Sorry,' zegt de collega terwijl hij Gideon overeind hijst en hem weer op de stoel duwt. De onverwachte gebeurtenis heeft Gideons tong losgemaakt. 'Hij is ongeveer, wat, vijfendertig? Ik weet het verdomme niet. Blond. Beetje mager. Blauwe ogen. Gebruikt moeilijke woorden – weet je wel, net een echte student.'

'Hoe heet hij?'

'Heeft-ie nooit gezegd.'

'Waarom zou hij jou opzoeken? Wat kun jij hem nou bezorgen?'

'Wat hij maar wil, kloothommel – snap je dat niet? We kunnen overal aan komen wat we maar willen hebben.'

Keelers kaken werken. 'En wat wil hij? Wat heb jij voor hem geregeld?'

'Namen en nummers – dat is het enige dat hij wil. Gewoon namen en nummers. Shit – hij *betaalde* er voor.'

'Hij heeft je dertigduizend dollar gegeven voor een *naam*?'

Gideon wendt zijn blik af, ziet zichzelf weer in de zon zitten op het terras van het Sidewalk Café, ziet zich weer koud bier drinken en met die blanke vent praten. Het lijkt een ander leven. 'Nee – zo was het niet.' Gideon denkt na. 'Hij betaalde me vijfhonderd dollar voor de naam. Hij gaf me dertigduizend voor school. Het was een soort cadeau of zoiets. Hij gaf het me gewoon. Alsof hij ergens spijt van had.'

Gideon zwijgt en voor het eerst hoort Keeler het getik van de klok.

'Wat was de naam die je hem hebt gegeven? Gideon, wat was die naam?'

Maar Gideon is verloren in dromen over school – misschien over hoe hij in een bar zit, over de les praat, of gewoon rondwandelt over straat met boeken onder zijn arm. Misschien kan hij leren lezen en schrijven. Gideon vergeet waar hij is, draait zich om naar Keeler. 'Hij wil dat ik ga, man. Ik denk dat hij *echt* wil dat ik ga. Daarom heb ik het geld gehouden, heb ik het niet aan van alles en nog wat uitgegeven. Ik wil naar school.'

'En dat zul je misschien ook, Gideon. Misschien kan er iets worden geregeld. Maar eerst moet je me die naam geven.'

Gideon zucht, buigt zijn hoofd. Dit is per slot van rekening niet de politie. 'Sam de Scharrelaar.'

Bronwen en Flanagan rijden over de I-95, in zuidelijke richting, in de richting van de Sunshine State. De vloer van Flanagans oude roestige Camero is bezaaid met snoeppapiertjes, bekertjes, verkreukelde sigarettenpakjes. Bronwen gaat verzitten op de passagiersstoel, haar achterste van hout.

'Hoe ver nog?' vraagt ze en rommelt in een zak Oreo's.

Flanagan lacht. 'Nog honderden kilometers, Bronwen, honderden kilometers.' Flanagan staart naar het asfalt, zijn hersenen werken synchroon met het gezoef van de palen langs de weg die ze passeren. Hij op de vlucht en Jessie Jefferson dood? Wat is er in godsnaam aan de hand?

LUKE EN IRIS KANE

Luke Kane en Iris trouwden in Las Vegas in 1958. Luke Kane had al jaren geleden besloten dat hij voor zijn dertigste zou trouwen en toen Iris en hij door het opzichtig versierde gangpad in het aan een zijstraat gelegen Cococabana Motel liepen, was hij nog een jaar van die verjaardag verwijderd. Terwijl ze met z'n tweeën voor het provisorische plastic altaar stonden, dat was versierd met stoffig geworden, verlepte rozen, keek Iris naar haar echtgenoot, glimlachte en kneep in zijn arm. Luke Kane kookte inwendig vanwege het vernederende, kitscherige gedoe. Maar het was zijn eigen keuze geweest – een nieuwe nagel aan Lucinda's doodskist die opnieuw een aantasting betekende van haar zelfvoldaanheid terwijl ze vele kilometers verderop in haar schommelstoel zat op het terras van het huis in East Hampton.

(Een fotograaf met psoriasis die de linkerkant van zijn gezicht had aangetast, nam een foto van hen terwijl zij dominee Smith flankeerden, en Luke Kane stuurde een afdruk naar East Hampton. Lucinda maakte de envelop open op een ochtend dat ze de zee vanuit het raam van de zitkamer niet kon zien vanwege de mist. Ze bekeek de foto van haar zoon en zijn vrouw en haar toch al gebroken hart ging nog een beetje verder kapot. Want Iris, gekleed in een eenvoudige jurk die tot op haar knieën viel, deed Lucinda aan zichzelf denken, aan zichzelf zoals ze was geweest toen ze jonger was. Eigenlijk zag Iris er precies zo uit als Lucinda toen Luke nog een kind was, toen hij haar bed deelde. Klein, rossig met een verzameling sproeten. Lucinda scheurde de foto in tweeën, propte de stukken in een prullenbak en schonk een bourbon in, en vermeed naar het beeld van zichzelf in de spiegel boven de drankkast te kijken.)

Iris Chandler, die haar leven lang in Hoboken had gewacht, stond verbaasd van de snelheid waarmee dat leven was veranderd. Ze had nooit geld gehad en had zich dus ook nooit de gewoonte van het uitgeven eigen gemaakt. Ze had de dollarbiljetten die ze op haar tiende verjaardag van haar moeder had gekregen nooit uitgegeven, maar had ervoor gekozen ze te bewaren als een herinnering – waaraan precies wist ze niet helemaal zeker. Ze had de biljetten en haar schamele bezittingen achtergelaten in het grijze houten huis van haar ouders. Niet dat het wat uitmaakte, want Luke Kane was rijk – haar *echtgenoot* was rijk.

Het leven van Iris veranderde ook in andere opzichten. Jarenlang had ze de avonden en nachten doorgebracht in de armoedige woonkamer in haar ouderlijk huis, naar de radio geluisterd terwijl haar handen altijd bezig waren – naden lostornen, knopen afhalen, zomen naaien. Maar nu, tijdens haar huwelijksreis van een week, bracht ze haar avonden en nachten op een andere manier door. Luke Kane bracht de hele dag door aan de goktafels, speelde roulette of baccarat, gooide stapels geld op het groene laken in ruil voor fiches. Urenlang zat hij in de rokerige, donkere casino's, maakte een afweging tussen kans en waarschijnlijkheid enerzijds en geluk anderzijds, terwijl zijn lange sierlijke vingers dikke sigaren ronddraaiden en de askegel vormgaven. Wanneer hij klaar was, verscheen hij in hun kamer, waar Iris met onverholen bewondering naar de zwartwittelevisie zat te kijken, liggend op bed te midden van onuitgepakte dozen en ongeopende zakken van winkels uit de buurt. Luke Kane zette dan de televisie uit en ging bij Iris op bed liggen. Tijdens hun eerste nacht samen had Iris een kreet geslaakt toen Luke Kane voor het eerst bij haar binnendrong en hij had haar scherp, boos, aangekeken. Dus sinds dat moment had ze de pijn weggeslikt en geglimlacht. Nu keek ze, terwijl Luke Kane keer op keer in haar klaarkwam, naar zijn onwaarschijnlijk knappe gezicht en dan werd de pijn minder.

Iris was achttien toen ze haar huwelijksreis van een week in Las Vegas doorbracht. Ze kon geen uitdrukking geven aan wat ze wilde, wat ze verwachtte, hoe ze het allemaal *ervoer*. Ze kon niet geloven dat Luke Kane haar wilde, en ze kon zich zeker niet voorstellen waarom. Ze kocht andere kleren, veranderde haar kapsel, probeerde op een andere manier te praten, te lopen, veranderde zichzelf stukje bij beetje tot Luke Kane tevreden leek. Op de laatste dag van hun huwelijksreis huurde Luke Kane een cabriolet en reden ze de woestijn in. Iris was verrukt over het onbarmhartige, dorre landschap, waar nergens reclameborden, straten of huizen te zien waren. Ze deed haar hoed af en keerde haar gezicht naar de zon, maar Luke Kane zei dat ze zich moest bedekken – hij wilde niet dat ze nog meer sproeten kreeg. Die middag, nadat Luke Kane op de achterbank van de auto Iris' wijde bloemetjesrok omhoog had gedaan, werd onder een wolkeloze hemel, diep in de schaduwen van de troosteloze Death Valley, 'Chum' Kane verwekt.

Toen de huwelijksreis voorbij was, keerde het getrouwde stel terug naar New York City, waar Luke Kane een groot appartement in de East Sixties kocht. Iedere maand stortte hij grote sommen geld op Iris' huishoudrekening en hij keerde terug naar de Hunter-Philipsbank, waar hij met klappen op de schouder werd gefeliciteerd door zijn collega's die hem gelukwensten met zijn nieuwverworven geluk. Hij vertelde Iris niet dat hij het penthouse in de East-Eighties had aangehouden – waarom zou ze dat moeten weten?

De avond dat Iris hem, beverig glimlachend, vertelde dat ze zwanger was, verwerkte hij het nieuws op vrijwel dezelfde manier waarop hij tijdens het avondeten de biefstuk en boontjes had verwerkt. Hij vouwde zijn krant, kuste Iris op haar bleke wang en vertrok. Hij liep naar de hoek van de straat en belde Sugar op school. Later in die week zag hij Sugar in het penthouse en het was alsof hij nooit was weggeweest, nooit was getrouwd, geen aanstaande vader was.

Drie jaar lang verliep het leven van Iris en Sugar en Luke Kane op rolletjes. Haar echtgenoot bracht genoeg tijd met Iris door om haar het gevoel te geven dat ze werd bemind, ook al was dat niet zo. Sugar bracht zoveel tijd met haar broer door dat ze zich verwijderde van haar schoolvrienden, precies die mensen die haar hadden kunnen redden. Luke Kane besteedde genoeg tijd aan zijn werk om een fortuin te vergaren en het respect te verdienen van diegenen die beter hadden moeten weten. Hij wekte de indruk een toegewijde echtgenoot en zorgzame broer te zijn, een goede verzorger voor zijn kind. De rails waarover hun levens verliepen leken bij elkaar te komen, ononderbroken achter de horizon te verdwijnen.

Op een avond stak Luke Kane de sleutel in het slot van het appartement en stampte de sneeuw van zijn schoenen. Iris haastte zich de hal door om hem te begroeten, pakte de mouw van zijn jas en sleepte hem mee naar de keuken.

'Luke – hij leest. Charlie kan lezen!'

Aan de tafel, waarop, tot ergernis van Luke Kane, de onaangeroerde ingrediënten van zijn avondmaal lagen, zat Charlie de krant door te nemen. De beentjes van het kind waren nog mollig, nog een beetje krom. Charlie keek op. 'Dag, pappa.' Zijn blauwe ogen richtten zich weer op de pagina.

'Charlie,' zei Iris die bij de stoel van de jongen knielde, 'lees pappa eens wat voor.'

Charlie keek nadenkend, streek zijn haar achterover. 'Oké.' Hij keek weer naar de krant. '"Na een nacht vol onzekerheid is John Fitz-Fitzgerald Kennedy met een neus-neuslengte voorsprong de nieuwe president van de Verenigde Staten."'

Voor het eerst in zijn zelfvoldane leven wist Luke Kane niet alleen niet wat hij moest zeggen, maar ook niet wat hij moest *denken*.

Iris keek glimlachend naar hem op. 'Is dat niet geweldig? Ik bedoel, Charlie kan *lezen*.'

Luke Kane negeerde haar. Ook hij knielde bij zijn zoon. 'Lees nog eens iets anders.'

'Oké, pappa. "De vroegste uitslagen waren in het voordeel van Kennedy en kort na middernacht vreesden verscheidene duizenden Repu-Republikeinen die zich hadden verzameld in de balzaal in Los An-Angeles al het ergste."' Charlie lachte naar zijn vader met twee van spuug glinsterende tanden.

Luke Kane ging staan, hij had zijn aktetas nog steeds in zijn hand en smeltende sneeuw drupte op het linoleum. Hij streek zijn eigen zwarte haar glad en aaide toen over Charlies zachte bol. 'Potverdomme. Potverdomme.' Hij wist niet of hij trots moest zijn of zich bedreigd moest voelen. 'Hij is drie jaar – hoe kan hij nou lezen?'

Iris wreef over Charlies dikke knieën. 'Ik denk gewoon dat hij een klein genie is, dat is alles.'

Luke Kane haalde diep adem. Charlie – het brabbelende jongetje in de kinderstoel – was plotseling een persoonlijkheid geworden. Terwijl hij naar de krant keek zag Luke Kane plotseling hoe Jackie Kennedy naar haar echtgenoot keek, haar jas gespannen om haar uitpuilende buik.

'Luke, schat,' zei Iris die weer ging staan, haar hand nog steeds op het been van Charlie, 'ik heb nog meer goed nieuws.'

'Hmmm?'

'Ik ben weer in verwachting.'

1997

Charlie 'Chum' Kane ontwaakt in een groot, luxueus bed in de Four Seasons in East 57th Street. Hij ligt tussen gesteven witte lakens en staart naar kathedraalachtige bogen van het handelscenrum dat hij door het raam kan zien. Hij is zoals altijd vroeg wakker, nog voor de wekker afgaat, en draait zich op zijn zij, trekt zijn benen op, ogen open. Chum is aan het denken – maar ja, hij is *altijd* aan het denken. Het is alsof hij zijn hersenen niet in zijn macht heeft. Er zijn momenten dat hij wou dat hij nietsziend in de verte kon staren, niets denkend, zich niets voorstellend. Hij ziet dat mensen overal doen – in warenhuizen, op vliegvelden, in kantoren – en hij benijdt ze. Want hij kan niet *stoppen* met denken. Misschien denkt hij aan de collegezaal van Harvard, waar hij als onzekere veertienjarige zat, zich bewust van de verwarring van zijn medestudenten. Of hij ziet zijn kamer op de campus voor zich waar hij met Marilyn op bed ligt, lachend en pratend. Vaak denkt hij na over wiskundige beweringen en stellingen of de afgeleiden van functies en integraalberekeningen en probeert hij in zijn hoofd te bewijzen dat ze niet omgekeerd evenredig zijn. Soms stelt hij zich zelfs voor hoe het zou zijn geweest om college te geven op de universiteit, een vaste aanstelling te hebben en met Marilyn in een eigen huis te wonen. Hij weeft eindeloze fantasieën rond een leven dat hij had kunnen hebben, fantasieën waarin hij de tuin onderhoudt, de auto wast, boodschappen doet bij de supermarkt; een leven dat gekenmerkt wordt door het alledaagse: vuile was, koken, televisiekijken, schappen ophangen, de liefde bedrijven. Maar op deze ochtend, een blauwe lucht en de zon al op, worden zijn gedachten in beslag genomen door twee mensen: hij voert zijn dagelijkse discussie met Mister Candid, en hij bereidt zich voor op zijn ontmoeting met Sam de Scharrelaar. Chum merkt dat hij zachtjes ligt te beven onder de lakens, zijn ledematen trillen nauwelijks merkbaar.

Angst drijft hem uit bed, de badkamer in en in de spiegel ziet hij een bezorgd mens. Terwijl hij zich scheert denkt hij aan Marilyn – staand naast een witte Eldorado op een besneeuwde weg – en daar moet hij voor betalen: een snee in de zachte huid van zijn keel. Hij vloekt en stelpt het bloeden met een stukje tissue. Terwijl hij zich aankleedt ziet hij dat zijn handen beven. Ongebruikelijk. Hij ziet ook dat hij te mager is – hij moet beter eten. Chum probeert vooruit te kijken, naar de ontmoeting met Sam, om zichzelf te kalmeren, maar de poging mislukt. Tijdens het ontbijt morst hij koffie op het gesteven tafelkleed en laat zijn verzilverde botermes vallen. Hij voelt zich beter wanneer hij het hotel eenmaal heeft verlaten en over Fifth Avenue loopt, zich een weg baant door de mensenmassa die noord- en zuidwaarts loopt. Hij besluit naar Battery Park te lopen – dat zal een paar uur in beslag nemen, maar hij heeft alle tijd van de wereld.

Sam de Scharrelaar zit op een bankje in het zuidelijk deel van de Battery. Dat is zijn favoriete plekje, hier vandaan kan hij de vervallen kades zien, de gele veerboten het vuile water zien doorploegen op hun weg naar de overige eilanden. Sam is één met zijn omgeving, ziet er verlopen uit, gemelijk en verstrooid. In zijn hand houdt hij een zak met stukken brood, korstjes, die hij uitstrooit voor de hordes duiven aan zijn voeten. In de buurt ligt een schurftige kat met zijn staart te zwaaien in het vuil dat achtergebleven is van de nacht ervoor, en zwiept een fles rinkelend over het asfalt. Sam voelt meer dan dat hij hoort, hoe iemand aan de andere kant op de bank gaat zitten. Hij draait zich om naar de nieuw aangekomene: een blonde man met blauwe ogen, lang en slank, gladgeschoren. In zijn hals heeft hij een stukje tissue, aan de huid geplakt door een helderrode druppel bloed. De nieuwkomer ziet eruit alsof hij groter, sterker is geweest, alsof hij is afgevallen. Sam heeft inderdaad een twintig jaar oude foto van de man gezien waarop hij er sterker, breder, indrukwekkender uitzag. Sam is met stomheid geslagen – hij had niet verwacht dat Bronwens vlam hier zou verschijnen. Hij doet de zak dicht, staat op, loopt naar een vuilnisbak, gooit de overgebleven broodkorsten weg en gaat naast Chum zitten.

'Je bent vroeg,' zegt Sam en vist een Winston uit een verkreukeld pakje in zijn borstzak.

'Ja.' Chum gaat verzitten, draait zich om om naar Sam te kijken, slaat zijn benen over elkaar. Sam glimlacht en Chum zegt: 'Ik zie wat je bedoelde toen je het over je tanden had.'

'Ik zorg goed voor ze. Ik kreeg een telefoontje dat je zou komen. Dat was niet direct een aanbeveling, moet ik zeggen. Het had meer weg van een waarschuwing. Wat wil je?'

Chum knijpt zijn ogen dicht tegen het felle zonlicht en in de buurt laat een veerboot zijn misthoorn horen. 'Ik heb inlichtingen nodig.'

'Dat is duidelijk.'

'Ik moet Harrison Penitentiary in Florida zien binnen te komen. Ik heb te verstaan gekregen dat jij er misschien iemand kende die zou kunnen helpen. Een bewaker, advocaat, maakt niet uit. Ze hebben me verteld dat jij iedereen aan de oostkust kent.'

Sam staart Chum aan, ziet dat zijn handen lichtjes trillen. 'Harrison Penitentiary? Mag ik ook weten waarom?'

Chum kijkt hoe de veerboot wegvaart, achtervolgd door stadsmeeuwen. Zijn hersenen malen en hij neemt een besluit. 'Ik moet iemand bereiken.'

'Wie?'

'Ray MacDonald.'

'Nogmaals, mag ik vragen waarom?'

Chum balt zonder er bij na te denken zijn vuisten, legt uit hoe het zit met MacDonald en de dood van Addis Barbar. Legt uit hoe MacDonald een dag lang, een nacht lang een held is geweest. 'Maar waar het om gaat is dat MacDonald zijn eigen dochter heeft verkracht en vermoord. Hij is beroemd, hij is berucht – niet daarom, maar omdat hij een andere verkrachter heeft vermoord.' Chum kijkt nog steeds naar de veerboot.

Sam haalt een tandenstoker uit een zilveren kokertje, begint tussen zijn tanden te pulken. 'Wat gaat jou dat aan?'

'Hij is geen held, of wel?' Chums ogen schitteren. 'Zijn slachtoffers waren meisjes. Kleine meisjes, de meesten met het Downsyndroom. Een van hen was zeven. Dat was zijn dochter – zij was zeven. En nu loopt hij over de binnenplaats alsof hij een bikkel is.'

'Heb je dit al eens eerder gedaan?' De tandenstoker van Sam blijft werkeloos.

'Misschien.'

De twee zitten een ogenblik in stilte. Sam denkt een tijdje na, legt verbanden, breekt het houten stokje in twee en laat de stukken op de grond vallen. 'Ik weet wie je bent.'

'Nee, dat weet je niet,' zegt Chum, te snel, alsof de snelheid waarmee de verklaring wordt gegeven hem waar maakt.

'Jij bent Mister Candid. Je hoeft geen genie te zijn om tot die conclusie te komen. Ik heb het signalement gelezen, met een paar mensen gepraat.'

Chum steekt zijn handen in zijn zakken. 'Kun je me helpen? Ik bedoel, ken je iemand?'

'Ja – misschien kan ik je helpen, meneer Chum Kane.'

Voor het eerst zolang hij zich kan herinneren stoppen Chums hersenen met werken, worden leeg. Hij weet niet wat hij moet denken. Zijn mond is droog, z'n handen diep in zijn zakken beven heftig. Hij heeft in geen jaren iemand zijn naam horen zeggen.

'Hé – luister – maak je geen zorgen,' zegt Sam. 'Ik ga het niemand vertellen.'

'Hoe ken je verdomme mijn *naam*?' Zeventien jaar lang heeft Chum een wereld binnen een wereld gecreëerd waarin niemand hem kent.

'Een vriendin heeft me een foto van je laten zien, gezegd hoe je heet.'

'Wie? *Wie* heeft je dat verteld?'

'Zoals ik al zei, maak je geen zorgen. Die foto moet een jaar of twintig oud zijn geweest. Je staat erop met je voet op de bumper van een of andere oude auto.'

'Een Eldorado uit 1950,' zegt Chum automatisch.

'Mooie kar. Heb je 'm nog steeds?'

Chum onderbreekt hem: 'Hoe ziet ze eruit? De vrouw die je de foto heeft laten zien? Hoe zag ze *eruit*?'

'Jonge, grote meid. Uit Ynys Môn, waar dat dan ook mag liggen. Zij is niet degene naar wie je op zoek bent.'

'Hoe weet jij waar ik naar op zoek ben?'

Sam haalt zijn schouders op. 'We zijn allemaal ergens naar op zoek. Maar niet naar haar.' Hij gaat staan, schudt de kruimels van zijn jas. 'Ik weet een goeie tent in de buurt. Heb je zin in koffie of iets dergelijks?'

Chum knikt en de twee lopen zwijgend het park uit. Ze slaan een hoek om en daar staat een lange, verlengde limousine. Sam knikt in de richting van de auto en Chum staat stil.

'Wat is het probleem?', vraagt Sam.

'Ik ken je niet.'

'Wil je niet in die verdomde auto stappen?' Sam glimlacht. 'Wat denk je dat ik zal doen?'

Chum staart hem aan.

'Als ik je iets aan had willen doen, was dat al gebeurd. Wil je de naam van een contact of niet?'

Chum staart hem nog steeds aan.

Sam slaakt een zucht en stapt in de limo, laat het portier open. 'Ik zou met je meewandelen als ik kon, maar het is te ver voor iemand van mijn leeftijd. Meneer Kane – ik weet niet hoe ik je moet overhalen in te stappen en met me mee te rijden.' Sam zucht weer, wrijft in zijn ogen. 'Wat kan ik zeggen? Ik heb er jaren op gewacht je te ontmoeten. De laatste paar jaar heb ik ervan *gedroomd* je te ontmoeten. Ik heb bijna het gevoel dat alles wat ik heb gedaan, alles waar ik voor gewerkt heb, met jou te maken heeft. Ik heb plannen gesmeed – en het zijn goede plannen, maar niet goed genoeg. Ik heb je nodig. Ik heb je hulp nodig. Jij en ik – we delen dezelfde... *prioriteiten.*'

Chum kijkt naar het gezicht van de oude man en daarin staat iets bekends gegrift. Een minuut later, nadat hij de mogelijkheden tegen elkaar heeft afgewogen, stapt Chum in. Het is dezelfde limo die Flanagan en Bronwen naar het penthouse heeft gebracht. Als Chums reukzin beter ontwikkeld was geweest, had hij sporen van Bronwens parfum kunnen ontdekken.

Terwijl de twee over gebak en koffie gebogen zitten, kijkt Sam naar Chums bewegingen: precies, efficiënt. 'Ik heb je werk altijd bewonderd,' zegt Sam.

'*Bewonderd?*' Chum is verbijsterd. 'Ik *wil* niet bewonderd worden. Ik vind het helemaal niet bewonderenswaardig.'

'O, maar dat is het wel. Iedere keer dat er een verhaal in de krant verschijnt over een of andere klootzaak die ergens dood is gevonden, kun je de instemming die dat teweegbrengt bijna proeven. Heb je ooit iemand verteld wat je hebt gedaan? Hoe je het hebt gedaan?'

Chum knijpt zijn ogen een beetje toe en zijn handen stoppen met beven. Hij laat zijn blik over de straat buiten dwalen, over Sams gezicht, zijn kleren. Hij steekt zonder waarschuwing zijn hand uit en wrijft over de borst van de oude man.

Sam verstijft. 'Denk je dat ik een microfoon draag? Hé – maak je geen zorgen. *Ik* zorg dat andere mensen een microfoon dragen.' Sam buigt zich voorover. 'Luister, als dat je een beetje op je gemak stelt, ik verschil niet zoveel van jou.'

Chum kijkt Sam in zijn waterige ogen en gelooft hem. Weet niet waarom hij dat doet. 'Dus, je bewondert me?'

'Heb je ooit iemand verteld wat je hebt gedaan?' vraagt Sam nogmaals, steekt een nieuwe sigaret op, gebaart om meer koffie.

'Nee.'

'Vertel het mij. Vertel me wat je kwijt *wilt*. Vertel me wat je kwijt *kunt*.' Sam gaat gemakkelijk zitten, zijn kleine handen gevouwen om zijn dampende kop koffie.

Dus vertelt Chum Sam over de eerste klap die hij heeft uitgedeeld, in Las Vegas. Hoe hij had gehoord dat er een pornocircuit in de stad bestond dat voor een nieuwe vorm van vermaak zorgde – de snuff movie, met in de hoofdrol kinderen van onder de vijf. Chum raakte in een soort trance toen hij ervan hoorde, gewelddadige taferelen speelden zich af in zijn hoofd. Toen hij uit zijn verdoving ontwaakte ging hij de straat op en vroeg wat rond, deed alsof hij was geïnteresseerd in verminkte geslachtsdelen van kinderen. Wat hem bijna net zo tegenstond als het bestaan van dergelijke films, was het gemak waarmee hij in het pornocircuit kon doordringen. Hij kreeg een adres aan de rand van de stad, een smerig gebouwtje dat een eind van de weg stond, met gebarsten ruiten en twee verroeste auto's op de oprijlaan. Chum reed er heen, liep naar de deur, zonder een poging te doen zich te verstoppen of stiekem te doen. Hij klopte aan en schreeuwde een wachtwoord door de gescheurde hordeur, ging naar binnen en zag een schemerige kamer, gordijnen gesloten, met twee banken, vier mannen en een televisie. De mannen keken even naar hem, maar bleven zitten; één gebaarde met een hand naar een rechte stoel in een hoek.

'We doen later wel zaken,' zei de man. 'Dit moet je zien.'

Op het scherm was een klein blond jochie, niet veel verschillend van Chum toen hij begon te lezen, vastgebonden op een werkbank. Achter hem stond een man, met ontbloot bovenlijf, die een soort pijp in zijn hand hield. Op het gezicht van de man stond niets te lezen terwijl hij de pijp in de anus van de jongen stak. Chum besefte dat de verkrachter de man was die net het woord had gedaan en dat was de reden dat Chum hem als eerste neerschoot. Het pistool had een sterkere terugslag dan hij had verwacht en hij stelde zijn richting wat bij terwijl hij kogels in de lichamen van de andere mannen joeg. De demper maskeerde het geluid, deed het kort en dof, bevredigend, klinken. Chum zette de video stop, haalde de band uit het apparaat. Dacht er, even maar, over om de loop van het pistool in de anus van de verkrachter te steken, maar verwierp het idee. In plaats daarvan plaatste hij de greep in de hand van de man. Chum was per slot van rekening rijk – hij had maanden aan de goktafels doorgebracht; hij zou wel een ander pistool kopen. Hij nam de videoband mee naar de keuken – een kale, afgebladderde ruimte – vond een blik aanstekerbenzine en verbrandde de tape in de gootsteen. De rook stonk en toen de cassette verwrongen en gesmolten was, doofde hij het vuur met water alvorens zijn handen te wassen en naar buiten te lopen.

Chum heeft hier nog nooit iets over gezegd, heeft zelfs al in jaren geen gesprek meer gevoerd. En nu kan hij niet meer stoppen. Hij praat nog een uur door, bijna voortdurend op een en dezelfde toon, over de dingen die hij – of liever gezegd, Mister Candid – heeft gedaan. De mannen die hij heeft vermoord. Bijna altijd snel, soms omslachtig. Hij vertelt Sam zelfs over die keer dat hij de Stille Oceaan is opgevaren en heroïne aan de vissen heeft gevoerd. Als Chum klaar is, wanneer hij zwijgt, hoofd omlaag, ziet Sam er ouder uit.

'Je mag je niet schuldig voelen,' zegt Sam de Scharrelaar. 'Wat je me allemaal hebt verteld... je *mag* je niet schuldig voelen. Het is oké. Het is oké. Ik bewonder je nog steeds.'

'Hoe kun je?'

'Je denkt op dit moment aan de mensen die je hebt gedood. Waarom denk je in plaats daarvan niet aan de mensen die je hebt gered?'

Chum kijkt naar hem op met waterige ogen. 'Ik heb eens iemand geschreven dat ik mezelf zag als een handelaar in opties. Ik ruil de ene termijn voor een andere.'

'Dat is een uitstekende omschrijving. Dat zegt *precies* wat het is.'

'Heb een keer geprobeerd te stoppen. Toen ben ik naar Alaska getrokken, dacht dat ik daar veilig zou zijn, maar dat was niet zo.'

Sam laat zijn ogen over het gezicht van de jongere man gaan. 'Weet je, volgens mij ben je eenzaam.'

'Ik... ik stop er binnenkort mee. Ik *wil* ermee stoppen. Ik moet alleen MacDonald nog te pakken nemen en dan verdwijn ik.'

'Waar ga je heen?'

'Ik weet het niet.'

'Luister, je hebt me toch alles al verteld. Wat je me nu nog kunt vertellen, is niets daarbij vergeleken.'

Chums ogen staan weer helder. 'Je zei dat je net zoiets had gedaan. Wat bedoelde je daarmee?'

'Niet op dezelfde manier. Helemaal niet op dezelfde manier. Altijd één stap ervan verwijderd. Heb je gelezen over die vrouw, een paar weken geleden, die op Fifth Avenue is doodgeschoten?'

'Ja – ik werd wakker van de sirenes. De vrouw van een of andere gouverneur, is het niet?'

'Dat klopt. Jessica Millicent Jefferson. Dat heb ik geregeld.'

Chum laat zich onderuitzakken, fronst zijn voorhoofd. 'Je hebt haar er ingeluisd? Wat bedoel je? Je kunt geen ongewapende vrouwen op straat neerschieten. Dat is niet te rechtvaardigen.'

'Kom, laten we gaan.' Sam drukt zijn sigaret uit en gaat staan, loopt de tearoom uit zonder te betalen. Chum gaat naar de kassa om te betalen, maar wordt weggewuifd. Hij loopt achter Sam aan en de twee wandelen naar het oosten, de limo met een slakkengangetje een paar meter achter hen aan. Er is een kille wind opgestoken en de twee knopen hun jas dicht.

'Ik zal je helpen,' zegt Sam. 'Ik ken *inderdaad* iemand in Harrison, iemand die – welwillend is? – een opzichter in Blok C die je zal dekken als je binnen weet te komen. Dat deel laat ik aan jou over – ik weet dat je het kunt. Maar in ruil moet je iets voor mij doen.'

Chum is gefrustreerd, het maalt in zijn hoofd. Hij is geschokt door wat Sam heeft gedaan en toch wil hij dit tot een einde brengen. Hij wil MacDonald te pakken krijgen en er een eind aan maken. Hij wil van Mister Candid af en *overal een eind aan maken*. 'Wat?'

'Ik wil dat je nog iemand een bezoekje brengt die in Harrison zit.'

'Wie? Waarom zit hij vast?'

'O, je moet de zaak kunnen beoordelen, hè? Je wilt weten of het past binnen jouw ideeën van wat juist is? Is hij wel *slecht* genoeg?'

'Zoiets, ja.'

'Meneer Kane, ik heb gezegd dat ik bewonder wat je doet. Ik wil je iets in overweging geven. Jij ruimt kinderverkrachters en seksmisdadigers uit de weg en dat vind ik een goede zaak. Maar er zijn mensen, meneer Kane, die andere dingen doen die misschien niks met seks te maken hebben en die misschien ook niet veel met iets anders te maken hebben. En misschien zou je toch wat aandacht aan hen moeten besteden – ze zijn jouw aandacht net zo goed waard.' Sam blijft stilstaan op het trottoir en legt zijn hand op Chums mouw. 'Ik heet Sam de Scharrelaar. Zo sta ik bekend. Maar zo heet ik niet.'

'Dat weet ik.'

'Bijna niemand kent mijn echte naam. Ik heb gezegd hoe jij heet en over enkele ogenblikken zal ik je mijn echte naam zeggen. Ik kom uit de Bronx. Heb daar in een krot gewoond tot ik twaalf was en toen ben ik vertrokken, ben weggelopen bij mijn moeder en mijn stiefvader en ik heb ze nooit meer gezien. Ik ben hier naartoe gekomen, ik heb gewerkt en toen heb ik nog meer gewerkt en toen ben ik erg rijk geworden met de verkoop van radio's en van alles en nog wat in de buurt van Times Square. Toen heb ik nog meer gewerkt en ben nog rijker geworden. Alles altijd legaal, altijd binnen de wet. Ben met een vrouw getrouwd die in een van de winkels werkte, Belinda heette ze. Ze was een prettige vrouw, weet je wel, prettig om om je heen te hebben. We hadden een goed leven samen, maar twaalf jaar geleden is ze gestorven. Ik mis haar. Ik mis haar heel erg. We waren gelukkig. Hadden niet veel nodig – gewoon een fijn gezin, vakantie in Florida, de Maagdeneilanden, Hawaï, Europa misschien, weet je wel? En dat hebben we allemaal gehad en gedaan. Ik ging iedere donderdagavond kaarten en als ik thuis kwam, zat zij op me te wachten.' Sam zwijgt en kijkt naar het trottoir.

Wanneer komt hij nou eens ter zake? denkt Chum.

'Zoals ik al zei heb ik twee verschillende namen, twee verschillende levens. Tegenwoordig sta ik bekend als Sam de Scharrelaar. Maar dat was niet altijd zo. We hadden een dochter, Belinda en ik, een klein meisje dat Katarina heette. Ze had echt heel mooi haar – zwart en krullerig, en grote blauwe ogen. Ze zou volgende week achttien zijn geworden.' Hij zwijgt weer.

'Wat is er met haar gebeurd?' vraagt Chum en slikt hard, want hij weet dat er iets moet zijn voorgevallen.

'Mijn naam, Katarina's naam, is Kowalski. Mijn dochter heette Katarina Kowalski.'

Chum fronst opnieuw zijn voorhoofd. Kowalski? Hij kent die naam. Van heel lang geleden. Zijn hersenen beginnen te werken, de schakelaar van zijn geheugen gaat om en een krantenkop komt in zijn herinnering, een kop van negen jaar geleden. Zijn ogen worden groot. 'De kinderen met de handen.'

'Zonder handen, bedoel je. Katarina was de eerste. Ze vonden haar op het strand, begraven onder een beetje zand. Hij had haar handen afgehakt. Eerst had je mij, Belinda en Katarina. Toen mij en mijn kleine meisje. En toen alleen nog maar mij. Toen ben ik Sam de Scharrelaar geworden. Toen ben ik mijn geld gaan gebruiken om dingen te bewerkstelligen. Om de juiste mensen te ontmoeten, om er achter te komen wie de macht bezaten.'

'Maar ze hebben de dader te pakken gekregen. Thomas Jefferson de derde. Ze hebben hem te pakken gekregen en ze hebben hem ergens zo diep opgeborgen dat zelfs ik niet kan uitvinden waar hij zit.'

Sam begint weer te lopen en de limousine glijdt vooruit. 'Weet je, het heeft nog acht kinderen het leven gekost voor ze hem hadden. De zoon van een gouverneur. De zoon van gouverneur Jefferson. En ook de zoon van Jessie Jefferson. Hij werd ontoerekeningsvatbaar verklaard. Verdomme, natuurlijk was hij gek. Maar wat maakt dat nou uit? Hij heeft het verdomme wel gedaan. En zijn ouders waren in een positie om aan touwtjes te trekken en geld uit te delen en daarom is hij nog steeds in leven in Blok C van Harrison Penitentiary, Florida.'

LUCINDA KANE

Terwijl Chum Kane op zijn mollige, kromme beentjes door het appartement in Manhattan waggelde, boeken van de planken trok, kranten verfrommelde en letters leerde ontcijferen, bracht zijn grootmoeder haar met bourbon doordrenkte dagen door in het huis in East Hampton. Lucinda was nu in de zestig, een opgezwollen spookverschijning, bleek en verdroogd. Haar huid jeukte, schilferde en ze krabde zich gedachteloos, terwijl ze iedere avond haar gedachten bijeen probeerde te rapen, probeerde (bijna net zoals Iris jaren later zou doen) zich te herinneren wat er was *gebeurd*.

Haar dagen sleet ze in een meelijwekkend patroon – de dagelijkse hel wanneer ze uit haar eenzame bed kroop, op handen en knieën, gesloopt door uitdroging, met een bonkend hoofd, om het bad te laten vollopen. Ze lag dan urenlang in het gloeiend hete water, vastbesloten de dingen te veranderen, de bourbon door de afvoer te gooien zodra ze was aangekleed, liefdadigheidswerk te gaan doen; kortom, te veranderen. Maar wanneer ze zich eenmaal uit het bad had gehesen, kwamen de demonen weer om de hoek kijken. Terwijl ze zich stond af te drogen, zag ze zichzelf – het maakte niet uit hoe hard ze probeerde zich te verbergen – in de spiegels van de klerenkast. Haar dijen gerimpeld als het strand bij laagwater, de huid van haar armen hing los, de paarsdooraderde zwangerschapslittekens op haar uitgezakte buik. Haar teennagels waren geel en afgebrokkeld, haar hals vol vouwen, haar gezicht opgezet. Onder haar ogen hingen wallen vol van de teleurstellingen van het leven. Ondanks zichzelf liep ze dan naar de spiegel, bleef er een paar centimeter voor staan, staarde zichzelf aan, het wit van haar ogen getekend door fijne, bloederige lijntjes, en dan verachtte ze zichzelf terwijl de demonen het uitschreeuwden. De weken en maanden dat ze Sugar had beschermd tegen de grote boze wolf, al die dagen dat ze op het strand had gelegen of over de golven had gescheerd terwijl de zon onbarmhartig op haar neerscheen, had het leven uit haar huid gezogen. Theodore, dacht ze, zou tevreden zijn dat ze uiteindelijk toch had moeten boeten.

Eenmaal aangekleed, in los vallende jurken die haar schilferende huid ontzagen, ging ze naar de keuken beneden, haar gezwollen enkels protesterend bij iedere tree die ze nam, om de bourbon weg te gooien. Iedere dag deed ze de fles open, liep naar de gootsteen, om vervolgens in de ban te raken van de zoete geur die pijn deed in haar keel. Vol haat voor zichzelf greep ze dan een glas van het afdruiprek en schonk zichzelf twee vingers in, en goot die naar binnen, zonder ijs, zonder water, zonder nadenken. Pas dan voelde ze zich wat beter.

Juanita, de hulp, en José, haar echtgenoot, de tuinman, werden steeds voorzichtiger in Lucinda's aanwezigheid, terwijl zij in de prachtige zitkamer zat, of, afhankelijk van het seizoen, op het geboende terras, in dezelfde stoel waar Luke jaren geleden had zitten schommelen. Lucinda hield zichzelf voor de gek – ze probeerde haar geest te laten werken zolang het licht was, hield zichzelf drijvend aan de oppervlakte van de bourbon, dreef net voldoende om zich veilig te voelen.

Pas wanneer Juanita en José 's middags weggingen begon Lucinda in zichzelf te mompelen, dan begon ze langzaam te verdrinken. Iedere avond liep ze door het huis en verzamelde haar herinneringen. Ze herinnerde zich de schitterende cocktailparty's uit de jaren veertig, toen de vrouwen lange, uitwaaierende rokken, ingesnoerd om slanke tailles en strakke angoratruitjes met hoge boorden droegen en whiskysoda's dronken. Toen sigaretten nog in zilveren of zwarte pijpjes werden gerookt en diamanten schitterden. Wanneer ze zichzelf voor zich zag op een van die feesten, was Lucinda altijd het middelpunt, flirtend, lachend, omringd door bewonderaars. Ze schonk meer bourbon in en herleefde de glorietijden van weleer, leunde op de piano in de zitkamer, voerde gesprekken met mensen die er niet waren. Garland, Hayworth en Garbo kwamen bij haar, Dior kleedde haar, Astaire danste voor haar – allemaal daar, in haar zitkamer. De communisten werden verjaagd uit Hollywood, Truman kwam. Iedereen die door de ramen van het huis naar binnen had gekeken, zou Lucinda hebben zien gebaren, glimlachen, in zichzelf praten. Ze speelde oude grammofoonplaten af, wankelde rond, struikelde over tapijten, op de gekraste klanken van 'Slow Boat To China', 'Baby, It's Cold Outside' en 'You'll Never Know'.

Deze gelukzalige staat duurde ongeveer een uur, tot de alcohol haar verdoofde. Dan werden haar gedachten somber, terwijl herinneringen aan Luke Kane weer de kop opstaken. Ze meende de geur van braaksel en Chanel No 5 te kunnen ruiken, en met die geur kwam de eenzaamheid die haar achtervolgde. Ze leefde al meer dan twintig jaar zonder echtgenoot, maar was toch nog steeds getrouwd. En telkens wanneer ze in die duisternis wegzakte, pakte ze de telefoon en belde Theodore. De eerste keer dat dit gebeurde had hij met haar gepraat, geprobeerd haar te kalmeren, haar weten te overtuigen dat ze naar bed moest gaan. Maar naarmate ze vaker belde, toen het een nachtelijke klaagzang werd, hield Theodore op de telefoon op te nemen, liet hem eindeloos overgaan en nam ten slotte een ander nummer. Toen hij was gestorven, had ze zich in haar beschadigde zelf teruggetrokken en liet de buitenwereld voor wat die was. Op sommige avonden slaagde Lucinda erin op handen en knieën de trap op te klimmen en zich op bed te laten vallen, nog steeds gekleed. Maar de meeste ochtenden trof Juanita haar aan op de sofa, of op een vloerkleed, haar ogen zwart van doorgelopen mascara. Dan riep Juanita José en samen zeulden ze, met bezorgde blik en zonder iets te zeggen, Lucinda's zware lichaam naar boven.

Deze gang van zaken kon niet eeuwig blijven duren.

Lucinda wist het – daarom had ze iedere dag goede voornemens – en Juanita en José wisten het. Maar geen van hen deed iets om de cyclus te doorbreken. In plaats daarvan kwam er een einde aan door een telefoontje, toevallig weer een telefoontje van een school: Sugars kostschool in Connecticut. Gelukkig belde mevrouw Caulkin, de directrice, 's morgens vroeg en trof Lucinda terwijl ze zich aan het aankleden was voor ze naar de keuken zou gaan om de fles leeg te gooien. Lucinda stond in de slaapkamer, omgeven door chintz en strookjes organdie, en luisterde, met pijnlijke enkels, terwijl de directrice de data opsomde waarop Sugar niet in haar slaapzaal was geweest. Weekends waarvan ze had gezegd dat ze die doorbracht bij vriendinnen, maar, zo was nu gebleken, dat niet had gedaan. Sugar had kennelijk een web van leugens gesponnen.

'Weet u...' Lucinda schraapte haar keel '...bent u erachter gekomen wat ze heeft uitgespookt?' Maar Lucinda kende het antwoord al. Al die dagen die ze dobberend op zee had doorgebracht terwijl de zon het leven uit haar wegzoog, waren voor niets geweest – de grote boze wolf had Sugar toch te pakken gekregen.

'Ja, daar zijn we achter. Het schijnt dat ze de weekenden met haar oudere broer in New York heeft doorgebracht. Klopt dat?' De directrice klonk bezorgd.

Lucinda dacht voor het eerst in lange tijd weer logisch na, woog de mogelijkheden tegen elkaar af. 'Ja – natuurlijk klopt dat. Het verbaast me dat ze dat niet meteen tegen u heeft gezegd. Daar is toch niets verkeerds aan, of wel?'

'Nee, natuurlijk niet. Hij is familie en een volwassene met verantwoordelijkheidszin, dus dat is geen enkel probleem. En Sugar is een kordate jonge vrouw van achttien. Ik ben alleen maar verbaasd dat ze het gevoel had dat ze de waarheid niet kon vertellen.'

'Ik begrijp dat zelf ook niet. Krijgt ze straf?'

'Nou... ze krijgt een maand huisarrest. Maar aangezien ze

volgend semester afstudeert, zie ik geen reden voor verdere maatregelen.'

'Dank u, mevrouw Caulkin, dat u de zaak zo ruimhartig opvat.'

'U begrijpt toch waarom we zo bezorgd waren? Er zijn tegenwoordig zoveel meer verleidingen dan in onze tijd, mevrouw Kane.'

Nee, dacht Lucinda, de verleidingen veranderen nooit. 'Zeker.'

'Nou, ik ben blij dat u dit voor ons heeft kunnen ophelderen. Het spijt me dat ik u heb gestoord.'

'Dag, mevrouw Caulkin.'

Lucinda legde zorgvuldig de hoorn op de haak. Terwijl ze naar beneden liep, zichzelf met haar hand op de trapleuning in evenwicht houdend, nam ze niet de moeite zichzelf voor de gek te houden en net te doen alsof ze op het punt stond de bourbon weg te gooien. In plaats daarvan liep ze rechtstreeks naar de drankkast en schonk een glas vol. Juanita, die de vloer aan het dweilen was, zag dat en trok een wenkbrauw op. Lucinda ging de hele dag door met drinken, maar bleef vreemd genoeg aanspreekbaar en ogenschijnlijk nuchter. 's Middags ging ze in de studeerkamer zitten en schreef vel na vel vol met slordige hanenpoten, om ten slotte elke pagina in stukjes te scheuren. Toen de hulp eenmaal vertrokken was en ze alleen was, opende ze een tweede fles en nam hem mee naar het terras, hoewel het oktober was en er wind uit zee kwam. Ze zat en schommelde in de stoel, keek naar de golven, dronk uit de fles. Zoals gebruikelijk dacht ze aan hoe anders de zaken hadden kunnen lopen, maar deze keer waren haar gedachten scherp omlijnd, helder. Ze dacht aan Theodores begrafenis twee jaar eerder, aan de honderden mensen die waren gekomen, hoe de loftrompet over hem werd gestoken, de lofzang van internationale erkenning – en dat alles in afwezigheid van zijn zoon. Ze zag in dat wat was gebeurd haar schuld was, want Theodore – die een *goed* mens was geweest – zou bij haar zijn gebleven als ze niet het bed had gedeeld met haar zoon en dan zou ze niet eenzaam zijn achtergebleven nadat hij was vertrokken. Lucinda wist dat ze niet erg slim was, maar bedacht zuchtend dat zelfs zij wel iets slimmer had kunnen handelen. Ze was verbaasd dat Luke Kane zijn belofte had verbroken, de overeenkomst had verbroken om Sugar niet te ontmoeten. Had hij misschien gedacht dat de afspraak niet meer gold omdat zijn zus achttien was? Terwijl Lucinda daar zat, bleek in het maanlicht, realiseerde ze zich dat haar huid eens een keer niet jeukte.

Astaire, Garbo en Garland kwamen die avond niet langs; er werd niet gezongen of gedanst, geen cocktails en geen gelach. In plaats daarvan was haar enige gezelschap het dunne grijze wolkendek dat langs de hemel schoof. Ze bedacht zich dat ze maar weinig jeugdherinneringen had – ze kon zich haar kinderjaren, haar ouders, haar schoolvriendinnen niet helder voor de geest halen. Ze zou zich de Eerste Wereldoorlog moeten herinneren waarin miljoenen waren gesneuveld, de Russische Revolutie, de eerste keer dat ze 'Rhapsody In Blue' hoorde, de herverkiezing van Coolidge, de tijd dat ze in het geheim met haar vriendinnen de charleston oefende. Ze wist dat ze leefde toen al die dingen zich voordeden, maar de eerste gebeurtenis die ze zich duidelijk kon herinneren – voor zich zag alsof het op dat moment voor haar ogen gebeurde – was de verpleegster in de kliniek die terugdeinsde toen ze de pasgeboren Luke Kane zag.

Lucinda zat op het terras tot ze geen slok meer kon drinken en toen ze ging staan was ze verbaasd dat ze wankelde, want haar geest was nog helder. Op haar blote voeten liep ze het terras af, stak het grindpad naar de garage over, ongevoelig voor de kou. Het was José die haar vond, de volgende ochtend, toen hij de garagedeur opendeed om een schoffel te pakken. Lucinda hing aan een balk, hing daar keurig, handen langs haar lichaam, haar wit met rode kamerjas netjes om haar benen gevouwen.

1997

Sam Kowalski loopt bij Chum vandaan, zijn schouders opgetrokken in zijn regenjas. Het opnieuw beleven van de dag dat Katarina op het strand werd gevonden heeft hem ouder gemaakt, kleiner. Chum haalt hem in, gaat in de pas lopen.

'Wat wil je dat ik doe?' vraagt Chum.

'Wat denk je?'

'Is dat de ruil? Ik krijg de naam van de contactpersoon als ik er in toestem hem uit de weg te ruimen? De zoon van Jefferson. Ik krijg de naam als ik dit voor je afmaak?'

Sam haalt zijn schouders op. 'Er gelden geen voorwaarden. Het is helemaal aan jou.'

'Heb ik een keuze?'

'Je krijgt de kans te oordelen.' Sam glimlacht flauwtjes. Hij gebaart naar de limo en die glijdt langs de stoeprand naar hen toe, blokkeert het verkeer. Een verkeersagent ziet dat en komt naar hen toe, ondertussen zijn bonboekje openklappend. Chum dwingt zichzelf te ontspannen, adem te halen. De agent pakt zijn pen, kijkt naar het nummerbord en stopt, doet zijn boekje dicht en loopt weg. Sam negeert dit en doet het portier van de limo open.

'De contactpersoon in Harrison – hij heet Troy, Junior Troy,' en Sam geeft hem een stukje papier met een telefoonnummer.

'Dank je.' Chum is zich bewust van de agent die in de buurt rondhangt. 'Ik laat je wel weten wat er gebeurt.'

Sam wacht even, kijkt Chum onderzoekend aan, negeert de claxonnerende auto's in de file achter hem. 'Ik moet het weten – hoe is dit allemaal begonnen? Je praat als een student en naar ik heb gehoord heb je op een van die topuniversiteiten gezeten. Ik hoor dat je heel, heel erg slim bent en dit is niet precies een beroep voor kantoorklerken. Wat is jou overkomen?' Sam ziet hoe Chums gezicht zich sluit, het stroomt leeg als een flatgebouw dat in brand staat, wordt zo uitdrukkingsloos als een witte muur. 'Luister, zo belangrijk is het allemaal niet. Het *interesseert* me gewoon. Ik kan me gewoon niet voorstellen wat dit bij je veroorzaakt kan hebben. Ik heb je verteld wat mij is overkomen, wat er met mijn Katarina is gebeurd. Dat is mijn reden, mijn enige reden. Wraak. Maar ik heb geen flauw idee wat jouw reden is. Wat ik doe – dat is *persoonlijk*. Wat jij doet is dat niet.' Sam ziet dat zijn woorden zelfs niet doordringen, zijn woorden stuiten op die witte muur die Chums gezicht is en kaatsen terug. Het geschreeuw en het geluid van claxons van de auto's en bussen die vastzitten in de file achter hem dringen eindelijk tot Sam door. 'Ik moet ervandoor, meneer Kane. Doe maar net of ik het niet gevraagd heb. Als je ooit ergens over wilt praten, weet je me te vinden. Hier,' Sam zoekt in zijn zak, haalt een kaartje tevoorschijn, 'hier kun je me altijd bereiken.'

'In de bioscoop in Forty-second? De telefoon in het afgesloten kastje?'

Sam fronst zijn voorhoofd, steekt dan zijn kleine hand naar Chum uit. 'Waarom verbaast me dat? Veel geluk.' Sam stapt in de limo en sluit het portier. De auto glijdt de straat uit terwijl de agent het verkeer begint te regelen, de warboel van auto's probeert op te lossen. Chum knoopt zijn jas dicht, buigt zijn hoofd en wandelt weg.

Bronwen is rusteloos. Flanagans auto is oud, de airco en de verwarming werken niet goed, verwarren zich met elkaar, met als resultaat dat olieachtige, hete lucht in haar gezicht blaast terwijl een ijskoude wind om haar enkels speelt. Ze voelt zich uitgerookt – alsof er nog maar één sigaret nodig is om haar strottenhoofd te verstoppen. Toch steekt ze er nog één op.

'Hoe ver nog, man? Hoe lang moeten we nog in de auto

zitten?' Ze schopt naar de berg afval aan haar voeten – snoeppapiertjes, kartonnen dozen, lege M&M-zakjes, in elkaar gedraaid als kleine drollen.

Flanagan kijkt even naar haar. 'Een halfuurtje, misschien. Er is een hotel zo'n dertig kilometer verderop. Waarom luister je niet naar de radio of zoiets?' Hij zet hem aan en draait aan de knoppen.

Een zalvende stem klinkt luid: 'Voel je je eenzaam? Heb je het gevoel dat je de hedendaagse wereld niet meer aankunt? Heb je het gevoel dat niemand je begrijpt? Word vrienden met de Heer! Hij zal je helpen, in eenzaamheid, ziekte en stress. Hij loodst je naar een gelukkig leven! Grijp je kans op een nieuw leven – leef met God! Laat hem toe in je leven. Vriendschapspakketten voor slechts negenendertig negenennegentig, verzendkosten inbegrepen. Betaling per creditcard mogelijk.'

Bronwen snuift verontwaardigd. 'Wat *mankeert* jullie toch allemaal? Ik bedoel, moet je nou toch eens horen!' Ze snuift weer. 'Die zakkenwassers van dominees in hun witte pakken vliegen het hele land door, gillend en schreeuwend, en pikken van iedereen geld in. Wat *mankeert* jullie toch? Weet je, ik heb naar de televisie gekeken toen ik in dat hotel in New York verbleef. Het was belachelijk! Jochies van tien die eruitzagen als Liberace legden de hand op bij vrouwen die oud genoeg waren om hun grootmoeder te zijn. Het publiek dat maar op en neer springt, gillend. Ik bedoel – waar gaat dat over?'

Flanagan glimlacht flauwtjes. 'Nou, het is ons grondwettelijke recht.'

'Wat? Hebben jullie het grondwettelijke recht om je als volslagen idioten te gedragen?'

'Dat klinkt niet als een compliment. Wat ik bedoel is dat Amerikanen het recht hebben geluk na te streven.'

'Vreemd dat je daarover begint, want het viel me op dat iedereen in die programma's er zo ongelukkig als de hel uitzag.'

Bronwen draait aan de radio terwijl Flanagan het probeert uit te leggen. 'Het gaat erom dat wij een godvruchtig volk zijn. We geloven in God. Tenminste, de meeste Amerikanen.'

'Wat ik wel eens zou willen weten is, geloven jullie allemaal in zijn vergevensgezindheid? Want ik heb zo het idee dat je *dat* harder nodig hebt dan zijn liefde.'

'Waar wil je naartoe?'

'Ik heb nooit begrepen hoe jullie Amerikanen kunnen zeggen dat je recht hebt op geluk en tegelijkertijd overal een pistool mee naartoe nemen.'

'Het recht om wapens te dragen bestaat zodat we onze gezinnen en bezittingen kunnen beschermen.'

Bronwen kijkt hem met haar samengeknepen varkensoogjes aan. 'En hoe zit het dan met het recht op geluk voor de mensen die met zo'n pistool worden doodgeschoten?' Ze transpireert van de inspanning die het kost om zo diep na te denken.

'Dat is een lastige,' erkent Flanagan.

Bronwen zet de radio uit en leunt achterover, maakt haar haar los en maakt het weer vast. 'Vertel me nog eens waarom je Chum wilt vinden.' Ze spreekt zijn naam verlegen uit, alsof ze het gevoel heeft dat ze hem ijdel gebruikt. 'Je zei dat je wilde weten hoe hij met zichzelf kan leven.'

Ze zitten een tijdje in stilte terwijl Flanagan nadenkt. De snelweg raakt langzaam in duisternis gehuld, vrachtwagens en auto's razen voorbij, een eindeloze stroom witte en rode lichten. Ze komen voorbij een haven aan de rivier waar hoge, zilveren schoorstenen, versierd met logo's in neon stoom uitbraken. De hemel is donkeroranje.

Flanagan schraapt zijn keel. 'Zoals ik al eerder heb gezegd, denk ik dat Chum Kane de man is die ze Mister Candid noemen. Ik denk dat hij verantwoordelijk is voor de dood van een heleboel mensen. Maar alles wat ik over hem te weten ben gekomen wijst er volgens mij op dat hij in wezen een goed mens is. Dat klinkt gek, hè? Hoe *kan* hij een goed mens zijn? Er is me verteld dat ze weten dat hij meer dan negentig mensen heeft vermoord. Maar ze gaan ervan uit dat het er meer zijn. Ze denken dat het er honderden zijn.'

Bronwen is geprikkeld, probeert hem in de rede te vallen. 'Maar Oprah zei dat die Mister Candid blijkbaar alleen slechte mensen vermoordt – ook al gelooft ze niet dat hij bestaat. Hij doodt alleen maar verkrachters en dat soort mensen, je weet wel. Hij *is* een goed mens.'

Flanagan wrijft over zijn voorhoofd. 'Bronwen,' zegt hij vriendelijk, 'hij kan geen goed mens zijn. Hij is een seriemoordenaar.'

'Maar als hij nou toch tuig als dat opruimt, dan is dat toch een goeie zaak – of niet? Ik bedoel, ik weet dat een heleboel misdadigers vrijuit gaan. Soms worden ze niet gepakt en soms laat de rechtbank ze lopen. Zoals vlak voor ik hierheen kwam en mijn moeder opgeroepen was voor een jury? Nou, ze moest bij een verkrachtingszaak zijn. De vrouw zei dat de verdachte haar had verkracht en hij zei dat ze sowieso een slet was, maar dat ze had toegestemd seks met hem te hebben. En ik weet niet waarom, maar de jury liet hem gaan. Maar toen de zaak afgelopen was, vertelde de rechter dat de man vijf keer wegens verkrachting in de bak had gezeten en acht keer was aangeklaagd. De man moest lachen. Mijn moeder kwam die avond thuis en huilde en huilde maar. Het punt is, hij had nooit de gelegenheid mogen krijgen het een tweede keer te doen, laat staan nog eens acht keer. Hoe kan zoiets *gebeuren*? En, weet je, als iemand hem zou vermoorden – wie zou dat wat kunnen schelen? Dat zou juist *goed* zijn.'

'Bronwen, dat is het falen van het rechtssysteem. Dat betekent niet dat we zomaar iedereen mogen neerschieten van wie we denken dat hij schuldig is.'

'Maar dat *was* hij wel.'

'Niet volgens de rechtbank.'

'Misschien niet – maar ik weet dat jij ook denkt dat hij het wél was. Jij bent een politieman – stel dat jij hem had gearresteerd en dan, en dan' – Bronwen kan bijna niet uit haar woorden komen van woede – 'je weet wel, en dan kom je erachter dat hij is vrijgelaten. En dan deed hij het misschien nog een keer? Wat zou je *dan* voelen?'

Flanagan mindert vaart en neemt een afslag. Hij rijdt door tot de parkeerplaats van een uitgestrekt winkelcentrum met veel glas. 'Ik moet wat nieuwe kleren hebben. Heb je zin om mee te gaan?'

'Geef nou eens antwoord, man. Wat zou je dan denken?'

Flanagan draait zich plotseling naar haar toe, zodat de auto ervan schudt, klemt zich vast onder het stuur, kijkt Bronwen aan. 'Ik kan je precies vertellen, maar dan ook precies, wat ik zou denken, want dat heb ik verdomme al honderd keer bij de hand gehad. Ik ben op plaatsen geweest waar bijvoorbeeld de moeder op de grond ligt, ligt dood te bloeden terwijl haar kind toekijkt en die vent is zo van het padje af dat hij niet eens het benul heeft om weg te lopen. Dus ik sla hem in de boeien en voer hem af en misschien komt hij weer vrij door een vormfout. Of misschien is de situatie anders, misschien is er een schietpartij en een knul van zeventien ligt op het trottoir en mist zijn halve gezicht, maar iedereen heeft het nummerbord van de auto gezien, dus ik ga op pad en arresteer twee verdachten. Vervolgens kom ik er een paar maanden later achter dat ze een deal hebben gesloten en een jaar in een open inrichting mogen en moeten beloven dat ze het nooit meer zullen doen. Of ik pak een vent die een klein meisje heeft doodgemarteld nadat hij haar heeft verkracht en haar moeder ook heeft verkracht en vermoord en hij gaat de bak in. Maar dan kom ik erachter dat hij een andere gevangene heeft vermoord en de mensen denken dat hij een verdomde *held* is.

Of misschien,' en hier haalt Flanagan beverig adem, 'kom ik op een strand en ik graaf in het zand en ik vind een klein meisje van negen jaar oud en ze is zo bleek, en haar huid is grijs. En dan, o lieve god, blijkt dat ze geen handen heeft omdat iemand ze afgehakt heeft. En misschien kom ik er wel achter dat ze werden afgehakt toen ze nog leefde. Maar die keer krijg ik de verdachte niet te pakken. Dat lukt iemand anders – maar pas nadat hij het bij nog acht andere kinderen heeft geflikt. En dan, negen jaar later, kom ik erachter dat hij ontoerekeningsvatbaar is verklaard en hij zijn tijd uitzit in een gesloten inrichting. Hij zit in een gebouw en voelt zich veilig, geniet *bescherming*, wat meer is dan je van die kinderen kunt zeggen.'

Flanagan wendt zijn ogen af van Bronwens geschokte gezicht. 'De kinderen zijn zonder hun handen begraven. Die zijn nooit gevonden en hij heeft nooit verteld waar ze zijn gebleven. Dat ben ik pas een paar dagen geleden aan de weet gekomen.' Flanagan slaakt een diepe, beverige zucht en de auto beweegt weer, zachtjes. 'En hoe zit het met de ouders? Als ik er na negen jaar nog zo over denk, hoe denk je verdomme dan dat zij zich voelen?'

Bronwen steekt een dikke, warme hand uit en legt die op die van Flanagan. 'Het spijt me. Ik had er niet over moeten beginnen.'

''t Is oké. Je hebt gelijk dat je het vraagt. Maar, weet je – soms stond ik daar met zo'n klootzak, met mijn revolver tegen zijn hoofd in een lege kamer. Ik bedoel, ik had hem overhoop kunnen schieten en dat had niemand wat kunnen schelen. Ik had kunnen zeggen dat het zelfverdediging was. Ik had dingen kunnen veranderen. En soms denk ik dat als ik had geweten hoe ik achteraf mijn handen schoon had kunnen wassen, als ik zeker had geweten dat ik *gelijk* had, ik het had gedaan. Daarom moet ik Chum Kane zien te vinden.'

Minutenlang zitten ze met z'n tweeën in de auto, te kijken naar auto's die de parkeerplaats op- en afrijden, naar de neonreclame die aanfloept, wegsterft en weer aanfloept, terwijl Bronwen zijn hand vasthoudt. 'Kom,' zegt ze uiteindelijk, zo zachtjes dat hij haar nauwelijks kan horen. 'Laten we kleren gaan kopen.'

New York –april

M –

Ik ben net terug van mijn afspraak met Sam de Scharrelaar – ik heb roomservice gebeld zodra ik terug was en nu zit ik aan het bureau en drink te snel en kijk naar buiten naar mensen die zich met hun eigen zaken bemoeien.

Ik was bang vandaag – die knaap die ik heb ontmoet, hij wist wie ik was. Hij kende mijn *naam*. Meneer Chum Kane, noemde hij me. Ik dacht dat jij en mijn moeder de enige mensen waren die mijn naam kenden. Maar hij kent hem blijkbaar ook. En het lijkt erop dat misschien ook nog andere mensen hem kennen. Het schijnt dat een vrouw hem een foto van me heeft laten zien en hem mijn naam heeft verteld. Weet je welke foto dat was? De laatste die je ooit van me hebt genomen – toen ik je thuis afzette voor Thanksgiving. Weet je nog? Hij beschreef hem en ik wist meteen welke het was – ik stond met mijn voet op de bumper, naar je te kijken. En jij trok hem uit de camera en zwaaide er mee rond om hem te laten drogen. De wol van je handschoen bleef aan een van de hoekjes plakken. Dat weet ik nog.

En ik kan me nog iets herinneren: terwijl je daar stond en de beschermlaag van de foto pulkte, vroeg ik of je zeker wist dat je met me wilde trouwen en jij zei ja. Ik was zo in de wolken dat ik nauwelijks een woord kon uitbrengen en jij schreef op de foto wanneer die was genomen, zodat we het ons altijd zouden herinneren. Alsof ik ooit een geheugensteuntje nodig zou hebben.

Het is later. Ik heb op bed liggen denken, drinken. Ik heb die foto aan mijn moeder gegeven. Ze vond hem zo geweldig, en ze was zo ongelukkig toen ik die avond thuiskwam, dat ik hem aan haar heb gegeven. Ik vond dat zij hem meer nodig had dan wij. Ze stak hem in de zak van haar jurk en gaf me een kus, zei dankjewel. Hoe heeft die vrouw hem te pakken gekregen?

Nog iets. Sam vroeg me wat me is overkomen, waarom ik ben zoals ik ben, waarom ik doe wat ik doe. Ik kon hem geen antwoord geven en waarom zou ik ook? Ik heb het zelfs niet aan jou uitgelegd. En het lijkt me dat jij eerder een antwoord moet hebben – nee, *verdient* – dan wie dan ook. Ik heb je tenslotte gevraagd met me te trouwen en heb je lachend achtergelaten op de stoep bij je ouders en ik ben weggereden, zwaaiend, en je hebt me nooit meer teruggezien. Dat is niet gebeurd omdat ik niet van je hield. Dat deed ik wel. Doe ik nog steeds.

Later: toen Sam me vroeg wat er was voorgevallen, wilde ik hem over Tinkerbell vertellen. Ik wilde het hem uitleggen maar ik dacht dat hij me dan geschift zou vinden. Ik voel me niet geschift.

Veel liefs,
Chum

Keeler staat voor de deur van het kantoor van zijn chef. Hij staart naar de beige muur ertegenover, probeert zijn gedachten te ordenen. Als er iemand naast Keeler had gestaan, had het best gekund dat ze konden *horen* hoe hij zijn gedachten ordende, hadden ze de dossierkasten in zijn hoofd kunnen horen dichtslaan. Bronwen, Gideon, Jefferson, Flanagan, Mister Candid, Chum Kane. En nu Sam de Scharrelaar. Keelers ingewanden rommelen en trekken samen – een instinctieve warboel. Iets, of liever gezegd, iemand – verbindt deze namen met elkaar. Hij klopt op de deur en de man met het scherpe gezicht erachter blaft een bevel. 'Binnen.'

Keeler stapt het kantoor van zijn superieur binnen en wordt verblind door het zonlicht dat door de ramen binnenvalt – het eerste daglicht dat hij in bijna twee dagen ziet. De man achter het bureau kijkt naar hem op. 'Ga zitten. Wat kan ik voor je doen?'

'Meneer...' Keeler schudt zijn hoofd, maakt het helder.

'Meneer, ik zit met een paar vragen. Ik denk dat er iets aan de hand is, maar ik heb informatie nodig om het allemaal in elkaar te passen.'

'Wat?'

'Herinnert u zich nog wat u zei over toeval? Dat het ons niet moet verbazen? Nou, daar ben ik het mee eens. Maar ik stuit op het moment op te veel toevalligheden. Ik heb een lijst met namen – '

'Wat heeft de ondervraging opgeleverd, Keeler? Dat wil ik weten. Beperk je tot de feiten. Ik heb niet veel tijd.' De man zit onophoudelijk met zijn balpen te klikken, drukt steeds met zijn duim op het palletje.

Keeler vertelt in grote lijnen over de verhoren, zowel die van de chauffeur als dat van Gideon, het straatschoffie van de bende van 21st Street.

'Nou, met welke naam kwam Gideon op de proppen?' vraagt de chef, lichtelijk verveeld.

'Sam de Scharrelaar. Ik heb die naam eerder gehoord en, meneer, ik weet dat er een verband bestaat. Als ik daar achter kan komen, als ik achter dat verband kan komen, denk ik...' Keeler pauzeert even, kiest zijn woorden zorgvuldig, bijna sprakeloos door hun belang '...dat ik nog maar zó'n stukje verwijderd ben van Jeffersons moordenaar, maar bovendien dat ik een naam en een gezicht kan geven aan Mister Candid.'

De chef kijkt hem aan met een uitdrukking op zijn gezicht zoals Keeler nog nooit heeft gezien: pure paniek. De chef gaat staan, loopt naar het raam, draait zich om, draait aan de ring om zijn pink, loopt weer naar het raam. Als Keeler niet beter had geweten, zou hij gezegd hebben dat de man verontrust was.

En dat is zijn superieur nou precies. Hoe heeft Keeler het verband weten te leggen? Maar tenslotte... tenslotte staat Keeler nou precies daarom bekend bij de FBI – verbanden leggen. 'Dus,' zegt de chef, 'je wilt een theorie voorleggen?'

'Eh – zover zou ik niet willen gaan.'

'Probeer het toch maar. Dat is een bevel.'

'Oké. De FBI weet dat Mister Candid bestaat, ondanks dat het tegendeel wordt beweerd. Ik heb redenen om aan te nemen dat zijn naam Charlie Kane luidt, ook wel bekend als Chum Kane...'

De chef kijkt hem met ijskoude ogen aan. 'Heb je hier iemand van op de hoogte gebracht?'

'Nou, nee, dat heb ik niet gedaan. De bron is niet betrouwbaar.' Keeler biedt in stilte zijn verontschuldigingen aan Flanagan aan dat hij hem onbetrouwbaar noemt.

'Maar toch.'

'Eh, ik denk dat er een verband bestaat tussen de bron en Kane.'

'Hoe dan?'

'Nou, Bronwen Jones – de vrouw op die video uit de club? – is nu samen met de bron.'

'Dus Flanagan is de bron?'

'Hoe weet u dat?' Keeler begint te zweten, zoals hij altijd doet wanneer hij in het gezelschap van zijn chef is.

'Kom op zeg.' De chef glimlacht flauwtjes.

'Dus – Bronwen Jones is samen met Flanagan; Flanagan kent Kanes naam; Gideon geeft een beschrijving van de man die hem het geld heeft gegeven – en die lijkt veel op het signalement dat we in de loop der jaren van Mister Candid hebben samengesteld. Gideon is op de hoogte van Jessie Jefferson – dat ze is neergeschoten omdat ze iemand in de weg zat – en dat is een citaat. Vervolgens noemt hij die Sam-figuur, dat was de naam waar Chum Kane naar op zoek was, waarvoor hij betaald heeft, de man die hij wil spreken. En daar zit wat mij betreft de zwakke schakel. Ik heb over Sam de Scharrelaar gehoord, maar ik zie het verband niet. Ik denk dat ik u wilde spreken omdat u het misschien weet.'

De chef gaat weer staan en friemelt aan de ring om zijn pink. Hij weegt in gedachten twee dingen tegen elkaar af: Sams anonimiteit en de bescherming daarvan die hem door de hoogste instantie in het land is verzekerd, en de noodzaak om Mister Candid te vinden en een einde te maken aan het appèl van de dood. Hij komt snel tot een beslissing, en dat is precies de reden waarom hij ieders superieur is. 'Keeler, ik zeg dit maar één keer. Je zult niet aan me twijfelen en evenmin zul je een oordeel vellen over wat ik te zeggen heb.' Keeler knikt. 'Sam de Scharrelaar heet voluit Samuel Kowalski.'

Keeler staat nog steeds instemmend te knikken en dan dringt het belang van de naam tot hem door. '*Wat*? Sam Kowalski? Katarina Kowalski's *vader*?'

'Ja.'

Keeler slikt heftig wanneer hij het beeld van het lichaam op het strand weer voor zich ziet. 'Sam Kowalski?'

'Hij is eigenaar van de club en doet veel zaken langs de hele kust. Niets echt *illegaals*, maar het scheelt niet veel. Maar we laten hem met rust. Dat is de afspraak.'

'De afspraak? Wat voor afspraak?' Dit dreigt Keelers bevattingsvermogen te boven te gaan.

'Kun je je Thomas Jefferson herinneren?'

Keeler knikt omdat hij geen woord meer kan uitbrengen. Hij heeft dagen met Thomas Jefferson in een kamer doorgebracht en geluisterd naar hoe de stompe bek van een tuinschaar knipt.

'Het was een delicate zaak, zoals je zult begrijpen. Hij is de zoon van gouverneur Jefferson. Dus de gouverneur wilde graag strafvermindering, een overeenkomst. De overeenkomst die we sloten was dat Thomas ontoerekeningsvatbaar werd verklaard en Sam Kowalski onze bescherming kreeg. Met de overige ouders werden ook afspraken gemaakt. Een betaling, zo je wilt, een *quid pro quo* om een civiele rechtszaak te voorkomen. Sam is de club begonnen en wij hebben er in geïnvesteerd.'

'U hebt zijn stilzwijgen gekocht?' Keeler is in verwarring.

'Als je het zo wilt noemen.'

Keeler wil niet, maar houdt z'n mond. Hij kan zich niet voorstellen dat Sams stilzwijgen zo makkelijk kon worden gekocht. Keeler was erbij toen Sam Kowalski werd verteld dat het lichaam van zijn dochter was gevonden. Keeler had gezien hoe de man in elkaar stortte, als een kind, overmand werd door verdriet. Het was in feite die ontmoeting die Keeler in de armen van de FBI had gedreven. Maar wacht 'ns even... wacht even –

'Sam Kowalski heeft Jessie Jefferson vermoord, nietwaar? Hij heeft die aanrijding geregeld, die kerels in politie-uniformen. Hij heeft ervoor gezorgd dat de coke in de kofferbak lag zodat niets naar hem zou wijzen. Gewoon weer een misdaad in de drugswereld.'

De chef is stomverbaasd, onder de indruk van Keelers onweerlegbare logica. 'Keeler, wat er gebeurde was volkomen onverwacht. We hadden geen idee dat Sam zoiets zou doen. Hij is slim geweest – hij heeft negen jaar gewacht, zo'n lange tijd dat we hem niet eens meer in de gaten hielden. Verdomme, we hebben hem geholpen, gezorgd dat hij veilig was. Zoals je je wel voor kunt stellen is de gouverneur er niet best aan toe.' De chef loopt nu te ijsberen, heen en weer, voor het raam.

Keeler is nog steeds aan het redeneren. 'Ik neem aan dat u Sam nog niet hebt laten oppakken?'

'Nee. Natuurlijk niet. Hij weet veel te veel en hij heeft te veel achter de hand. Als we hem pakken komt er heel wat boven tafel. We kunnen hem niet pakken – één, omdat hij te veel weet en, twee, omdat hij zich heeft ingedekt. De enige mensen die hem wat kunnen maken zijn, laten we zeggen, onbetrouwbare getuigen. Een straatboef en een seriemoordenaar.'

'Ik mag ook aannemen dat Chum Kane hem inmiddels heeft gesproken, gezien het feit dat Gideon hem de naam weken geleden al heeft doorgespeeld.'

'Mmm.'

'In dat geval, meneer, durf ik te beweren dat, aangezien Sam Kowalski en Mister Candid hetzelfde spelletje spelen, ze tot overeenstemming zijn gekomen.'

'Waarover?'

'Nou, Sam Kowalski heeft de vrouw uit de weg geruimd. Ik denk dat hij nu achter de zoon aan gaat. Niet persoonlijk, natuurlijk. Maar het is mogelijk dat hij de succesvolste seriemoordenaar in de arm heeft genomen die we ooit zijn tegengekomen, of liever gezegd, niet zijn tegengekomen.'

'Je denkt dat Mister Candid achter Thomas Jefferson aan gaat?' De chef kan zijn oren niet geloven. 'In *Harrison?*'

'Ja.' Keeler glimlacht, want als er één ding is dat hij in deze wereld zou willen zien gebeuren, is dat Thomas Jefferson III nog een beetje lijdt voor hij te vroeg sterft.

'Wat is er zo grappig?' vraagt de chef.

'Niks.' Maar Keeler kan niet ophouden met glimlachen.

LUKE EN IRIS KANE

Op 20 januari 1961, de dag dat John F. Kennedy beëdigd werd als president, trok het restant van de familie Kane in het oude huis in de Hamptons dat Lucinda aan Sugar had nagelaten. Terwijl de verhuizers zich met dozen en meubilair langs hem heen worstelden, waarbij Iris ze naar de verschillende kamers dirigeerde, zat Luke Kane met een fles bier in zijn hand en Charlie op schoot naar de toespraak van de jonge president op de televisie te kijken. Hij dacht na over het idee dat hij zich af moest vragen wat hij voor zijn land kon betekenen en snoof. Charlie gaf hem een klap met een boek.

'Pappa, lezen.'

'Pappa niet lezen,' zei Luke Kane, zette Charlie op de grond en ging staan om zich uit te rekken. Hij liep naar de keuken, waar zijn vrouw, bol van de zwangerschap, acht maanden al, aan tafel zat om haar rug wat rust te geven. Luke Kane maakte nog een biertje open, leunde tegen een oud dressoir en keek naar de vrouw die vier jaar zijn echtgenote was. Haar zwangerschappen waren moeilijk verlopen en hadden haar oud gemaakt. En als hij nu zo naar haar keek, in het grijze licht dat van zee kwam, zittend in de bekende keuken, leek ze heel veel op Lucinda. Lucinda, wier geest Luke Kane uit dit huis probeerde te verdrijven.

Iris keek op van een lijst die ze aan het opstellen was en glimlachte afwezig. 'Luke, schat, wil je echt het slaapkamermeubilair wegdoen? Ik bedoel, het is nog in goede staat en zo.'

Luke Kane keek naar de manier waarop haar mond rimpelde wanneer ze sprak, er verschenen al dunne lijntje op haar bovenlip. Ook haar handen vertoonden tekenen van ouderdom, kregen een zachte glans. 'Gooi het allemaal weg. Ik wil niet dat er iets van haar achterblijft.'

'Luke, ik snap het niet. Het is zo'n verspilling.'
'We houden helemaal niks.'
Iris zuchtte en richtte haar aandacht weer op haar lijst. De hordeur sloeg met een klap dicht en Sugar kwam binnen, haar wangen rood van een lange wandeling over het strand. Ze schudde haar zwarte haar los uit haar sjaal en liep naar Luke, die zijn arm om haar heensloeg toen ze tegen hem aan leunde.
'Hé, het is heerlijk buiten.' Sugar lachte en porde in zijn maag. 'Je had met me mee moeten gaan in plaats van hier te blijven en bier te drinken.'
Iris keek op, glimlachte weer afwezig. De Kanes leken zo op elkaar, zo op hun gemak, dat ze in een ogenblik van verwarring dacht dat ze een tweeling waren. Charlies gehuil klonk uit de woonkamer en Iris stond op, hield zich even vast aan de tafel voor ze wegliep. Luke Kane kuste Sugars koude, blozende wang.

Misschien kwam het door de jaren dat ze in Hoboken, New Jersey, had doorgebracht, wachtend, toekijkend hoe haar ouders langzaam wegkwijnden in keurige armoede, dat Iris' fantasie niet tot ontwikkeling was gekomen. Wie weet? Feit was, dat, met uitzondering van haar moment van hartstocht, haar moment van roekeloosheid, toen Luke Kane voor het huis van haar ouders verscheen, haar schaakte en met haar trouwde, ze altijd met overleg had gehandeld. Ze rookte niet, ze dronk slechts bescheiden. Ze stelde er prijs op haar appartement, haar huis, haar hele omgeving overzichtelijk, netjes, te houden. Ze was er dankbaar voor dat haar echtgenoot rijk en knap was – dat leek meer dan ze verdiende. En toch *had* ze haar hele kindertijd gedroomd, ze had toen wel fantasie. Op de een of andere manier had ze geweten dat Luke Kane terug zou komen en dat had hij gedaan en zij had haar moment gehad. Maar ze had nooit geprobeerd zich voor te stellen wat er *na* dat moment zou komen – hoe haar leven als getrouwde vrouw eruit zou zien, hoe haar echtgenoot zou zijn. Hoe hij zich zou gedragen. Dus zag ze geen kwaad in de momenten dat hij er niet was, wist niets van het appartement in de stad dat hij na zijn huwelijk had aangehouden.

Iris vond het ook niet vreemd dat ze behalve Sugar nooit iemand van Luke Kanes familie ontmoette; Iris had Luke Kane tenslotte ook niet aan haar ouders voorgesteld. Ze schreef hun toen ze eenmaal terug was van de huwelijksreis en beloofde binnenkort op bezoek te komen. Maar de gedachte dat ze zou terugkeren naar dat huis, met het trieste blik met de dollarbiljetten dat onder het bed verstopt was, was te benauwend, dus stelde ze het bezoek uit tot ze er helemaal niet meer aan dacht. Die wereld was zo ver verwijderd van de Hamptons, het was een andere grootheid, ver weg, onbereikbaar.

Haar eerste maanden als echtgenote in het appartement in de stad waren een openbaring. Luke Kane gaf haar een toelage en ging iedere dag naar zijn werk en verwachtte van haar dat ze het geld in zijn afwezigheid uitgaf. De winkels stonden vol nieuwerwetse elektrische apparatuur, formica en rechthoekige meubels. Iris kleedde zich iedere ochtend aan en stormde de straten van Manhatten op om uit te geven, uit te geven, uit te geven – zichzelf verbazend dat ze in staat was om te kiezen. Maar na een paar maanden raakte ze het beu, afgeremd als ze werd door haar dikker wordende buik. De zwangerschap verliep moeizaam – Iris had last van misselijkheid, pijn in haar onderbenen die door oedeem bleek te worden veroorzaakt, pijnlijke gewrichten en slechte tanden.

De komst van Charles Madison Edward Kane, pasgeboren en nog zonder schuld, redde Iris van de verveling die haar dreigde te verstikken. Ze hield onvoorwaardelijk van haar zoon, zonder beperkingen, en ze wijdde haar leven aan de zorg voor hem. Misschien zag ze door de mate waarin ze van Charlie hield niet hoe Luke Kane steeds vaker afwezig was? De middag dat Charlie de krant van de keukentafel pakte, de letters uitveegde met zijn van limonade plakkende vingers, en hardop voorlas, kreeg Iris het gevoel dat haar leven zich de afgelopen tweeëntwintig jaar had voortgesleept, alleen maar om dit moment te bereiken. Ze vergaf de leerlingen die haar op school hadden gepest, ze vergaf de leraren die haar op haar kop hadden gegeven, ze vergaf Luke Kane zijn onverschilligheid, ze vergaf zelfs haar ouders hun strenge geloof.

Maar de verhuizing naar East Hampton verstoorde haar nieuwgevonden tevredenheid. Ze had nog maar vier weken te gaan toen ze verhuisden, en de beslissingen die ze moest nemen, de omvang van het huis, alles wat bij een verhuizing kwam kijken, putten haar uit. Bovendien, het huis was het gezamenlijk eigendom van Sugar en haar broer. Pas toen kwam ze er achter hoeveel tijd broer en zus met elkaar doorbrachten – zag ze hen samen in de donkere salon zitten terwijl zij zich midden in de nacht de trap afworstelde om een glas water te halen. Iedere ochtend wanneer ze in de keuken kwam zat Sugar daar al aan tafel de krant te lezen, een kop koffie bij haar elleboog, en zelfs zo vroeg op de dag zag Sugar er fantastisch uit, helder uit de ogen kijkend en elegant. Sugar kocht meubelstukken en zette die her en der in het huis, kocht gordijnen, kleden en aardewerk. Vanwege haar zwangerschap, vanwege de eisen die Charlie stelde, duurde het een hele tijd voor Iris in de gaten had wat er aan de hand was: haar plaats werd ingenomen door haar schoonzus.

Op een avond, terwijl ze al vroeg in haar bed lag te draaien, dacht ze hier over na. Ze kon het gelach horen van Sugar en Luke Kane die beneden zaten te eten – een maaltijd waarvoor zij veel te misselijk was geweest. Ze hoorde de doffe plof waarmee weer een fles wijn werd geopend. Een nieuwe plaat werd op de draaitafel gelegd. Iris deed het lampje op haar nachtkastje uit in de hoop dat de duisternis de pijn in haar botten zou verlichten. Ze probeerde op haar zij te draaien, rolde weer terug op haar rug. Haar enkels waren opgezet, haar tong raakte een loszittende kies. Maar ze kon niet slapen omdat de muziek te hard stond. En toen volgde een stilte, zoals iedere avond. Iets – pijn? een voorgevoel? – weerhield Iris ervan zich uit bed te hijsen en naar de overloop te gaan om haar echtgenoot te roepen.

Uren later ging de slaapkamerdeur open en Luke Kane kwam binnen, neuriënd, en maakte de riem van zijn broek los.

'Hallo, schat,' zei Iris zachtjes.

'Mmm. Slaap je nog niet?'

'Nog niet.'

Luke Kane ging naar de badkamer, kleedde zich uit en nam een douche, stond met een handdoek om zich heen geslagen voor de spiegel, poetste zijn tanden. Iris keek naar hem, zag dat zijn bovenlichaam wat dikker was geworden. 'Schat?' Ze praatte tegen zijn rug.

'Mmm.'

'Wanneer gaat Sugar weg?'

Hij draaide zich weg van de spiegel, zijn gezicht in de schaduw.

'Wat?'

'Wanneer gaat Sugar uit huis?'

'Hoe kom je erbij dat ze weggaat?'

'Ze blijft hier toch niet voor *altijd* wonen, schat?' Iris' stem ging omhoog.

'Natuurlijk wel. Het is ook haar huis.' Luke Kane draaide zich weer terug naar de spiegel, streek zijn o-zo-zwarte haar achterover met een paar ouderwetse herenborstels.

'Ah, kom op, Luke. We zijn nog maar vier jaar getrouwd. We hebben een zoon, we verwachten nog een kind. We horen als een gezin te leven.'

'Sugar *is* familie.'

'Niet van mij. Ik wil alleen zijn met jou en Charlie en Baby.'

Luke Kane liep naar het bed, deed de lamp op zijn nachtkastje aan en stond daar ontspannen, uitdrukkingsloos, zijn ogen glinsterend in het licht. 'Waar heb je het over?'

Iris hees zich overeind in de kussens en haar nachtjapon verschoof en viel open waardoor haar volle witte borsten en de ronding van haar lichaam zichtbaar werden. 'Wat ik alleen maar wil zeggen, schat, is dat ik alleen maar wat privacy wil.' Ze keek hem aan en glimlachte, maar zijn uitdrukking veranderde niet. Iris begon te tateren. 'Snap je wat ik bedoel? Ze is hier elke ochtend, elke dag, elke nacht. Zij maakt uit wat we eten, waar we op zitten, alles. Het voelt niet aan alsof dit mijn huis is. Het voelt niet aan als *ons* huis.' Ze wilde zijn hand pakken, maar hij trok hem weg. Tranen verschenen in Iris' ogen. 'En iedere avond blijf je bij haar zitten. Je gaat laat naar bed, zoals nu. Het is één uur 's nachts – en je moet morgen naar je werk in de stad. Ik bedoel, je moet uitgeput zijn.'

Luke Kane zei nog steeds niets. Iris begon plotseling met haar kleine vuisten op de matras te hameren. 'Ik ben uitgeput. Iedere nacht moet ik horen hoe jullie aan het feesten zijn. De muziek gaat harder en harder en ik kan jullie horen lachen en dansen. Dat doe je met mij nooit – dat *heb* je met mij nooit gedaan. En 's morgens staan er zoveel flessen en vuile glazen. Jullie twee houden Charlie ook uit zijn slaap, hij slaapt nooit 'ns aan één stuk door, hij huilt overdag, hij eet slecht. Kan je dat niks schelen?'

'Hou je mond,' zei Luke Kane.

'Wat? Wat? Wat zei je daar?' Iris was geschokt, in de war. Haar echtgenoot was altijd beleefd geweest.

'Hou je mond.' Zijn stem klonk als ijswater.

'Luke, schat...' Iris vocht tegen haar tranen.

Maar Luke Kane negeerde haar. Hij deed de handdoek van zijn middel, stapte met zijn rug naar haar toegekeerd in bed en trok de dekens om zich heen.

Iris overpeinsde deze gebeurtenissen terwijl het bloed in haar aderen bonsde en ze de baby voelde schoppen. Iris vertrok geen spier toen dat gebeurde, zo kwaad was ze. 'Zo kun je niet tegen me praten, Luke. Zo kun je *niet* tegen me praten. Ik ben je vrouw. Ik probeer je te vertellen hoe ik me voel. Het enige wat ik probeer te zeggen is dat je meer aandacht aan me moet besteden – je moet aandacht besteden aan *mij*, niet aan Sugar. Je kunt niet zeggen dat ik m'n mond moet houden. Ik ben die herrie beu en dat drinken en dat je nooit bij mij bent. Ik bedoel, wat doen jullie eigenlijk daar beneden? Wat doen jullie als jullie naar de stad gaan of een eindje gaan rijden? Wat *doen* jullie dan? Ik bedoel – sommige mensen zouden het vreemd vinden als een man – een *vader* – meer tijd met zijn zus doorbrengt dan met zijn vrouw.'

Het was voor het eerst dat Iris ruziemaakte met haar man, de eerste keer dat ze kritiek leverde op Sugar. Het was ook de laatste keer, want Luke Kane kwam razendsnel naast haar overeind en maakte twee snelle bewegingen. De eerste was Iris slaan met zijn open hand waardoor haar lip scheurde. (Dit was ook de eerste, maar niet de laatste keer dat Iris de kringen en levenslijnen van zijn hand zo dichtbij zag.) Luke Kanes tweede beweging bestond uit het ballen van zijn vuist die hij in Iris' uitpuilende buik ramde.

1997

Keeler ziet nog steeds geen kans de glimlach van zijn gezicht te halen, een glimlach die veroorzaakt wordt door de gedachte aan Thomas Jefferson III die sterft onder de handen van Mister Candid. Zijn superieur loopt voor het raam te ijsberen.

'Oké, Keeler. Dit is wat ik wil dat je doet: stel een ploeg samen, bestaande uit twee teams, inlichtingendienst. Zorg er verder voor dat de FBI binnen twee uur drie ploegen, twee undercover, klaar heeft staan in Miami. Vorder de vervoermiddelen die je nodig hebt. Ik zorg verder wel dat dat goed komt. Ik zal contact opnemen met de directeur in Harrison en zorgen dat er pasjes voor je klaarliggen. Jij en de teams blijven zowel binnen als buiten, gewapend, in burger en undercover. Zorg dat je daar komt, graaf je in en wacht op hem. De instructies voor iedereen die erbij betrokken is laat ik aan jou over. Per slot van rekening,' de chef veroorlooft zich een klein lachje, 'ben jij degene die zegt dat hij Mister Candid kan herkennen van het signalement. Jij kunt de mensen vertellen wat ze moeten weten.'

'Keelers glimlach verdwijnt. 'Meneer?'

'Wat?'

Keeler slikt. 'Meneer, u wilt dat ik Thomas Jefferson *bescherm?*'

De lege ogen in het uitdrukkingloze gezicht van de chef nemen Keeler op. 'Ik beveel je Chum Kane, ook bekend als Mister Candid, te arresteren.'

Keelers neusgaten worden groot van woede. 'Meneer – '

'Keeler, dat is een bevel.'

'Thomas Jefferson is verantwoordelijk voor – '

'Ik weet *precies* waar hij verantwoordelik voor is, Keeler. Dat is onze zaak niet. Wij zijn de FBI. Ons motto is beschermen en dienen. We zijn geen rechters van het hooggerechtshof.'

De Ice Man, de Verschrikkelijke Sneeuwman, is nu zover weg dat Keeler hem zich niet eens meer kan herinneren. 'Thomas Jefferson heeft negen kinderen vermoord.'

De chef brult: 'En Chum Kane heeft meer dan negentig mensen vermoord. Nou opgedonderd, Keeler.'

Keeler laat het hoofd hangen, denkt aan de afwezige handen, herinnert zich de geur van het strand in New Jersey, herinnert zich dat hij het kloppen van Flanagans hart hoorde. 'Meneer, mag ik een vraag stellen?'

De chef kijkt hem aan, schudt zijn hoofd en zucht. 'Wat?'

'Denkt u dat hij gelijk heeft?'

'Waar heb je het over, Keeler? We verspillen onze tijd.'

'Denkt u dat Mister Candid gelijk heeft? Dat hij doet wat we allemaal zouden willen doen? Ik bedoel, als u dacht dat u ermee weg kon komen, zou u het dan ook doen?'

De chef zucht weer en Keeler ziet een glimp – maar ook niet meer dan een glimp – van de zoon, van de vader die de chef is wanneer hij niet in deze kamer bezig is beslissingen te nemen. 'Keeler, ik had jou die aanstelling niet willen geven. Dat kan ik je nu wel vertellen. Ik wilde geen afgebrande rechercheur van de New Yorkse politie in mijn team. Maar men overtuigde mij ervan dat je de juiste man op de juiste plaats was. En ik moet zeggen dat je me in het ongelijk hebt gesteld. Je bent een ervaren agent, een van de besten die ik ooit ben tegengekomen. Ik had ongelijk. Maar ik heb het gevoel dat je beoordelingsvermogen in deze zaak wat vertroebeld is. Je laat je emoties de overhand krijgen en daarmee komt je professionele objectiviteit in gevaar.'

Keeler denkt weer aan Flanagan – een beer van een Iers-Amerikaan die op dit moment aan een missie bezig is. De beste, de *fatsoenlijkste*, man die Keeler ooit heeft gekend. 'Meneer, ik wil het nog een keer vragen, als het mag. Als u dacht dat u er mee weg kon komen, zou u het doen? Zou u Thomas Jefferson dan overhoopknallen?'

De chef kijkt Keeler enkele seconden, die wel minuten lijken, aan zonder met zijn ogen te knipperen. 'Ik heb een diepgewortelde weerzin tegen je privé-leven meenemen naar je werk. Om die reden heb ik de mensen met wie ik werk niet verteld dat Gloria, mijn kleindochter van vijf, vorige week toen ze in het park aan het spelen was werd benaderd door een potloodventer. Hij riep haar en deed zijn jas open. Daaronder was hij naakt, zijn penis was stijf en hij begon er heftig aan te trekken terwijl hij naar haar toe liep. Gelukkig begon Gloria te gillen en haar moeder enkele andere volwassenen in de buurt waren er binnen een paar tellen. Ze hebben de man gepakt en hem vastgehouden tot de politie kwam. Ik was er niet bij, maar het idee dat mijn kleinkind in zo'n situatie was terechtgekomen houdt me 's nachts wakker. De naam van de man is Scott Graves.'

'Zou u Scott Graves vermoorden als u dacht dat u ermee weg kon komen?' vraagt Keeler en voor één keer begint hij niet te zweten onder zijn chefs onderzoekende blik. De chef staart Keeler aan. Eindeloos. Keeler loopt naar het bureau, leunt ertegen. Kijkt de man aan. 'Zou u zijn naam doorgeven aan Mister Candid?'

De chef schudt zichzelf een beetje, ontspant zijn spieren. 'Agent Keeler, ik heb u opdracht gegeven bepaalde taken uit te voeren. Ik zou misschien uw aanstelling tot leider van dit speciale onderzoeksteam moeten heroverwegen. Echter, ik ben bereid uw mogelijke tekortkomingen in dit speciale geval over het hoofd te zien. U, zo u wenst, het voordeel van de twijfel te gunnen. Agent Keeler, roep uw mensen bij elkaar en donder op.'

Keeler probeert wat aan het gezicht van de man af te lezen, maar daar staat niets geschreven. 'Ja, meneer.' Hij draait zich op zijn hakken om en loopt naar de deur.

'Keeler?'

'Ja?'

'Kan ik op je rekenen? Zul je hem pakken?'

Keeler kijkt de chef aan, realiseert zich voor het eerst dat hij ouder is dan hij had gedacht. Hij is grootvader. 'Ja, meneer, u kunt op me rekenen.'

LUKE EN IRIS KANE

Iris' vliezen braken op het moment dat Luke Kanes hand in contact kwam met haar bleke gezicht. De foetus vroeg zich af wat er aan de hand was, waarom dat stromende geluid klonk, waarom het weggleed, toen Luke Kanes vuist haar territorium binnendrong en haar langzaam deed ronddraaien in de bloedrijke ruimte. De navelstreng, die eruitzag als een bloederige, gedraaide snoepveter, kronkelde en wikkelde zich om de nek van de baby. De foetus draaide met haar nek, probeerde zich uit de strop te bevrijden, maar bewegen was zo *moeilijk* in de beperkte ruimte.

Uren later, in de operatiekamer van het ziekenhuis, bevrijdde een dokter de foetus door met grote onhandige vingers de strop los te maken. Uren later. De foetus tuimelde door de ruimte, probeerde zich vast te grijpen aan de bloederige wanden. Uren later. De foetus werd een baby en kwam ter wereld en belandde tussen de dijen van Iris. Uren later. Te *veel* uren later, zoals zou blijken. Terwijl Lydia zichzelf het onbekende inschoot, stoof Minuteman, 's werelds eerste intercontinentale raket, door de ruimte. Lydia was zich daar niet van bewust.

O, Iris bracht wel degelijk een baby mee naar huis met de saffierblauwe ogen van de Kanes, met de gladde bleke huid van de Chandlers. Een schoonheid. Ze was een schoonheid. Ze was levendig, ze was innemend (ze was ook beschadigd, maar het duurde maanden voor iemand dat in de gaten had). Toen Iris weer in East Hampton kwam met haar ingepakte baby in haar armen, stond Luke Kane bij de deur op haar te wachten, te wachten om haar naar de kinderkamer te begeleiden die hij had ingericht.

Iris besefte dat dat zijn manier was om zijn verontschuldigingen aan te bieden en ze vergaf hem die ene klap.

Het was Sugar Kane, die op een dag terwijl ze over de wieg gebogen stond met een sigaret in haar ene en een fles bier in haar andere hand, zag dat Lydia's ogen wegdraaiden. 'Hé, Iris, kom eens hier,' riep ze.

Iris was met kleren van Charlie bezig, vouwde stapels T-shirts, rolde sokken in elkaar. 'Wat?'

'Moet je dit eens zien.' Sugar keek hoe Lydia lag te gorgelen terwijl de zo bekende ogen van links naar rechts vlogen.

Iris kwam de kinderkamer binnen, duwde Sugar aan de kant. 'Wat? Wat is er?'

'Haar ogen.' Sugar nam een slok bier. 'Kijk, ze kijken nergens naar. Ze gaan alle kanten op.'

Het was 1961. Het duurde maanden voor duidelijk was in hoeverre Lydia beschadigd was. Iris bracht dagen door in klinieken, in de praktijken van kinderartsen, in de auto op weg van de een naar de ander. Iris maakte ruzie met iedere dokter die ze tegenkwam, met iedere specialist. Immers – Charlie was een genie, hoe kon Lydia dan anders zijn? Maar Lydia *was* anders.

'Nou, wat houdt het allemaal in?' vroeg Luke Kane op een vrijdagavond toen hij terugkwam van de Hunter-Philipsbank. 'Wat mankeert ze?' vroeg hij, terwijl hij zich, nog steeds gekleed in zijn pak en overjas, een bourbon inschonk.

Iris zat op een weelderige, pas beklede sofa in de zitkamer Charlies tenen door zijn sokken heen te masseren, terwijl Charlie lag te slapen met zijn duim in zijn mond. 'Lydia heeft een hersenbeschadiging. Ze zal leren lopen, maar niet echt goed, ze zal kunnen slapen, eten en ademhalen. Maar ze zal nooit behoorlijk leren spreken. Zie je, ze kan niet denken.' Iris boog haar hoofd. Ze huilde niet, dat lag achter haar. Ze was verslagen. Sugar was er nog steeds en Lydia was er niet. Of, liever gezegd, Lydia was er *wel*, maar opgesloten op een plek waar Iris nooit bij zou kunnen.

'*Verdomme!*' schreeuwde Luke Kane en zette zijn glas zo hard neer dat het in stukken brak. Charlie bewoog in zijn moeders armen, geeuwde en viel weer in slaap.

Later zou blijken dat Charlie het enige menselijke wezen was dat ooit contact zou krijgen met wat er van Lydia over was. Toen hij zijn zus zag, werd hij op slag verliefd – op haar kleine handen, haar mooie huid, haar ogen. (Genetisch geheugen?) Hij stond tussen de spijlen van Lydia's wieg te gluren en keek hoe zijn zus lag te sputteren en te lachen, haar dikke voetjes probeerde te pakken met haar nog dikkere vingertjes. Charlie was gek op haar en las haar voor, praatte met haar, speelde met ballen en speelgoed dat ze niet kon vangen, zelfs niet goed kon zien, zonder dat het hem ooit verveelde. Hij hield onvoorwaardelijk van haar, zonder daar verder over na te denken. Zij was de reden dat hij iedere ochtend opstond, de reden dat hij kinderliedjes leerde, de reden dat hij kinderboeken las. Hij wist niet dat er iets mis was met haar: hij dacht dat ze gewoon langzaam en vergeetachtig was, maar absoluut aanbiddelijk.

Toen Charlie zes was en Lydia drie, probeerde hij haar zijn naam te leren. 'Charlie,' zei hij, telkens weer. Maar Lydia was niet opgewassen tegen de taak om twee lettergrepen te zeggen en zo werd Charlie Chum – tot Iris' ongenoegen. Chum Kane las de *New York Times* en Lydia kon niet eens haar broers naam uitspreken.

Iris bracht jaren door met kijken naar hoe Charlie met Lydia speelde en dankte een god voor Chums geduld. Want haar dochter putte haar uit, maakte haar oud. Huize Kane was te groot, te vol, te *gevaarlijk* voor Lydia. Maar wanneer ze met Chum was, ging alles prima met Lydia. Ze keek naar zijn mond en zijn handen, probeerde hem na te doen en faalde hopeloos. Dan zaten ze met zijn tweeën met een boek opengeslagen op hun schoot terwijl Chum hardop voorlas en Lydia pagina na pagina uit haar boek scheurde, ze de ene keer opat, en de andere keer in kleine stukjes scheurde. Op zomeravonden nam Chum Lydia mee naar buiten, naar de tuin. Dan pakte hij haar hand en trok haar mee naar het speelrek, terwijl haar dappere, stevige beentjes ongecoördineerd bewogen. Hij zette haar dan op de schommel en ze schreeuwde en gilde en lachte terwijl hij haar hoger en hoger duwde. Soms viel ze van de schommel, vloog met een grote boog door de warme avondlucht en kwam dan met een plof op het korte gras. Maar ze jammerde nooit, huilde niet wanneer het bloed uit haar knieën kwam, want Lydia snapte niet dat pijn slecht was, dat pijn pijn deed. Misschien voelde ze het niet? Soms op die zomeravonden, als de zon achter het huis onderging, keek Iris naar haar kinderen die op de schommel aan het spelen waren, het gras oplichtend in het gele licht, het witte houten hek achter hen scherp afgetekend tegen de oceaan, en dan kon ze even geloven dat alles in orde was met de wereld.

Het evenwicht in hun leven werd verstoord op de dag dat Chum naar school ging en de autoriteiten erachter kwamen hoever zijn capaciteiten reikten. Toen verschenen de kinderpsychologen, die hem allemaal dolgraag wilden onderzoeken, allemaal zijn grenzeloze intellect wilden meten. Die deskundigen ondervroegen hem eindeloos en kwamen tot de slotsom dat hij op een snelspoor naar het succes moest worden gezet, naar een speciale school moest. Ze stelden Iris voor hem naar een instituut voor hoogbegaafden te sturen, maar dat weigerde ze – als Chum wegging zou zij alleen achterblijven met Lydia en wat moesten ze dan? Dus bleef Chum thuis, kreeg 's morgens privé-les in natuurkunde, wiskunde en literatuur en ging 's middags naar een plaatselijke school zodat hij in contact kwam met andere kinderen. Hoewel de psychologen inmiddels waren verdwenen, hadden ze wel hun sporen bij Chum nagelaten. Want nu hij begreep hoe anders hij was, werd hij zich er van bewust hoe vreemd Lydia was. Hij begreep toen dat ze niet helemaal in orde was. Ze kon niet lezen of rekenen. Ze kon niet eens behoorlijk praten, kon geen woorden leren, en Chum wist, op de een of andere manier, dat ze dat ook nooit zou kunnen.

Iris besteedde de volgende tien jaar aan het inrichten van een leven voor zichzelf, een leven dat draaglijk was. Ze nam geleidelijk aan de verantwoording voor het huishouden op zich, omdat Sugar daar de belangstelling voor verloor: Sugar bracht haar leven liever al cocktails drinkend door dan met het doen van boodschappen. Iris bracht haar echtgenoot de meeste ochtenden naar het station en haalde hem de meeste avonden weer op, wanneer hij niet in de stad bleef overnachten. Overdag hield ze toezicht op de hulp, soms las ze een beetje, of kookte. Ze lunchte met Chum en Lydia en als die maaltijd voorbij was, bracht ze Chum naar school om hem een paar uur later weer op te halen. Een enkele keer speelde ze 's middags bridge met een groepje moeders die in de Hamptons woonden, terwijl Lydia aan haar voeten op het vloerkleed lag te rollen, te kwijlen, en haar broer miste. Die lange middagen, slechts onderbroken door een gemompeld 'doublet' en 'redoublet' en het getinkel van ijsthee, waren een beetje pijnlijk. De andere moeders wisten niet goed wat ze met Chum en Lydia aan moesten. Ze praatten over hun eigen kinderen, lachten om het gewone, gebruikelijke, *normale* kattenkwaad en de beproevingen van het ouderschap, en hielden dan plotseling hun mond als ze dachten aan de genialiteit van Chum en de achterlijkheid van Lydia. Erger nog – wanneer Iris haar tas had gepakt, Lydia had afgestoft en vertrokken was – legden ze hun kaarten neer en speculeerden over Luke Kane en Sugar. Ondanks hun rijkdom, ondanks hun afkomst, verveelden deze vrouwen zich en ze deden niets liever dan andermans leven ontleden. Ze hadden medelijden met Iris vanwege haar zorgen en problemen – haar vreemde kinderen en haar afwezige echtgenoot – maar ze lachten ook om haar vreemde accent, haar kleren, haar manieren. Iris kwam per slot van rekening uit Hoboken, New Jersey; niet bepaald oostkust-chique. (En wat niet vergeten mag worden is dat de meeste van die vrouwen op de achterbank van Luke Kanes auto hadden gelegen, toegevend of huilend.)

Iris hield Juanita en José in dienst en raakte in de loop der jaren zeer gesteld op Juanita, een rustige, laconieke vrouw uit Puerto Rico. Er groeide een goede verstandhouding tussen de twee en Iris dronk vaak een kopje koffie met de dienstbode. Langzaam kreeg Iris een beeld van Lucinda Kane, de moeder van haar echtgenoot. Ze kwam te weten dat Lucinda dronk, geen liefde kende, hoorde van haar eenzame dood. Ze ontdekte ook dat Luke uit het huis verbannen was geweest toen hij nog een jongen was en ze vroeg zich af waarom dat was geweest. Op een avond laat vroeg ze Luke Kane naar de reden en opnieuw zag ze zijn hand van zeer nabij toen hij door de lucht kwam en haar van de stoel af sloeg. Iris leerde geen vragen te stellen, maar desondanks was zij het doelwit van slagen en stompen. De woede van Luke Kane werd steeds makkelijker gewekt, maar Iris leefde te geïsoleerd om te weten of alle echtgenotes dit moesten doormaken, dus probeerde ze het maar te negeren.

Luke Kane en Sugar leefden in de jaren zestig als volslagen nietsnutten, feestend, het ervan nemend, drinkend, rokend, experimenterend met hasj. Luke Kane liet zijn haar groeien en wist niet meer hoe hij de jive moest dansen; hij schakelde van bourbon over op bier en hij kreeg een buikje. De meeste weekends gaf hij feesten, nodigde collega's en hun vrouwen uit om bij hem thuis te komen barbecuen en cocktails te drinken. Sugar en hij waren het middelpunt van deze bijeenkomsten; Luke Kane flirtte met elke vrouw en Sugar speelde de rol van vrouw des huizes, terwijl Iris zich met Lydia bezighield, haar dochter probeerde te kalmeren die het niet op vreemden begrepen had, die huilde en onrustig werd als de muziek te hard stond.

Tijdens deze feesten zat Chum in de vensterbank van zijn kamer en keek uit over de tuin, met zijn ogen zijn vader en

Sugar volgend terwijl zij zich onder de gasten mengden. Dan hoorde hij Lydia in haar kamer, luisterde hoe zijn moeder haar probeerde te kalmeren en vroeg zich af of het er in ieder gezin zo aan toe ging. Hij zag zijn vader nauwelijks. Die werkte in de stad en vulde zijn huis gedurende de weekends met vreemden. Een enkele keer tijdens die lange avonden, deed Luke Kane de deur van Chums slaapkamer open en gluurde om de hoek van de deur naar zijn zoon die aan zijn bureau zat te werken, te worstelen met wiskundige vraagstukken.

'Hallo daar, soldaat. Alles oké?'

Dan keek Chum op, met nietsziende ogen. 'Ja.'

'Goed zo.' En dan deed Luke Kane de deur weer dicht en verdween, op zoek naar Sugar.

Chum haalde het eindexamen van de middelbare school toen hij dertien was. Dat had hij al jaren eerder kunnen doen, maar Iris remde hem af, wilde hem zo lang mogelijk bij haar in huis houden. Maar zelfs zij kon zijn talent niet voor eeuwig verborgen houden en dus ging Chum toen hij veertien was naar Harvard om pure en toegepaste wiskunde te studeren, een gebeurtenis die in de kranten werd uitgemeten en die vooraanstaande schrijvers er toe bracht zich af te vragen wat het effect daarvan zou zijn op zo'n jonge jongen.

Luke Kane bracht zijn zoon met de auto naar Boston omdat hij zich realiseerde dat hij niet mocht ontbreken bij zo'n belangrijke stap in een jongensleven. Het ging per slot van rekening om Luke Kanes *alma mater*. De zes uur durende reis was de langste periode die hij ooit alleen met zijn zoon had doorgebracht en hij ontdekte dat hij een gereserveerde, bedachtzame jongen was. Luke Kane had zich altijd bedreigd gevoeld door Chums buitengewone intelligentie, maar stikte bijna van trots, elke keer dat hij zijn collega's vertelde wat Chum had bereikt. Chum zat zich die uren in de auto zorgen te maken om Lydia – wat moest er nu van haar terechtkomen?

1997

Flanagan en Bronwen zitten, gehuld in nieuwe, schone kleding, weer in de auto, rijden weer op de I-95, langs Wilmington. Ze rijden al uren in zuidelijke richting in de steeds groter wordende hitte, maar hebben nog steeds meer dan vijftienhonderd kilometer voor de boeg. Er is een zekere verbondenheid tussen hen ontstaan, maar niet door de nachten die ze samen hebben doorgebracht in kingsize bedden; het komt eerder door de uren in de auto, vooral tijdens de steeds korter wordende schemeravonden, wanneer de zon zakt en de auto een wereld op zich wordt, met de zacht gloeiende verlichting en het gefluister van de radio, dat de band tussen hen is gegroeid. Ze hebben de dagen doorgebracht met het leveren van commentaar op andere automobilisten of op de lelijke buitenwijken van de steden waar zij voorbijrijden: New York, Baltimore, Washington, Richmond. Maar naarmate het donkerder wordt, worden hun gesprekken persoonlijker. Bronwen praat over haar jeugd in Ynys Môn, over hoe koud, hoe troosteloos, hoe *klein* het eiland is: de afstanden die zij en Flanagan hebben afgelegd lijken eindeloos. Toen ze met de Greyhound naar het noorden reisde, van Florida naar New York, had de Stemvrouw haar afgeleid van de duur van de reis, maar nu is ze zich bewust van elke kilometer die ze afleggen. Flanagan praat over zijn familie – zijn grootmoeder uit Ierland, zijn ene korte, mislukte, huwelijk. Hij vertelt zelfs waarom hij politieman is geworden, wat zijn motieven waren, allemaal gebaseerd op praktische overwegingen, op morele gronden.

De derde dag passeren zij de grens met Florida en om hun aankomst te vieren nemen ze een kamer in het Saltspray Hotel aan Fernandina Beach en brengen de avond door op het balkon, eten bergen vis terwijl ze uitkijken over de Atlantische Oceaan. Nu ze in Florida zijn, op weg naar het Emerald Rest Home, hebben ze het gevoel dat ze dicht bij de oplossing van een probleem zijn. Bronwen, echter, heeft haar eigen probleem.

Ze veegt de boter van haar mond, stopt haar vingers in een schaaltje water. 'Flanagan, ik kan niet met je mee naar binnen. Om de hoofdzuster te spreken, bedoel ik.'

'Waarom niet?'

'Toen ik wegging heb ik iets gestolen. Ik heb de kleine kas leeggehaald.'

Flanagan leunt achterover, zijn kin druipend van het vet. 'Je hebt *gestolen?*'

'Ik had geen geld en ik moest daar echt weg.'

Flanagan zucht. 'O, oké. Maar ik vind dat je het terug moet geven. Hoeveel heb je gepikt?'

'Vierduizend dollar.'

'Dat noem je de kleine kas?'

'Zoveel zat er in. Maar je hebt gelijk, ik zou het terug moeten geven.'

Later die avond, terwijl Flanagan zijn tanden aan het poetsen is in de badkamer, zit Bronwen op het bed en maakt haar koffer leeg. De envelop is er nog steeds, samen met andere enveloppen. Met twaalfhonderd dollar per keer heeft Bronwen aardig wat geld verdiend toen ze voor Sam werkte. Ze telt vierduizend dollar in gebruikte biljetten uit, doet er een elastiek omheen en stopt de enveloppen weer in haar koffer. Wanneer Flanagan tevoorschijn komt, vraagt ze: 'We zijn er morgen toch, of niet?'

Flanagan geeuwt. 'We hebben nog bijna duizend kilometer te gaan, dus ik denk dat we er zaterdagmiddag wel zijn.'

'Ik ga niet mee naar binnen. Geef jij de hoofdzuster het geld maar en zeg niks over mij.'

Flanagan knikt en klautert in bed. Binnen een paar minuten ligt Bronwen bij hem, met haar hoofd op zijn borst, de foto van Chum onder haar kussen.

Chum Kane is vertrokken uit de Four Seasons en heeft een limo naar Newark Airport genomen waarvandaan hij het vliegtuig naar Miami neemt. Terwijl hij tegen het raampje geperst zit, werken zijn hersenen, zoals altijd, als een goed geoliede machine. Hij is nog steeds zenuwachtig, zit al in spanning sinds hij de afspraak maakte om Sam te ontmoeten. Hij maakt zich zorgen om de foto die ergens rondzwerft, om het feit dat ten minste twee mensen zijn naam en gezicht kennen. Hij ziet in zijn hoofd hoe zijn prioriteiten veranderen. Waar hij eerst van plan was geweest een bezoek te brengen aan Harrison Pen om daarna zijn moeder op te zoeken, heeft de loop der dingen er voor gezorgd dat deze beslissingen zijn teruggedraaid. Hij wist dat de foto van zijn moeder was, dus hoe heeft iemand die te pakken gekregen? Zeventien jaar geleden heeft hij zijn moeder voor een ziekenhuis achtergelaten met de foto in de zak van haar jurk. Hij had anoniem geregeld dat zijn moeder werd overgebracht naar het Emerald Rest Home en vervolgens maandelijks geld gestort op een rekening-courant bij een bank. Hij heeft de foto zeventien jaar lang niet gezien, net zo min als hij Iris heeft gezien. Misschien is de tijd rijp om eens te zien hoe het met haar gaat?

Terwijl het vliegtuig begint te dalen, waardoor zijn oren dicht gaan zitten, besluit Chum zijn plannen te veranderen: Harrison Penitentiary kan wachten (MacDonald en Jefferson gaan per slot van rekening nergens heen), maar zijn bezoek aan zijn moeder kan dat niet. Er valt een stilte als de passagiers kijken hoe de vleugels trillen en de landingsbaan op hen af komt. Wanneer hij de aankomsthal verlaat om zijn huurauto te gaan halen, slaan de hitte en de vochtigheid hem tegemoet, bezorgen hem een schok na de scherpe kou van het late voorjaar in New York. Hij rijdt Miami uit en stopt bij een benzinestation om een hamburger en een kaart te kopen, rijdt vervolgens in westelijke richting over de US-41, door de Big Cypress Swamp, in de richting van Naples en zijn moeder.

CHUM KANE

De stille vijandigheid van zijn medestudenten die de veertienjarige Chum in iedere collegezaal voelt, maakten zijn eerste weken op Harvard tot een hel. Hij voelde zich klein en stom, te jong en te weinig toegerust, tot het tot hem doordrong dat hij ideeën kon begrijpen waar de overige studenten niets van snapten. Pas toen de faculteit besloot hem in zijn eentje les te geven begon hij van zijn tijd daar te genieten. Iedere ochtend als hij wakker werd, hongerde zijn brein naar feiten, naar vraagstukken. Zijn hersenen maalden in zijn schedel tot ze kleine beetjes diofantische vergelijkingen kregen gevoerd, of teksten waarin de theorie van de recursieve functie werd beargumenteerd; zijn hersenen verzwolgen Goldbachs Vermoeden en worstelden met het laatste theorema van Fermat. (Jaren later, in 1993, toen hij vierendertig was, las Chum het verslag van Wiles oplossing van het probleem. Op dat moment was hij onderweg en hij haalde een exemplaar van de *New York Times* toen hij door Sale Creek, Tennessee, kwam. De ontdekking van dat feit – dat Fermats uitdaging eindelijk was beantwoord – deprimeerde Chum vreselijk. Het herinnerde hem zowel aan de reikwijdte van zijn jeugdige ambitie als aan hoe ver hij daarvan verwijderd was geraakt.) Zijn dagen en avonden in Harvard waren bezet, met ontbijt in de eetzaal, colleges, lezingen, lesgeven, avondeten, lezen, vraagstukken oplossen. Hij had geen tijd ergens anders aan te denken dan aan de theorie van de cijfers, tot het weekend werd. Dan schreef hij brieven aan Iris en Lydia. Hij wist dat Lydia ze niet kon lezen, dat Iris ze moest voorlezen en zelfs dan hadden ze geen enkele betekenis. Maar hij schreef iedere week plichtsgetrouw zijn verslag van wat er was gebeurd en deed dat op zondagavond op de post. Op zaterdagavond lag hij in bed in de logeerkamer van zijn mentor en luisterde naar de studenten die op straat gilden en naar elkaar riepen. Niet dat hij mee wilde doen, maar hij had het leuk gevonden iets met iemand samen te doen.

In de vakanties ging hij naar huis, naar Lydia en Iris in het huis in East Hampton, en had dan dozen vol boeken en schriften bij zich. Overdag was hij bij Lydia, 's avonds zat hij in zijn kamer te studeren. Hij voelde zich het veiligst in zijn studeerkamer, zijn eigen plekje. Iedere keer dat hij thuiskwam was Lydia gegroeid. Het was alsof alle energie die eigenlijk naar haar hersenen had moeten gaan, in haar beendergestel werd gestopt. Ze was lang en slank voor een meisje dat nog zo jong was. Haar huid was smetteloos, deed iedereen aan Sugar, haar tante, denken, haar ogen waren van het verblindende Kaneblauw, haar haar zwart en vol. Op foto's was ze een jonge schoonheid; in werkelijkheid kwijlde en schreeuwde ze, maakte ze onverwachte bewegingen. Maar wanneer Chum thuiskwam kalmeerde Lydia, zat ze uren in zijn kamer, keek hoe hij zat te werken. Chum wendde zich dan af van een blocnote vol woest neergekalkte getallen en speelde mens-erger-je-niet met haar, of probeerde haar urenlang een ander spelletje te leren.

Chum was slim genoeg om te beseffen dat hij niet zijn hele leven met alleen maar theorie bezig kon zijn, moest zijn. Dus tenniste hij, speelde trefbal op het strand, leerde zeilen en surfen. Hij ging naar strandfeesten waar hij werd omringd door jonge meisjes en met tegenzin werd bewonderd door zijn mannelijke gelijken. Hij was ook slim genoeg om te vermoeden dat er iets niet deugde aan zijn vaders verhouding met Sugar, maar daar probeerde hij niet aan te denken. En hij had altijd geweten dat zijn moeder diep ongelukkig was en dat hij er niets aan kon doen.

Chum was populair, geliefd en werd door iedereen bewonderd. Zijn studiezin, zijn toewijding werd tot voorbeeld gesteld aan andere, minder ijverige, minder ambitieuze studenten. Zijn geduld met en duidelijke liefde voor Lydia waren onderwerpen van gesprek; hij was beleefd, amusant en origineel. Hij had, kortom, alles wat een perfecte zoon maar nodig had: ijver, integriteit en een gevoel van burgerzin. Theodore zou hem hebben aanbeden.

Dus wat was hem, zoals Sam de Scharrelaar vroeg, toch *overkomen?*

Toen hij zestien was gebeurde er iets dat zelfs Chum, met zijn ijzeren greep op denkprocessen, niet uit zijn geheugen kon wissen. Het gebeurde tijdens een zomeravond, zo bloedheet dat het onmogelijk was te eten, te slapen of te dromen. Hij lag op de lakens te hijgen, en dacht aan ijsbergen en rivieren, terwijl het zweet van hem afdroop. Het was één uur 's nachts en hij zag als een berg op tegen de rest van de nacht. Hij had leren autorijden en hij dacht aan de koele wind die door de open portierraampjes naar binnen zou komen. Hij trok een korte broek en een T-shirt aan en sloop de trap af, pakte de sleutels en glipte naar buiten. De Eldorado stond aan het einde van de oprijlaan geparkeerd, een eind van het huis, en hij stapte in, draaide alle raampjes open, terwijl zijn huid aan het versleten leer plakte. De zware deur sloot met een bevredigende plof en hij startte de motor, reed de weg op.

Het was donker op de weg, de grote, ver uit elkaar staande huizen aan de zeezijde waren onzichtbaar. Chum nam de slingerweg in de richting van Montauk Point, zag dat de wind zand op het zwarte asfalt van de weg had geblazen. De wind leek wat koeler op zijn bezwete gezicht en toen hij bij de Point stopte, op het strand ging zitten en uitkeek over de Atlantische Oceaan, voelde hij zich door het briesje dat van zee kwam wat rustiger. Hij had in het dashboardkastje een pakje Marlboro gevonden en stak er een op – zijn eerste sigaret – en rookte terwijl hij naar het ronddraaiende licht van de vuurtoren keek. Zoals hij er toen tegenaan keek, zou tabak zijn enige slechte gewoonte worden. Hij zat daar in de stilte en overdacht zijn leven, tevreden met de voorspelbaarheid, de logica. Hij wist welke weg hij zou bewandelen, zag zichzelf al als een professionele wiskundige, een academicus, stelde zich voor hoe hij betaald zou worden om vraagstukken op te lossen.

Chum nam een omweg terug naar huis, via Amagansett Springs Road, langs Three Mile Harbor naar Sag Harbor waar hij de weg langs de haven nam, naar de jachten keek die daar lagen afgemeerd en zachtjes wiegden op de lome golfslag. Toen draaide hij naar het zuiden, terug naar East Hampton, en reed over de met bossen omzoomde achterafweggetjes. Er brandde geen licht in de huizen, slechts hier en daar verlichtte een veiligheidslamp het erf, en het enige geluid was het gesnor van de wielen. Voor het eerst – maar zeker niet voor het laatst – had Chum het gevoel dat hij over de wereld waakte terwijl ze sliep. Toen hij thuiskwam, liet hij de Eldorado achter waar hij hem had aangetroffen en sloop het huis weer binnen. Terwijl hij voorbij de open deuren van de woonkamer liep, hoorde hij een geluid zoals hij nog nooit had gehoord. Chum bleef staan en tuurde in de pikdonkere kamer. Terwijl zijn pupillen zich verwijdden ontwaarde hij zijn vaders glimmende ogen die hem recht aanstaarden. Zag zijn vader in een innige omhelzing met Sugar op het kleed voor de gedoofde open haard. Hij deed een stap achteruit, en nog een, en ging de kamer uit.

Chum dwong zichzelf te dromen, kwam de volgende dag pas laat uit bed, zodat hij zijn vader niet aan het ontbijt hoefde te treffen. Hij had er evenmin behoefte aan zijn moeder te zien, of wie dan ook van zijn familie. Hij sloop het huis uit met een handdoek en een boek en liep naar de kust, een eindeloos strand dat zich naar het oosten en het westen uitstrekte tot het uit het zicht verdween. Hij liep langs de waterkant, de handdoek om zijn nek geslagen, en probeerde niet na te denken. Maar dat was natuurlijk niet mogelijk: dat was tenslotte hetgeen waar hij het beste in was. Wat had zijn vader met Sugar uitgespookt? Hoe konden ze zo leven? Waarom had zijn vader zich niet geschaamd? Terwijl hij dat allemaal liep te denken en ondertussen naar de horizon staarde, stapte hij in een stuk vervuild glas, dat aangespoeld en afkomstig was uit een gescheurde zak chirurgisch afval.

De koorts duurde drie dagen, drie dagen in Chums leven waarin hij niet logisch nadacht. Scènes uit zijn leven, belachelijk gedetailleerd en in vele kleuren, flitsten door zijn hoofd. Zijn lakens waren doorweekt van het zweet en Iris moest ze iedere twee uur verschonen. Chum ijlde, schreeuwde betekenisloze zinnen, lachte hardop, knarste met zijn tanden, terwijl Iris bij hem waakte. Het verband om zijn voet moest ieder uur verwisseld worden omdat er pus uit de wond kwam. Zijn voet zwol tot barstens toe op, de huid strak, paars en glimmend, aderen klopten terwijl het bloed alle kanten op stroomde, in verwarring gebracht door de infectie. Aan het einde van de derde dag viel hij in slaap en werd met een helder hoofd weer wakker. Hij deed zijn ogen open en zag dat Iris zat te dommelen in een stoel bij het bed. Voorzichtig groef hij in zijn geheugen en vond een aantal verwarde beelden zonder enige betekenis, en één daarvan was zijn vader die hem in een donkere kamer aankeek terwijl Sugar onder hem lag te kronkelen. Zo kwam het dat Chum de herinnering zag als een beeld dat door de koorts was opgewekt, als een resultaat van het feit dat zijn scherpe geest de controle over hem was kwijtgeraakt.

1997

Terwijl de rotorbladen van de helikopter door de lucht snijden, trillen in de lichte bries, bedenkt Keeler hoe situaties als deze hem (als hij eerlijk is) aantrokken in de FBI. Hij zit in een helikopter terwijl deze daalt, draaiend, kerend, en landt op een helikopterhaven in het centrum van Miami. Keeler draagt een zonnebril en een donker, lichtgewicht pak. In zijn zak heeft hij de nieuwste miniatuurcommunicatieapparatuur met chipkaarttechnologie. Hij kan de hele wereld bellen als hij dat zou willen. Onder hem op het asfalt in het verblindende zonlicht kan hij een groepje zwarte burgerauto's zien dat op hem staat te wachten en mannen die net zo gekleed gaan als hij en van wie sommigen in kleine microfoons staan te praten. Zijn hele leven heeft hij hier naar verlangd: een helikopter die zich op de grond nestelt, deuren die onmiddellijk worden geopend en het gebrul van de motor dat toeneemt en hij, Keeler, die uit de machine springt en door ernstig kijkende mannen wordt begroet. En vervolgens het dichtknopen van zijn jas, een paar kort afgemeten zinnen, gevolgd door een snel vertrek in een gepantserde auto naar een plek waar ze de verdachte in de gaten houden. De *macht* van dat moment.

Waarom voelt Keeler zich dan niet heldhaftig? Waarom heeft hij dan niet het gevoel dat hij het eindelijk gemaakt heeft? Omdat dit allemaal in gang is gezet om Thomas Jefferson III te beschermen. Keeler zit in de auto terwijl een ondergeschikte de plattegrond van Harrison Penitentiary beschrijft en daarbij de terminologie gebruikt die bij de overheid in zwang is. Keeler luistert niet omdat hij te druk aan het worstelen is om zijn geweten te sussen.

Chum volgt een paar uur Highway 41, rijdt de afslag naar Harrison Penitentiary voorbij en vindt een eettent in de buitenwijken van Naples, laat zich op een stoel zakken en bestelt koffie. Auto's en trucks razen voorbij, laten de ruiten trillen. Hij wrijft in zijn ogen, realiseert zich nu pas hoe moe hij is. Hoe *zenuwachtig* hij is. Wat moet hij tegen zijn moeder zeggen? Zal ze hem zelfs maar herkennen? De laatste keer dat hij in haar ogen keek was er niemand thuis. Tenminste, niemand die hij herkende. Hij heeft het gevoel dat hij wordt uitgerekt door een onzichtbare hand. Als hij gaat staan, gooit hij het kopje om en dikke koffieprut druipt op tafel. Terwijl de serveerster opruimt vraagt hij de weg naar het Emerald Rest Home.

'U rijdt terug naar het zuiden en na een kilometer of zes ziet u een weg naar Goodland. Het tehuis ligt een paar kilometer verder aan die weg. U kunt het niet missen. Het ligt niet helemaal van god en iedereen verlaten, maar u kunt het daarvandaan zien.' De serveerster glimlacht naar hem.

Wanneer hij het stuur vastpakt merkt Charlie dat zijn handen beven; ze zijn niet meer met beven gestopt sinds die ochtend dat hij Sam ontmoette. De vochtigheidsgraad is ongelooflijk en zijn bevende handen zijn glibberig van het zweet. In zijn hoofd knettert het. Wat zal hij *zeggen*? Chum voelt zich ongemakkelijk, ondanks dat de airco voor verkoeling zorgt. De geur van het moeras in de buurt vermengt zich met de weeë geur van de Golf en geeft hem het gevoel dat hij onder water is. Hij slaat linksaf, rijdt in de richting van Goodland. De B-weg is ongelijk en slecht onderhouden. Hij blijft naar rechts kijken en daar ziet hij een bord dat naar het Emerald Rest Home verwijst. Hij slaat de oprijlaan in en trapt op de rem, waardoor de auto een beetje slipt in het modderige stof. De ramen van het tehuis zijn dichtgetimmerd; meters geel-en-zwarte politietape wapperen in de wind. De tuin lijkt wel een jungle. De verf is gebladderd en vuil. Zelfs de palmbomen met hun waanzinnige rode bladeren, zien er uit alsof niemand van ze houdt. Maar, wat belangrijker is, er staat nog een auto voor het verlaten gebouw, en twee mensen bij de indrukwekkende dubbele deuren schermen hun ogen af tegen de zon om hem te kunnen zien.

Chum ramt de versnellingspook in de achteruit en glibbert de oprijlaan af.

Bronwen laat haar hand zakken en draait zich weer naar de ingang van het tehuis.

'Je zou toch verwachten dat er een briefje zou hangen of zoiets. Je weet wel. Dat ze een nummer zouden achterlaten dat je kunt bellen. Wat moeten we nu?' Ze klinkt verslagen. Flanagan en zij zijn vijf dagen onderweg geweest om hier te komen, om Iris te spreken, alleen maar om erachter te komen dat het tehuis gesloten is. Dichtgetimmerd, afgesloten, afgelopen. Bronwen geeft een trap tegen de drempel. 'Wat is er aan de hand?' Het is haar opgevallen dat Flanagan fronsend naar de kleine, kolkende stofwolk op de oprijlaan kijkt die Chum Kanes auto heeft opgeworpen. 'Wat is er loos, man?'

Flanagan haalt zijn schouders op. 'Ik weet het niet. Eh... wat we nu moeten? Een paar telefoontjes plegen, denk ik.' Hij loopt op een sukkeldrafje naar de auto, terwijl Bronwen hem langzaam volgt, vreselijk terneergeslagen.

Ze rijden naar Naples, parkeren en steken de weg over naar een eettent. Flanagan vraagt om kleingeld en gaat naar de telefoon. Hij draait het nummer dat hij van Twyla Thackeray heeft: de telefoonmaatschappij komt aan de lijn en vertelt hem dat het nummer niet meer is aangesloten. Hij vraagt of er een nieuw nummer is. Niet verrassend, dat is er niet. Flanagan knikt zwijgend, bedachtzaam, loopt naar de tafel waar Bronwen zich op de specialiteit van de dag heeft gestort – risotto met garnalen en salade. Haar voorhoofd glimt.

'Ik wist niet wat jij wilde, dus ik heb maar vast voor mezelf besteld.'

Flanagan geeft geen antwoord. Hij tikt met de rand van een kwartje op de tafel, drumt een ritme, hetzelfde ritme dat Keeler altijd met zijn vingernagels trommelt.

'Gaat het?' Bronwen houdt lang genoeg op met lepelen om het te vragen. 'Wat is er gebeurd? Wat zei de hoofdzuster?'

'Ze is niet thuis. Er is geen verbinding, het nummer is afgesloten.'

Nu stopt Bronwen helemaal met eten: zelfs zij merkt dat hier sprake is van een patroon. 'Dat zijn een beetje te veel toevalligheden, vind je niet? Het tehuis gesloten en de hoofdzuster verdwenen.'

'Je slaat de spijker op z'n kop.' Flanagan roept de serveerster. 'Neem me niet kwalijk, juffrouw, ik vroeg me af, kent u het Emerald Rest Home, in de buurt van Goodland?'

'Dat ken ik zeker.'

'Ik vroeg me af – weet u wat ermee gebeurd is? Ik bedoel, ik kom er net vandaan en het is helemaal dichtgetimmerd.' Het beeld van 1078 Apaquogue, East Hampton, dringt zich aan hem op. Nog een verstoten huis waar de Kanes hebben gewoond.

De serveerster stopt haar bonboekje in een zak en slaat haar armen over elkaar. 'Zonde, hè? Zo'n mooi huis en zo. Het is, laat me eens even denken, twee, drie weken geleden gesloten. Het heeft allemaal in de krant gestaan. Het schijnt dat de directeur gewoon opgehouden is met werken. *Alles* is gestopt met werken. Het was er een zooitje.' De serveerster schudt haar hoofd. 'Het was nogal een toestand. Schandalig, als je het mij vraagt. Iedereen hier was er nogal van ondersteboven. – u weet wel, al die oude mensen die zo behandeld werden. Mijn man heeft er een paar maanden gewerkt – hij is daar weggegaan omdat hij niet betaald kreeg. Werkt nu hier in de keuken.'

'Waar zijn alle patiënten – sorry, cliënten – waar zijn die heengegaan?'

'Eh – ah... George?' schreeuwt ze en een roodharige man

steekt zijn hoofd door het luik. 'Wat is er met die mensen van Emerald gebeurd? Waar zijn die heengebracht?'

'Ze hebben er maar twee aangetroffen. De anderen waren allemaal weg of dood. Tja, waar zijn ze naartoe? O, ja, ik weet het weer! Diamond Days, dat is het. Diamond Days net buiten Alva, aan de Caloosahatchee. Heel mooie plek. Daar zou ik wel willen wonen als ik te oud ben om te werken.'

'Dat duurt nog wel even,' roept de serveerster hem achterna. 'Kan ik iets voor u doen?' vraagt ze Flanagan en haalt haar boekje tevoorschijn. 'U heeft gezien wat de specialiteit is. Wilt u een menu?'

'Nee, nee, dank u. Ik neem een cola. Eh... hoe kan het dat er maar twee bewoners waren? Ik bedoel, weet u hoe ze heetten?'

'Het bleek dat een van hen de directeur was – u weet wel, de vrouw die overal de schuld van was. Eerst dachten ze dat ze gewoon een patiënt was. Er zou nog een aanklacht komen, maar ze is gestorven voor ze haar voor de rechter konden slepen. Zet je aan het denken, hè? Alsof Onze Lieve Heer haar voor straf heeft weggenomen.'

Bronwen snuift terwijl Flanagan vraagt: 'Hoe ver is het naar Alva?'

'De moeite niet – misschien zestig, zeventig kilometer. Als u erheen gaat kunt u het beste de Parkway nemen en dan de negenentwintig, richting La Belle. De vijfenzeventig is om de een of andere reden afgesloten en de eenenveertig zit vast.' De serveerster lacht. 'Het lijkt wel of iedereen nu belangstelling heeft voor dat tehuis – goed voor de zaken, in ieder geval.'

'Wat bedoelt u?'

'Er kwam vanmorgen een kerel, een paar uur geleden of zo. Hij vroeg ook naar het Emerald.'

Bronwen en Flanagan kijken elkaar aan. Kijken dan weer naar de serveerster.

'Hoe zag hij eruit?' vraagt Flanagan.

De serveerster kijkt bedenkelijk. 'Bent u naar hem op zoek?'

'Misschien.'

'Nou...' Ze kijkt even naar het luik, het zit haar niet lekker.

Flanagan laat haar zijn penning zien. 'Gewoon een signalement is meer dan genoeg, juffrouw.'

'Nou... lang, blond. Knap, denk ik, als je daar op valt.'

Bronwen duikt in haar buitengewone decolleté en haalt de foto tevoorschijn. 'Is dit hem?'

De serveerster zet de bril op die aan een ketting om haar nek hangt en tuurt naar de polaroid, zet de bril weer af. 'Zeker – dat is hem, liefje.'

'Alleen wat u moet weten, meneer. Dit is *strikt* op basis van wat u moet weten.' Keeler staat in het kantoor van de gevangenisdirecteur en de directeur is geen gelukkig man. Hij is woedend dat de FBI Harrison volstopt met undercoveragenten en gewapende mannen.

'Meneer Keeler, dit is een Extra Beveiligde Inrichting. Niemand kan erin of eruit zonder mijn toestemming. Ik kan me geen situatie voorstellen die het noodzaakt dat de soepele gang van zaken in deze instelling wordt verstoord. Daar komt nog bij dat hier de gevaarlijkste en meest gestoorde misdadigers van de staat zijn gehuisvest. En van buiten de staat, in sommige gevallen. Hier de orde handhaven en de zaken onder controle houden is geen eenvoudige zaak. Iedere gebeurtenis, zelfs een kleine verandering, kan het wankele evenwicht verstoren, zowel mentaal als fysiek. Ik wil uw superieur spreken.'

Keeler heeft het dossier van Jefferson gezien op een stapel op het bureau van de directeur. 'Uw zeggenschap hier wordt opgeschort zodra de FBI erbij betrokken is –'

De directeur ontploft, springt overeind. 'Zorg dat ik uw superieur aan de telefoon krijg, dan zal ik met hem praten. En dit is geen verzoek.'

Keeler haalt zijn schouders op en pakt een onlangs geïnstalleerde telefoon die niet kan worden afgeluisterd. Hij toetst een nummer in, praat even en overhandigt de hoorn. 'Alstublieft, meneer.'

De directeur begint op zachte, dringende toon te spreken en Keeler schuift het dossier van Jefferson centimeter voor centimeter over het bureau naar zich toe. De directeur heeft het niet in de gaten, draait zijn rug naar Keeler om uit het raam te kunnen kijken naar de luchtplaats beneden, waar onzichtbare laserstralen kriskras overheen schijnen en die in de gaten gehouden wordt door vier gewapende bewakers in torens op de hoeken van de met prikkeldraad bespannen muren. Keeler slaat de omslag van het dossier open en staart in het gezicht dat hij negen jaar heeft proberen te vergeten. Het gezicht waar hij uren in een kleine witte kamer naar heeft zitten kijken terwijl de mond in dat gezicht open- en dichtging en hem vertelde hoe Katarina Kowalski was gestorven. O, wat had ze gegild. De mond had hem verteld dat Katarina de eerste was die was vermoord en dat hij niet had geweten dat er zoveel bloed bij kwam kijken. Niet geweten had dat zo'n klein lichaam zo lang kon blijven leven.

Keeler bladert geluidloos door de papieren. Kijkt vluchtig naar de rapporten van de psychologen, ziet de gebruikelijke zinnen: 'psychotische fase', 'ongewoon intelligent', 'begaafd', 'waarschijnlijk psychopathisch', 'onvoorspelbaar', 'vermogen tot zelfmisleiding', 'buitengewoon geheugen voor toonreeksen', 'toenemende mate van gespleten persoonlijkheid', 'vooruitgang in de rehabilitatie'. Achter in het dossier zit een envelop met foto's: Jefferson op de kleuterschool; bij de dilploma-uitreiking op de middelbare school; een krantenknipsel met een foto van Jefferson in toga terwijl hij een prijs in ontvangst neemt op UCLA; gekleed in smoking en naar de camera glimlachend, knap en ontspannen, met zijn arm om een mooie vrouw geslagen. Keeler doet het dossier dicht, sluit zijn ogen. Wanneer hij ze weer opendoet, ziet hij het rode stempel op de voorkant van het dossier: Datum van herziening 05/03/97.

De directeur smijt de hoorn op de haak, kijkt woedend naar Keeler die dat niet opmerkt. 'Het ziet er naar uit dat ik geen keuze heb. Het enige wat ik van u vraag, agent Keeler, is dat uw mannen me niet voor de voeten lopen, uit mijn blikveld blijven.'

'Wat heeft dit te betekenen?' Keeler wijst naar het helrode vierkant op Jeffersons dossier.

'Dat, agent Keeler, gaat u eerlijk gezegd niks aan.' De directeur pakt het dossier en geeft het zijn alfabetische plekje in de ladekast.

'Wat heeft dat te betekenen? Dat hij in aanmerking komt voor vervroegde vrijlating?'

'Ik heb nu een vergadering. Ik zou het op prijs stellen wanneer u mijn kantoor verlaat.'

'Wordt Jeffersons zaak *herzien*?'

'Goedendag, agent Keeler.' De directeur keert hem opnieuw de rug toe.

Chum Kane zit in de bibliotheek in het centrum van Fort Myers, bladert door oude nummers van de *Cypress Courier*. Zijn hoofd doet pijn, zijn handen beven nog steeds, dus het duurt even, maar uiteindelijk vindt hij het: een verslag van het schandaal Emerald Rest Home. Hij volgt het verhaal van dag tot dag tot hij vindt waar hij naar zoekt: twee mensen zijn overgebleven, overgebracht naar Diamond Days bij Alva aan de Caloosahatchee River. Het is twee uur 's middags wanneer hij weer naar buiten stapt en zijn ogen doen pijn wanneer zijn pupillen zich vernauwen. Hij komt bij zijn auto en terwijl het zweet van zijn rug stroomt rijdt hij rond tot hij een telefooncel vindt. Hij neemt nu zo snel achter elkaar beslissingen dat hij ze op hun plaats kan *horen* vallen. Maar een keuze maken, een beslissing nemen betekent nog niet dat de dingen werkelijk zo zijn. De verbinding tussen Fort Myer en Los Angeles is slecht, maar Chum kan genoeg verstaan om te weten te komen dat Gideon is verdwenen, gearresteerd met dertigduizend dollar op zak en meegenomen, waarna nooit meer iemand iets van hem vernomen heeft. Gideon behoort niet langer tot de mogelijkheden.

DE FAMILIE KANE

De plannen voor het feest toen Chum Kane op zeventienjarige leeftijd afstudeerde aan Harvard, werden door de vrouwen met wie Iris bridge speelde, omschreven als, op zijn zachtst gezegd, buitensporig. Wat die verbale sluipschutters zich niet realiseerden was dat dit afstuderen de eerste keer was dat Iris de overstap naar een volgende levensfase met haar zoon kon vieren. Chum had zich al op zo'n jonge leeftijd als een volwassene gedragen dat Iris nauwelijks de tijd had gehad om een prestatie op zijn waarde te schatten voor de volgende die alweer in de schaduw stelde. Het diploma van de middelbare school had voor hem niets om het lijf gehad. Zijn stem veranderde en zijn baardgroei begon toen hij al op de universiteit zat. Hij had zijn rijbewijs in Boston behaald, net als zijn graad. Toen hij in de eerste week van juni 1975 terugkeerde naar East Hampton was hij al een jonge man. Iris, zo leek het, had zijn hele puberteit gemist.

Om dit goed te maken organiseerde ze een feest zoals ze in de Hamptons nog nooit hadden meegemaakt en dat de eerste zondag in augustus gehouden zou worden. Luke Kane haalde zijn schouders op toen ze hem vertelde wat ze van plan was, schonk zichzelf nog een borrel in en zei dat ze kon doen wat ze maar wilde. Ze hadden per slot van rekening geld genoeg. Vervolgens ging hij, zoals altijd, op zoek naar Sugar. Iris was die avond nog laat op, smeedde plannen, stelde lijsten samen. Luke Kane mocht dan misschien niet geïnteresseerd zijn, Chum, die zag dat zijn moeder voor het eerst in jaren tevreden was, een doel had, ging bij haar zitten en hielp haar dingen te bedenken.

Chum stond met zijn moeder in de gloeiend hete zon terwijl zij de timmerlieden uitlegde dat zij een nieuw terras wilde, dat uitgebouwd moest worden in de richting van de zee en aan twee kanten langs het huis moest lopen met een balustrade over de hele lengte. De elektriciens kregen te horen waar zij in de tuin de ondergrondse verlichting moesten aanbrengen, waar meters en meters feestverlichting in de bomen moest worden gehangen. José hield toezicht op het planten van honderden bloemen, het snoeien van de bomen en het knippen van de struiken. Hij schilderde het houten hek, verving rotte luiken en schilderde ze. Iris liet de timmerlieden de schuur weghalen waar Lucinda uren in stilte had gehangen, zachtjes schommelend. Het zwembad werd leeggehaald, de tegels gerepareerd en schoongemaakt. Een mozaïek van een springende dolfijn werd aangebracht in de bodem en de elektriciens legden onderwaterverlichting aan. Vervolgens werd het zwembad weer gevuld met steriel blauw, chemisch water. Het terras, dat nu een oppervlakte had van een paar duizend vierkante meters, was schoon en ruw. Iris liet het hout behandelen en lakken.

Iris raakte haar ongelukkige gevoel kwijt in de voorbereidingen voor het feest en liet het aan Chum over om voor Lydia te zorgen. Omdat er zoveel lawaai was en er zoveel vreemden in en om het huis liepen, nam Chum Lydia elke dag mee naar het strand, waar de overige zonaanbidders hen met verwondering gadesloegen. Chum bond haar haar in een knot en waste haar gezicht en handen voor ze het huis verlieten. Lydia zag er tamelijk goed uit in haar bikini – haar huid bruin en haar benen lang en gespierd. Jonge mannen wierpen steelse blikken in haar richting terwijl ze daar op haar handdoek zat en kwamen steeds dichterbij. Maar wanneer ze dichtbij genoeg waren, zagen ze het sliertje speeksel dat ongemerkt langs haar welgevormde kin droop, dan zagen ze het rollen van de korenbloemblauwe ogen en de lichte bewegingen die haar handen in het zand maakten waarmee ze zandkorreltjes alle kanten op liet vliegen. Wanneer de zon hoger steeg en Lydia begon te zweten, lokte Chum haar mee de zee in waar ze samen pootjebaadden, waarbij Lydia gilde en op en neer sprong. Vaak viel ze dan hard op haar achterste, maar zei, zoals altijd, niets over pijn en Chum wist dat haar val werd gebroken door het water. Soms hield hij zijn armen gespreid en dan kwam ze naar hem toen en hield hij haar in zijn armen, haar hoofd tegen zijn buik terwijl hij haar voorzichtig verder mee de zee in trok, tot zo diep was dat ze kon drijven. Dan stonden haar ogen dromerig en hield ze op met gorgelen wanneer de golven over haar heen sloegen, haar oren onder water zodat ze het geklets van de mensen niet meer kon horen.

De maand juni ging voorbij en hoewel de zon niet meer zo hoog kwam, bleef de temperatuur onverbiddelijk stijgen. Chum en Lydia waren allebei bruin van zon en zout, en lui. Luke Kane en Sugar waren zelden in het huis: hij zette slapend geld aan het werk, terwijl Sugar haar dagen sleet in de stad, drinkend en feestend. Iris merkte hier allemaal niets van. Op een ochtend werd ze om vijf uur wakker en ging naar beneden, naar de tuin, in haar kamerjas, met een kop koffie. Terwijl ze bij het hek stond en naar het huis keek, realiseerde ze zich dat het af was, realiseerde zich ook dat het omhulsel er keurig uitzag, maar dat het interieur verwaarloosd was. Ze had genoten van de nieuwe periode in haar leven, van het gevoel dat ze een doel had, dus richtte ze haar aandacht op dit nieuwe probleem. Opnieuw besprak ze het met Luke Kane en opnieuw haalde hij zijn schouders op; en weer werden de timmerlieden besteld. De kledingkasten met spiegeldeuren en de popperige ladekasten werden uit de slaapkamers gesloopt. Oude, emaillen wastafels en toiletpotten werden op de oprijlaan gegooid toen de badkamers werden gesloopt. De keuken werd helemaal overhoopgehaald en het antieke gasfornuis leunde wankel tegen de wastafels op de oprijlaan. Iris was net een wervelwind, een tornado, die door het huis stormde, het afbrak terwijl ze nog met de plannen bezig was, zich boog over schuurmachines en gordijnstof, linoleum en tapijten.

Loden pijpen werden uit de muur gerukt, elektrische leidingen blootgelegd, vernieuwd en weggewerkt, beschadigde vloeren werden vervangen. Luke Kane en Sugar mopperden over de overlast en trokken in Luke Kanes appartement in de East Eighties dat hij nooit had opgegeven. Chum worstelde in zijn kamer met wiskundige vraagstukken die hij van Harvard had meegenomen en zorgde zo goed als hij kon voor Lydia. Juanita en José werkten te midden van de chaos, bedenkelijk kijkend en afkeurende geluiden makend. Dat ging ondertussen allemaal aan Iris voorbij, het enige doel dat zij voor ogen had was de omcirkelde datum op de kalender – 3 augustus, dan zou het huis opengaan voor tweehonderdvijftig gasten die Chum zouden fêteren tijdens *het* feest van de zomer.

Juli – en het bleef maar heter worden, over de dertig, tegen de veertig graden. Sugar kwam uit de stad, werd onuitstaanbaar door de vochtigheid, de vervuiling, het slechte humeur van iedereen om zich heen. Ze wilde in de nabijheid van de zee zijn, wilde de frisse lucht opsnuiven en in het koele zoute water zwemmen. Toen ze terugkwam in het huis in East Hampton trof ze daar de kamer uit haar kindertijd ontdaan van alle kleur en comfort aan. Chum lag wakker en luisterde naar het geschreeuw van zijn moeder en zijn tante dat door de hete nacht klonk. Hij kon geen woorden onderscheiden, maar het was duidelijk dat Sugar niet blij was. Maar ze bleef, want het alternatief – in de stad blijven – was nog erger.

Toen ze die zomer terugkeerde was Sugar in de bloei van haar leven. Ze was vijfendertig, slank, met haar figuur intact, haar schoonheid opvallender dan ooit. Ze was rijk, ze was vrijgezel en ze werd achternagelopen door iedere man die ze ontmoette. Maar bijna twintig jaar lang had ze de enige man bezeten die ze werkelijk wilde – haar broer – dus speelde ze met al die aanbidders en wees ze ongebruikt weer af. Luke Kane was de enige man met wie ze ooit naar bed was geweest, de enige man van wie ze het gevoel had dat hij haar gelijke was. Vanaf het moment dat hij op het strand was verschenen toen ze vijftien was en haar had gevraagd mee te gaan om een kop koffie te drinken, had ze nooit een andere man overwogen. Dus hing ze rond op het terras, op het strand, en wachtte tot de waanzin voorbij was, tot het afstudeerfeest voorbij was, zodat ze haar oude leven met haar broer weer kon oppakken.

Langzaam maar zeker kreeg het huis zijn nieuwe vorm, een nieuwe persoonlijkheid, naarmate de laatste details die Lucinda's hand verrieden – behang, tegels en verf – verdwenen. Iris vroeg zich af waarom ze dit niet eerder had gedaan – het zou haar leven zo veel makkelijker hebben gemaakt als ze haar stempel had kunnen drukken op haar omgeving, als ze de touwtjes in handen had genomen. Iris was in haar element.

Luke Kane leek ook tevreden met de verandering. Het kostte tienduizenden dollars, maar het deed hem goed te zien dat de herinnering aan zijn moeder werd uitgewist. Hij werkte nog wel gedurende de week, bleef van maandag tot en met donderdag in de stad, maar hij kwam elk weekend naar huis en zag dat 'thuis' een andere aanblik had gekregen. Luke Kane was hartelijk die zomer: hij sloeg zijn vrouw niet tenzij hij vond dat daar een goede reden voor was; hij schreeuwde niet tegen Lydia, tenzij ze hem persoonlijk ergerde. Hij was discreet met Sugar, zorgde ervoor dat Chum hem niet weer met haar betrapte. Hij dronk minder en probeerde af en toe met Chum te praten. Luke Kane was zelfs zo tevreden dat toen hij die vrijdagavond toen hij thuiskwam voor het weekend waarin het feest zou worden gehouden, hij tot laat in de avond met Chum buiten bier zat te drinken en probeerde te begrijpen wat Chum hem vertelde over numerieke theorieën. Tegen middernacht, hij was toen al een beetje aangeschoten, kondigde Luke Kane aan dat hij Chum de Cadillac Eldorado uit 1950 gaf bij wijze van afstudeercadeau. Chum juichte en sloeg met zijn vuisten op de leuning van zijn stoel. 'Prachtig,' schreeuwde hij en sprong op om zijn vader te omhelzen. Het was de eerste keer dat vader en zoon elkaar omhelsden sinds Chum hem had gevraagd voor te lezen op de avond van de beëdiging van president Kennedy.

Chums geschreeuw lokte Sugar naar buiten; ze was gekleed in een korte broek en een hemd, liep op blote voeten en had dieprood gelakte teennagels. Ze ging aan Luke Kanes voeten zitten, met haar rug tegen haar broers benen, en lachte naar Chum.

'Nou neef, je bent nu een grote jongen. Je hebt een auto, een diploma, er komt zelfs al een baard door. Heb je een vriendinnetje dat bij dat alles past?' Sugars ogen waren donker in de schemering.

Chum schudde zijn hoofd. 'Nee.'

'Daar zou ik dan maar gauw voor zorgen. Heb je iemand op het oog?'

'Nee.' Dat Chum bloosde kon niemand zien. Hij bloosde omdat er *wel* iemand was, op de universiteit. Een vrouw die hij al verschillende keren het plein had zien oversteken, een vrouw die hem bedachtzaam, bijna weemoedig, stemde, iedere keer dat hij haar zag. Maar daar wilde hij niet met zijn tante over praten.

Sugar glimlachte. 'Dat zal wel niet lang meer duren, denk ik zo.' Ze vouwde een hand om Luke Kanes been en Chum kreeg diezelfde merkwaardige ervaring die zijn moeder twintig jaar eerder had gehad: dat ze wel een tweeling leken, een Januskop. 'Misschien word je morgen na het feest wel het bed in gesleurd,' zei ze, en schokte Chum.

En zijn vader lachte. 'Dat zou niet voor het eerst zijn – hè, Chum?'

Chum stond op, zei welterusten en liet de twee alleen.

De volgende ochtend, zaterdag, de dag voor het feest, kwamen al vroeg vrachtwagens om de rommel van de verbouwing af te voeren, terwijl in de tuin partytenten werden opgezet die de gasten tegen de verzengende hitte moesten beschermen. De hele ochtend konden de buren de holle klappen horen waarmee de geëmailleerde wasbakken aan stukken gingen in de metalen grijpers toen de oprijlaan werd opgeruimd, het oorverdovende gekraak van tandwielen wanneer de vrachtwagens optrokken. Iris had het perfect getimed: de muren waren opnieuw behangen, het houtwerk geschilderd, elektriciteit zocht zijn weg door nieuwe bedrading en water stroomde door nieuwe koperen leidingen. Alleen aan de hal moest nog de laatste hand worden gelegd: de plinten lagen, al gezaagd en geschuurd, klaar om tegen de muren te worden geplaatst.

Iris richtte nu haar volle aandacht op het bereiden van het eten. Juanita had de hele week in de nieuwe keuken staan sloven en zweten, met enige tegenzin het gemak bewonderend waarmee ze kon werken in deze maagdelijke, ergonomisch ontworpen omgeving, pannen, messen en snijplanken waren allemaal makkelijk bereikbaar, hingen in keurige rijen. Het vlees, de vis en het zeebanket lagen te koelen in de ijskast. Waar mogelijk werden de groenten klaargemaakt. Kratten bier, dozen wijn, sterke drank en champagne stonden opgestapeld in de nieuwe garage. Iris en Juanita zaten in de keuken en liepen de laatste lijsten na, Iris zo ontspannen door het gevoel dat ze iets had bereikt dat ze zonder meer akkoord ging met Juanita's voorstellen wat betreft de verantwoordelijkheden van keukenpersoneel en bediening.

Die dag dat huize Kane zich opmaakte voor het feest van de eeuw, was de hitte overweldigend. Terwijl Iris en Juanita onder de ventilator zaten die boven de keukentafel ronddraaide aan het plafond, lag Sugar op haar nieuwe bed in haar nieuw geschilderde kamer en droomde van Luke Kane. Lydia was mopperig, niet in staat te begrijpen waarom ze zich zo oncomfortabel voelde. Chum en zij zaten in zijn kamer een kaartspelletje te doen, of liever gezegd Chum legde zijn kaarten willekeurig neer terwijl Lydia die van haar in tweeën scheurde en de helften op de vloer gooide. Ze kreeg een woedeaanval – een indrukwekkend schouwspel: een gewelddadig monument voor de misdeelden en zij die niet begrepen werden in dit leven. Chum keek op een bepaalde manier naar haar en Lydia wist wat er zou volgen. Haar broer begon haar te kietelen, onder haar armen, in haar zij, onder haar kin. Haar gillen werden nu onderbroken door gegiechel, terwijl ze over de vloer rolde en naar Chum schopte.

Het lawaai wekte Sugar uit een gedroomde heerlijke vereniging en ze ging verliggen in het bed terwijl ze het zweet wegveegde dat zich tussen haar borsten had verzameld. Ze ging naar de badkamer, bekeek onderzoekend haar mooie, maar nu licht opgezette gezicht in de spiegel en spetterde koud water in haar nek. Een biertje, dacht ze, ik moet een biertje hebben. De gedachte aan een ijskoude Schlitz dreef haar haar kamer uit. Ze kon Lydia horen gillen en giechelen en ze rolde met haar ogen terwijl ze over het met statische elektriciteit geladen tapijt op de overloop naar de breed uitwaaierende, verbouwde trap liep (dezelfde trap die al die jaren geleden de oorzaak was geweest van haar moeders pijnlijke enkels). Lydia's gegiechel ging over in een ademloos gieren van het lachen. Plotseling vloog de deur van Chums kamer open en de twee kwamen naar buiten getuimeld, Lydia's gezicht verwrongen van gekwelde verrukking. Sugar keek naar haar nicht, als altijd verrast door haar vreemde schoonheid, die zo op die van haar leek en toch zo anders was.

'Hé, jongens,' riep Sugar, 'een beetje minder kan ook wel, oké? Het is veel te heet om zo te lopen gillen.'

Sugar draaide zich om en haar voet zweefde in de ruimte toen ze aan de afdaling wilde beginnen. Op dat moment wist Lydia aan Chums kietelende handen te ontsnappen, wankelde achteruit, lachte haar waanzinnige, gebroken lach en ramde Sugar in de rug. Iedere keer dat Chum aan dat ogenblik dacht – en dat gebeurde vaak – herinnerde hij zich dat de uitdrukking op Sugars gezicht er een was van lichte verbazing. Ze keek niet boos toen ze de ruimte werd in geslingerd door Lydia's gespierde, ongecontroleerde lichaam. Chum graaide naar Sugars T-shirt, maar wist het slechts zo'n korte tijd vast te houden dat het niet eens een ogenblik genoemd kon worden. Sugar kwam op een vreemde manier terecht; haar handen zwaaiden wild in het rond, bleven haken achter spijlen waardoor haar polsen braken. Ze draaide en viel verder, kwam deze keer op haar rug terecht, maakte een koprol, gleed langs de gewelfde muur naar beneden tot ze nog een keer over de kop ging en met een klap op de houten vloer in de hal terechtkwam. Achter haar gleed Chum (voor de tweede keer in zijn leven) langs het gladde tapijt naar beneden, krabbelde achter haar aan terwijl zijn gebruinde handen niets dan lucht grepen.

Het was een spectaculaire val, lang, draaiend en geluidloos. Maar misschien had Sugar het kunnen overleven – met een paar gebroken botten en een gekwetste glimlach – als de plinten niet op de vloer hadden gelegen. Als ze al waren aangebracht, had ze het misschien overleefd. Maar in plaats daarvan doorboorde een vijf centimeter lange schroef die uit de nog niet aangebrachte stapel plinten stak, haar voorhoofd toen Sugars prachtige gezicht de vloer raakte.

1997

Zelfs Bronwen loopt op een sukkeldrafje als Flanagan naar zijn auto rent, sleutels in de hand. Terwijl ze zich in de passagiersstoel laat vallen, zwaar ademhalend, komt de motor tot leven en de inspecteur kijkt haar aan. 'Begrijp je wat dat betekent?' vraagt hij.

Bronwen knikt, te veel buiten adem om iets te kunnen zeggen.

'Hij is hier.' Flanagan kijkt wild om zich heen, alsof hij verwacht dat Mister Candid ergens in de buurt staat, met zijn voet op de bumper van een Eldorado uit 1950. Klaarstaat om loom naar een camera te lachen. 'Hij is in de buurt. Heel dichtbij.'

Flanagan rijdt achteruit de parkeerplaats af, spuit weg in oostelijke richting, naar Alva. 'Weet je nog die auto die aan kwam rijden toen we bij het tehuis waren? Die kwam aanrijden en er toen razendsnel vandoor ging? Ik denk dat hij het was. Hij zag ons en raakte in paniek. Hij had niet verwacht dat er iemand zou zijn.'

Bronwen slikt heftig bij de gedachte dat ze zo dicht bij de man van haar dromen is geweest. Ze had zelfs even naar de auto gekeken en het zich niet gerealiseerd.

'Het was een witte BMW met een zwarte rand,' merkt Flanagan op.

'Hoe weet je dat?'

'Oefening. Sla informatie op, alles wat je ziet.'

Bronwen kauwt op haar wang, vergeet te roken. 'Wat zijn nu de plannen? Waar gaan we heen?'

'Alva – daar zullen we hem vinden. Over een uur, misschien.' Flanagan trapt het gaspedaal in, voert de snelheid van de oude auto op tot honderd kilometer per uur. Eén uur, denkt hij, één uur om de vraag te formuleren die hij al zo lang wil stellen.

DE FAMILIE KANE

Luke Kane reed voorzichtig om de vuilniswagens heen die van de oprijlaan kwamen, lette op omdat hij bang was voor rondvliegend grind dat de lak kon beschadigen van zijn nieuwe kersenrode Ford Mustang die hij die ochtend had gekocht om de Eldorado te vervangen die hij aan zijn zoon had gegeven. Het was een cabriolet en het enige dat hij wilde, was de kap omlaag doen en over de kustweg rijden met Sugar naast zich. Ze zouden naar Montauk gaan, wat drinken en misschien nog even bij het strand stoppen voor ze weer naar huis zouden gaan. Toen hij de auto parkeerde, voorzichtig de handrem aantrok, werd hij zich bewust van de zwaailichten van de ambulance, van de politieagenten die het huis in- en uitliepen. Toen Luke Kane de trap oprende, hield een jonge agent, ogen wijdopen, armen in de zij, hem tegen, versperde hem de weg.

Er zijn gebeurtenissen waarvan de herinnering niet vervaagt naarmate de tijd voortschrijdt. Gebeurtenissen die voor altijd glashelder in het geheugen staan gegrift tot het geheugen zelf ophoudt te bestaan. (Zelfs de door een beroerte getroffen Iris Chandler kon, terwijl ze jaren later langzaam lag te sterven in het vervuilde bed, heldere beelden uit sommige stukken van haar leven oproepen.) Die middag, toen Luke Kane in zijn nieuwe Mustang aankwam en de trap naar het huis oprende, was voor iedereen die er toen was één van die gebeurtenissen. In feite zou niemand die erbij was het ooit vergeten: het ambulancepersoneel, de chauffeurs van de vuilniswagens, de mannen die de partytenten opzetten, Juanita en José. De politie, de dokter. Chum en Lydia. En, vanzelfsprekend, Luke Kane zelf.

Luke Kane raakte buiten zinnen toen het tot hem doordrong dat het lichaam dat onder het laken lag dat van Sugar was. Hij was niet tot bedaren te brengen. Niemand die erbij was zag ooit kans de aanblik kwijt te raken van Luke Kane – de zoon van Mister Steel, de man die *alles* had – die huilde en jammerde als een baby. Niemand kon bij hem in de buurt komen, net zoals hij ervoor zorgde dat niemand in de buurt van Sugar kon komen. Luke Kane bewaakte haar lichaam, als een leeuw, als een *moeder*, knielde ernaast, wanhopig huilend, sloeg naar iedereen die hem probeerde te kalmeren. Hij trok het laken weg van Sugars gezicht, zag de schade die een enkel stukje staal teweeg had gebracht, en zijn verdriet verdubbelde. De geluiden die hij voortbracht waren niet menselijk, ze waren beestachtig.

Geschokt, van hun stuk gebracht door de naaktheid van Luke Kanes verdriet, trokken de mensen om hem heen zich terug. Chum stond doodstil onder aan de trap. Hij wist niet wat hij moest doen; zijn hersenen waren verlamd. Lydia stond bij de deur gekke bekken te trekken en te kwijlen, zat aan de penningen van de agenten. Iris nam Lydia bij de arm, pakte Chum beet, schudde hem wakker uit zijn verdoving, en trok ze allebei mee naar buiten. Ze gebaarde naar de agenten dat ze uit de hal weg moesten gaan en ze gehoorzaamden. De middag was vreemd stil – er kwamen geen auto's voorbij op de weg in de verte, geen meeuwen die naar elkaar riepen, er kwamen geen verwaaide kreten van het strand. Het enige geluid was dat van Luke Kanes hart dat zich leegde en weer vulde, steeds maar weer, terwijl hij jammerde. De minuten verstreken en de dokter en verplegers probeerden hem weer te benaderen; opnieuw gromde en brulde hij en sloeg naar ze. Het duurde meer dan een uur voor de agenten en verplegers Luke Kane konden grijpen en hem konden wegslepen bij het lichaam zodat ze hem konden verdoven. Luke Kane had op zijn lippen gebeten en zijn kin zat onder het bloed alsof hij zich tegoed had gedaan aan het lichaam van zijn zus. Wat hij, in zekere zin, ook jaren had gedaan.

Op dat moment, terwijl de dokter met trillende handen tegen de injectiespuit tikte, maakte Lydia zich los uit haar moeders greep en liep wankelend naar haar vader die languit op de (nog onvoltooide) vloer van de hal lag, aan armen en benen in bedwang gehouden. Voor de tweede keer die dag graaide Chum te laat naar lege lucht. Hij was te laat om Lydia ervan te weerhouden scheef naar haar vader te glimlachen terwijl ze naar het lichaam van Sugar wees.

'Heeft Lyddie gedaan,' zei ze. 'Lyddie geduwd. Sorry.'

Terwijl Luke Kane luisterde naar wat zijn dochter zei, gleed de naald in zijn arm.

1997

De tuin van Diamond Days is weelderig, net zo keurig onderhouden als de baard van een bankier, zo geordend als de kasboeken van een bankier. De bougainville is opgebonden tegen een uitgebreid raamwerk. De bedden vol hibiscus en kerstster zijn vrij van onkruid en aangelegd in oogstrelende symmetrie en te midden daarvan staat een vooroorlogs herenhuis, vakkundig in oude luister hersteld met het houtwerk geschilderd in de kleuren munt, magnolia en perzikroze. Terwijl Chum de parkeerplaats oprijdt ziet hij welvoorziene, goedverzorgde, *geliefde* oude mensen die in de schaduw van de bomen zitten in stoelen met kussens, verpleegsters in de buurt. Achter het huis, voorbij de aangelegde tuin, stroomt de Caloosahatchee kabbelend voort, lamantijnen met zich meevoerend.

Chum blijft een tijdje in de auto zitten, staart naar zijn weinig elegante handen die het stuur omklemmen. Hij bereidt zich voor op een teleurstelling – een bezigheid waarin hij heel goed is. Zeventien jaar zijn voorbijgegaan sinds hij zijn moeder voor het laatst heeft gezien en hij vraagt zich af of zij zich hem nog zal herinneren. Het is ook mogelijk, meer dan waarschijnlijk zelfs toen hij de kansen berekende (gezien de tijd, de plaats en het aantal patiënten in het Emerald Rest Home), dat zijn moeder niet een van de twee overlevenden was die hier naartoe zijn overgebracht. Hij strijkt zijn haar glad, bekijkt zijn ongeschoren gezicht in de achteruitkijkspiegel, doet het portier open en steekt de parkeerplaats over naar de ontvangstruimte in het gebouw. Een jonge, knappe secretaresse kijkt op en glimlacht wanneer ze hem ziet.

'Goedemiddag, meneer. Kan ik u van dienst zijn?' Ze kan haar ogen niet van Chum Kane afhouden.

'Ik hoop het wel. Ik was in de buurt en ik dacht: laat ik eens een bezoekje brengen aan Iris Chandler. Ik ben een vriend van de familie. Ik geloof dat ze hier naartoe is gebracht vanuit het Emerald Rest Home.'

Het mooie gezicht van de vrouw verstrakt en ze houdt een verzorgde hand omhoog. 'Wilt u alstublieft hier even wachten, meneer?' Ze pakt de hoorn van de huistelefoon, mompelt, knikt. Kijkt op. 'Uw naam is?'

'Smith. Ivor Smith.'

'Wilt u even gaan zitten, meneer Smith? Mevrouw Hoffman, de manager, komt zo bij u.'

Chums sterk ontwikkelde zintuigen doen pijn van de spanning. Hij heeft zich blootgegeven. Hij heeft belangstelling getoond voor Iris Chandler. Hij is een stilstaand doelwit. Een schaduw valt over hem heen en hij kijkt op naar de wenteltrap en ziet een vrouw naderen, haar gezicht ernstig.

Keeler ligt, schoenen uit, stropdas af, bovenste knoopje van zijn overhemd los, op het bed in zijn hotelkamer. Hij is nu al negen dagen aan een stuk aan het werk en hij heeft wat tijd voor zichzelf nodig. Niet om te slapen of te eten, niet om naar de televisie te kijken zoals de andere agenten doen. Keeler heeft tijd nodig om te denken. Dus zet hij zijn pieper, zijn mobiele telefoon en zijn laptop uit en legt de hoorn naast de telefoon, en gaat liggen, armen gevouwen achter zijn hoofd en hij denkt. Een toeschouwer zou zich niet bewust zijn van de snelheid en intensiteit waarmee zijn gedachten over elkaar tuimelen, want hij blijft bewegingloos liggen, doodstil. Hij zit niet te friemelen, hoest niet, verschuift niet op de matras. Hij ligt stil en laat zijn mentale rottweiler los nadat hij hem heeft verteld dat hij op jacht moet naar zijn overtuigingen. Als hij klaar is pakt hij de telefoon en draait het nummer van Flanagan in Miami. Hij wil Flanagan spreken, wil iets bespreken dat erg belangrijk voor hem is.

Harris neemt op, vertelt Keeler dat Flanagan nog steeds aan het spijbelen is. Niemand heeft de laatste weken iets van hem vernomen. Harris is pissig, want hij moet meer administratie doen, hij wordt bedolven onder het papierwerk. 'Als u kans ziet die klootzak te pakken te krijgen, zeg dan dat hij als de sodemieter terug moet komen. Hij zit zwaar, heel zwaar in de problemen.'

Keeler verbreekt de verbinding. Schakelt weer over naar de denkstand. Overziet de situatie. Flanagan weet inmiddels wie Mister Candid is, weet waarschijnlijk hoe hij eruitziet. Flanagan is op zoek naar Mister Candid. Net als iedere afdeling van de FBI in Amerika. Keeler weet ook dat Mister Candid op weg is naar Harrison Penitentiary. Hij mag veilig aannemen dat Flanagan dat ook weet. *Ergo*, Flanagan is ergens in de buurt. Flanagan zal Chum Kane weten op te sporen – daarvan is Keeler overtuigd – en zal de kans krijgen hem te vragen hoe hij met zichzelf kan leven. Keeler ondertussen – Keeler die heeft gezien hoe Katarina Kowalski's gezicht uit het zand tevoorschijn kwam – zit hier vast, heeft als taak Katarina's moordenaar te beschermen tegen Mister Candid. De kindermoordenaar wiens vonnis toe is aan herziening.

Keeler ligt de hele nacht op bed, denkt, volgt behoedzaam de gedachtegang die hem opnieuw tot de beslissing zal leiden waarvan hij weet dat hij die al genomen heeft. Keeler ligt stil en maakt plannen, bekijkt iedere invalshoek, volgt de logische route. Tegen de ochtend komt hij overeind en belt zijn vrouw, praat over alledaagse dingen, zegt dat hij van haar houdt. Vraagt of hij zijn dochters kan spreken. Ze vertellen hem wat ze op school hebben gedaan, over het logeerpartijtje van de avond ervoor. Keeler maakt grapjes, maakt ze aan het lachen. Dan neemt hij afscheid en legt de hoorn weer op de haak. Hij gaat weer op bed liggen en slaapt, voelt zich beter dan hij sinds zijn kindertijd heeft gedaan. Hij huilt een beetje, maar vindt dat oké. Geoorloofd.

Mevrouw Hoffman neemt Chum mee naar een kantoor achter de receptie, biedt hem een makkelijke stoel aan en gaat zelf, elegant, op de hoek van het bureau zitten. Dan begint ze te praten.

'Ik vrees dat Iris een paar weken geleden is overleden. Ze is vredig heengegaan, vermoeden we. Ze is 's nachts gestorven, in haar slaap. Ik denk dat ze gewoon weggeglipt is. Iris was geen gezonde vrouw en ik weet zeker dat het een opluchting voor haar is geweest. Het spijt me.'

Mevrouw Hoffman komt naar Chum toe terwijl hij huilt en slaat een warme, stevige arm om zijn schouders, troost hem. 'Meneer Smith,' zegt ze vriendelijk, 'Iris was een beschadigde vrouw, zoals u weet. Ze was een gebroken vrouw. Ze heeft – voorzover we weten – een moeilijk leven gehad, een eenzaam leven. Misschien, en ik wil graag dat u dit voor ogen houdt, was het een opluchting voor haar. Misschien wilde ze sterven. Het feit dat iemand om haar rouwt, dat u nu hier bent, doet me vermoeden dat haar leven niet voor niks is geweest.' Haar honingzoete toon maakt van dit cliché een soort zegening en Chum kalmeert. Hij vraagt, ten slotte, of hij Iris' bezittingen mee mag nemen.

'Die zijn er niet, vrees ik. "Zonder iets geboren, zonder iets begraven – waarom je druk maken? Het leven leidt alleen maar tot die eerste naaktheid",' zegt mevrouw Hoffman en laat haar arm van Chums schouder glijden. Ze loopt terug naar haar bureau, legt wat papieren goed. 'Maar misschien kunt u ons iets meer vertellen over de familie van Iris? We hebben geen enkele informatie gekregen toen ze hiernaartoe werd overgebracht.'

'Ik moet gaan,' zegt Chum die opstaat en op zijn horloge kijkt en naar de deur loopt. 'Ik zal u alles wat ik weet per post doen toekomen.' Hij loopt door de ontvangstruimte naar buiten, de vochtige hitte en het zonlicht in. Een bewegend doelwit.

Flanagan heeft zijn toen al tweedehands auto – een zilvergrijze Ford Camero uit 1982 – tien jaar geleden gekocht. Het is een machine, meer niet, en hij houdt meer van mensen (in het bijzonder de ongeborenen – hoewel hij met de minuut meer gesteld raakt op Bronwen) dan van machines. Daarom laat hij hem nooit een servicebeurt geven, laat hem alleen maar repareren wanneer hij stuk gaat; af en toe doet hij er olie en water in, wanneer hij er aan denkt. De auto heeft, jarenlang, zijn best gedaan hem van dienst te zijn. Maar deze laatste rit, van Naples naar Alva, waarbij Flanagan keer op keer de weg kwijtraakt, is er één teveel. In een tijdsbestek van twee weken heeft de versleten, slecht afgestelde motor bijna vijfduizend kilometer afgelegd. Dat is te veel – en op een verlaten weg even buiten Corkscrew blaast hij zijn koppakking aan stukken, loopt vast en sterft.

'Dat is toch verdomme niet te geloven?' buldert Flanagan en draait steeds maar weer aan het contactsleuteltje.

'Potverdomme,' moppert Bronwen en wuift zichzelf koelte toe met de kaart. 'Kun je het repareren?'

Flanagan slaat bij wijze van antwoord met zijn voorhoofd tegen het stuur.

Ze zitten met zijn tweeën langs de kant van de weg, terwijl water van het moeras en van de zee in de ruime plooien van hun kleding trekt en de muggen op hen af komen. De motorkap staat omhoog, olieachtige, bijna rokende lucht ontsnapt uit de motor. Ze zitten daar een halfuur alvorens de schaduw op te zoeken, Bronwens neus is al rood. Er komt geen verkeer voorbij.

DE FAMILIE KANE

De weken na Sugars dood werden in beslag genomen door lijkschouwingen, ondervragingen, avonden in stilte, doktersbezoeken. Het verbouwde, vernieuwde huis, dat helaas naar vers hout rook, voelde aan als een mausoleum. Luke Kane ging na de dood van zijn zus niet meer aan het werk. In plaats daarvan kroop hij in zijn bed waar hij pillen en bourbon verzwolg, waardoor hij niet meer in staat was zich het moment te herinneren dat hij het verrassend kleine, zwarte gat in Sugars hoofd zag. Iris zat aan zijn bed en probeerde hem gebonden soep en bouillon te voeren, toast, crackers, alles wat maar enigszins de alcohol kon verdunnen, maar hij weigerde alles. De dokter kwam iedere avond en probeerde met Luke Kane te praten. Omdat hij maar bleef zwijgen, als een kind, stopte de dokter hem vol met vitamines, ging weer weg en haalde zijn schouders op wanneer Iris hem vragen stelde. Om de waarheid te zeggen was de dokter geschokt door het feit dat Luke Kane wegzakte in hulpeloosheid. De man had tenslotte een vrouw en kinderen; hij zou zichzelf moeten vermannen.

Chum bleef uit de buurt van zijn vaders kamer, bezocht hem nooit terwijl hij rouwde, want hij wist niets te bedenken dat hij kon zeggen om hem te helpen. Niets dat hij kon doen om zijn verdriet te verlichten. Iris vroeg hem ervoor te zorgen dat Lydia nooit bij zijn vader in de buurt kon komen en dat deed hij.

Augustus ging voorbij, de avonden werden korter en het huis van de familie Kane bleef stil, uitgeschakeld bijna. Chum begon de avonden op het terras door te brengen, zat in de oude schommelstoel, net als zijn grootmoeder en vader voor hem hadden gedaan, en terwijl hij keek hoe de horizon purper kleurde, legde hij de stukjes van de puzzel op hun plaats die werd gevormd door de herinnering aan die keer dat hij het huis was binnengeslopen en Sugar en zijn vader in de woonkamer had aangetroffen. Was dat werkelijk gebeurd? Chum wist het nooit zeker, maar hij had zo zijn vermoedens. Niemand, vond hij, zou zo lang moeten treuren om het verlies van een bloedverwant als zijn vader deed, als er nog zoveel andere levens waren om je zorgen om te maken.

Iris had ook zo haar vermoedens, maar omdat er in het huis noodgedwongen stilte heerste, zei ze niets. Die dag was een muur geworden waarachter alles lag dat eerder was gebeurd en waar aan de andere kant alles lag van erna. Voor het eerst in jaren dacht ze weer aan haar ouders – vroeg zich af of zij de dag dat Iris wegging net zo beschouwden, of zij hem ook zagen als een muur die voor en na van elkaar scheidde. Soms zat ze 's avonds aan de keukentafel en schreef hen brief na brief, smeekte om vergiffenis, maar al die brieven werden aan stukken gescheurd en verdwenen in de vuilnisbak. Op een ochtend kwam ze beneden en zag dat Lydia al eerder was opgestaan, de snippers van Iris' smeekbeden had gevonden en die over de vloer had uitgestrooid. Voor het eerst verloor Iris haar geduld met haar dochter, greep haar bij een pols, trok haar overeind en begon haar op de zachte, gevoelige achterkant van haar dijen te slaan. Het was Chum die haar zachtjes wegtrok, Chum die zijn arm om de brullende, niet-begrijpende Lydia sloeg en haar mee naar buiten nam.

Het was ook Chum die het vaakst door de politie werd ondervraagd. Hij beschreef keer op keer wat er was gebeurd: hoe Lydia en hij aan het stoeien waren geweest, hoe hij haar had gekieteld, hoe ze had gelachen. De vreselijke samenloop van omstandigheden toen Lydia was gaan staan en was weggerend net op het moment dat Sugar de trap af wilde gaan. Keer op keer beschreef hij de gebeurtenis, want Lydia kon dat niet. Wanneer ze ernaar gevraagd werd, was het enige dat

Lydia zei hetzelfde wat ze tegen Luke Kane had gezegd: 'Heeft Lyddie gedaan. Lyddie geduwd. Sorry'. Eén agent, jonger dan de rest, een groentje dat pas in de streek was, vroeg Chum of Lydia Sugar soms niet had gemogen.

'Niet had gemogen?' echode Chum.

'Ja – ik bedoel, is het mogelijk dat Lydia wraakgevoelens koesterde? Misschien zelfs oppervlakkig? Ik bedoel, een onbewust verlangen om van haar af te raken?'

Chum ging staan en liep naar het raam, gebaarde naar het groentje hem te volgen. Hij wees naar de vijftienjarige Lydia die in de zandbak zat te spelen, haar getuite, rozenrode lippen onder het zand terwijl ze bedachtzaam kauwde, gorgelde en op een plastic emmer hamerde. Chum keerde zich naar de jonge man. 'Ik ben misschien bevooroordeeld, maar ik geloof niet dat ze in staat is om ook maar iets te koesteren, denk je wel?'

De agent keek de andere kant op, zijn theorie onderuitgehaald door wat hij had gezien.

Ten slotte was het officiële oordeel dat het om dood door een ongeluk ging en de Kanes werden niet meer lastiggevallen en aan hun lot overgelaten. Chum pakte zijn koffer en dozen en ging terug naar Harvard, waar hij een kamer en een rooster kreeg. In huize Kane ondertussen, trok Iris zich meer en meer terug en werd net als haar moeder: slaafs en onderworpen. Lydia stommelde de dag door, in de gaten gehouden door een kindermeisje. Luke Kane bleef wekenlang in zijn kamer, lurkte aan flessen bourbon, teerde weg. Maar uiteindelijk was hij zo ver gekalmeerd dat hij opstond, een douche nam en zich aankleedde. Hij ging weer aan het werk, bracht zijn ochtenden door met geld van de ene naar de andere plek schuiven, at vervolgens langdurige, met alcohol besprenkelde lunches. 's Middags zat hij aan zijn bureau en keek uit over de wolkenkrabbers aan de horizon en dacht aan Sugar. 's Avonds keerde hij terug naar huis, negeerde Iris en dronk nog meer.

Het was een allesbehalve perfect leven, maar het was te

doen. De Kanes werden iedere ochtend wakker en zagen kans de dag door te komen tot het weer avond was en ze in hun dromen konden vluchten. Met uitzondering van Chum – die kans had gezien te ontsnappen – waren ze niet gelukkig, maar ze redden het. Het had zelfs zo kunnen doorgaan als Lydia niet zo sterk op Sugar had geleken.

1997

Chum zit in de huurauto, kijkt hoe de deftige ouderen van Diamond Days onder een verzameling parasols bijeen worden gebracht waar ze ijsthee krijgen geserveerd en salades met zeebanket, gevolgd door vers fruit. Zijn moeder is dood. Jaren heeft hij aan zijn moeder gedacht, er over gedacht haar te bezoeken. En nu heeft hij haar net een paar weken misgelopen. Hij heeft zelfs nooit afscheid genomen. Sterker nog, hij heeft nooit iets gezegd, haar nooit geschreven, nooit gebeld. Hij heeft zelfs haar begrafenis gemist. Chum legt zijn hoofd op het stuur en huilt opnieuw.

Keeler, scherp en opvallend in zijn witte overhemd en onlangs geperste pak, deelt in de gevangenis orders uit. Hij is tot de conclusie gekomen dat de agenten verkeerd zijn ingedeeld, dat ze nieuwe posities moeten innemen. De directeur volgt Keeler op diens ronde, kokend van woede, terwijl Keeler de bewaking aanpast. Een aantal agenten wijst op de tekortkomingen in het nieuwe schema, wijst erop dat er donkere stukken zijn, blinde vlekken, in het gebied dat zij bestrijken, maar Keeler houdt voet bij stuk en de mannen gaan, hun geweer als een baby in hun armen.

'Meneer Keeler –' zegt de directeur terwijl Keeler een agent opdracht geeft de verhoorkamer te bewaken.

'Agent Keeler,' snauwt Keeler.

'Is dit werkelijk noodzakelijk?'

'Ja.'

'Ik dacht dat de bedreiging van buitenaf kwam.'

Keeler draait zich op zijn hakken om en kijkt de directeur aan. 'Als ik uw raad nodig heb, vraag ik er wel om.'

'Agent Keeler, ik heb morgen wel de ruimte nodig om te

kunnen werken. We verplaatsen een eerstegraads gevangene en mijn mensen moeten bij alle uitgangen kunnen. Ik kan niet toestaan dat de dagelijkse gang van zaken in deze instelling komt stil te liggen.'

'U verplaatst morgen een gevangene?'

'Ja. De Penitentiaire Herzieningscommissie vergadert elders en ze hebben om een gesprek verzocht met de veroordeelde.'

'Morgen? Hoe laat morgen?'

'Dat mag ik u niet vertellen.'

Keeler glimlacht fijntjes. 'Als u me dat niet vertelt, hoe kan ik dan voor aanpassingen in de bewaking zorgen?'

De directeur kijkt bedenkelijk. 'Oké. Oké. Elf punt nul nul uur.'

'Dank u.' En Keeler laat de man alleen met zijn woede.

Wanneer hij naar zijn auto loopt denkt Keeler dat zijn ogen hem bedriegen. Het licht op het terrein is zo scherp en verblindend dat alle kleur uit het landschap lijkt te zijn verdwenen; het enige dat hij kan zien is zwartwit. Witte gebouwen omgeven door zwarte schaduwen. Hij rijdt langzaam, voorzichtig, terug naar zijn hotel. Hij wil niet dat hem iets overkomt, hij moet goed voor zichzelf zorgen. Hij gooit zich op zijn bed en belt zijn superieur.

'Meneer? Keeler meldt zich.'

'Hoe staan de zaken?'

'Heel goed, meneer. Alles is geregeld.'

'Goed gedaan, agent Keeler. Zorg ervoor dat je hem te pakken krijgt.'

Keeler glimlacht. 'Jazeker, meneer. Ik zal hem te pakken krijgen. Ik vroeg me af of u er nog eens over na wilde denken en me toestemming wil geven contact op te nemen met Sam Kowalski. Ik heb een paar vragen voor hem.' Bijvoorbeeld wat hij dacht van Mister Candid, of hij hem mocht toen hij hem ontmoette, of hij hem *vertrouwde*.

'Dat zal niet gaan, vrees ik.'

'Het zou me geweldig helpen, meneer.'

'Ik zei dat dat niet zal gaan. Voor Sam Kowalski is gezorgd.'

Keeler legt zachtjes de hoorn op de haak. *Voor gezorgd?*

Verkeer is nog steeds afwezig op de verlaten weg en de situatie waarin Bronwen en Flanagan verkeren verergert met de minuut. Ergens diep in Bronwens ingewanden scheidt een onbetrouwbare garnaal zijn gifstoffen af en spant samen met de hitte om haar misselijk te maken. Ze zit een tijdje in de drukkende schaduw, slikt onophoudelijk en voelt hoe haar maag in opstand komt terwijl zij zweet en wit wordt. Dan, zonder enige waarschuwing, geeft ze op spectaculaire wijze over, over het zand, het gras en de frisdrankblikjes in de berm. Flanagan spring op terwijl Bronwen kreunt en op handen en knieën gaat zitten en de garnalenrisotto die ze als lunch heeft gegeten eruit gooit. Hij kijkt verwilderd om zich heen, op zoek naar iets dat haar zou kunnen helpen, maar hij vindt niets. Tot Bronwens ontsteltenis knielt hij naast haar neer, houdt haar haar achterover, wrijft over haar rug en fluistert geruststellende woordjes terwijl zij overgeeft.

Op de oprijlaan van Diamond Days is Chum opgehouden met huilen. Zijn ogen zijn roodomrand en waterig, maar hij is gestopt met huilen. Zijn hersenen, die zich, enigszins in verlegenheid gebracht, hebben afgewend van deze overdaad aan gevoelens, nemen het weer over en hij begint weer te plannen. Hij ziet mevrouw Hoffman die in de schaduw van het portiek verontrust staat te praten met de jonge receptioniste, naar hem kijkt, en hij zet zijn auto in de versnelling en rijdt weg, naar Alva. Hij stopt bij de eerste telefooncel die hij ziet en parkeert zijn auto. Hij belt Sam de Scharrelaar, zich niet bewust van het zweet dat van zijn slapen stoomt en zijn kraag doorweekt. De telefoon gaat nog een keer over en een apparaat neemt op. Een stem. Niet die van Sam. 'Indien u een boodschap wilt achterlaten...' Een spoor. Chum hang op, kijkt om zich heen, verbeeldt zich dat kinderen naar hem kijken vanachter de blinde ramen van de school. Hij rijdt verder, weet niet waar naartoe, blijft op B-wegen.

Dus – Sam is verdwenen, net als Gideon. Beiden, zonder enige twijfel, opgeslokt en verdwenen in de ingewanden van de staat, waar hen alles wat ze van hem weten ontfutseld zal worden en zal worden ontleed. Alle papieren en spullen zijn verbrand. En zijn moeder is dood. Kortom, bijna iedereen die hem kent is verdwenen. Maar... maar... er is nog de foto en er stond een auto geparkeerd bij het Emerald Rest Home. Hoe zit het met die feiten?

Chum neemt een flauwe bocht en ziet een dame in nood aan de kant van de weg en een grote man die vrijwel boven op haar ligt. Chum remt, draait het raampje naar beneden en roept: 'Hé, dame, alles in orde?'

Bronwen kijkt op met waterige oogjes, haar kin bedekt met speeksel en braaksel, en ziet de man van haar dromen. Flanagan houdt op met over haar rug wrijven, kijkt stomverbaasd naar Mister Candid. Bronwen geeft weer over, deze keer ziek van vernedering.

'Kan ik iets doen?' Chum stapt uit de auto, maar blijft er naast staan, laat de motor lopen. 'Wat is hier aan de hand?'

'Mijn vriendin – ze is ziek. Ze heeft iets verkeerds gegeten.' Flanagan kan zijn blik niet losmaken van Mister Candid, alsof hij een geestverschijning is of een filmster of zoiets.

'Ik pak even wat water. Ogenblik.' Chum vindt de fles water en gooit die over de weg naar Flanagan. Bronwen drinkt dankbaar. Dan pakt Flanagan haar zakdoek, maakt hem nat en veegt haar gezicht af.

'Dank u,' zegt Bronwen verlegen.

Chum kijkt naar de oude Camero waarvan de motor inmiddels is afgekoeld. 'Is die van u?'

'Ja, opgeblazen en vastgelopen, denk ik. We hebben zitten wachten tot er iemand langskwam. Al een paar uur inmiddels.'

Chum kijkt over de verlaten weg. Ziet niets. Het is in de veertig graden, de vochtigheidsgraad verlammend. De vrouw kokhalst nog een laatste keer, helpt zo Chum een beslissing te nemen. De vrouw is duidelijk ziek – dit dikke, alledaagse stel heeft hulp nodig. 'Wilt u een lift ergens heen? In de volgende stad zal wel een garage zijn.'

Flanagan gaat staan. 'Dank u, dat zou geweldig zijn.'

En zo, na een jacht van maanden, zit Flanagan – inmiddels zelf op de vlucht – in de auto van Mister Candid, op weg terug naar Naples. Achterin kan Bronwen haar ogen niet afhouden van Chums profiel terwijl ze het braaksel van haar blouse probeert te vegen.

CHUM KANE

Sugar had Chum de avond voor ze stierf gevraagd of hij een vriendinnetje had en hij had moeten blozen omdat er inderdaad iemand was die zijn hart sneller deed kloppen. De vrouw in kwestie was een studente op Harvard, zoveel wist hij wel, want hij had haar gezien bij het verlaten van de collegezaal, met boeken onder haar arm, en lachend met andere studenten. Het was niet zozeer dat ze knap was – haar gezicht was te lang en te scherp – maar er was iets aan haar dat zijn aandacht had getrokken. Het was de manier waarop ze bewoog, de manier waarop ze haar aandacht richtte op degene met wie ze ook maar in gesprek was, hoe ze hun haar volle aandacht schonk tot ze waren uitgesproken. De manier waarop ze naar haar vrienden zwaaide en zich dan afwendde, al helemaal in gedachten verzonken. Chum zag haar onregelmatig, nu weer eens hier, dan weer daar terwijl ze over het terrein liep en hij op weg was van of naar de faculteit of zijn kamer, of de campus overstak voor een vergadering met de professoren of een lezing. Soms ving hij op zaterdagmiddag een glimp van haar op in een cafetaria in Cambridge terwijl hij boeken aan het kopen was. Hij mocht haar dan niet vaak hebben gezien, maar ze nam een groot deel van zijn gedachten in beslag, verstoorde zijn vastberaden toewijding aan het studeren.

Chum was gelukkiger op Harvard dan hij als student was geweest. Zijn aanstelling gaf hem de vrijheid te proberen wiskundige vraagstukken op te lossen zonder dat hij werd gehinderd door examenvrees en hij genoot ervan lezingen te geven en conferenties bij te wonen. Sommige weekends nam hij de Eldorado (bron van jaloezie in de gemeenschap) en reed naar de kust, naar Danbury of Beverley, en zat dan aan het strand de krant of een studieboek te lezen en sigaretten te roken, toegevend aan zijn enige zwakheid. Hij maakte een paar vrienden onder de oudere studenten en de jongere leraren, allemaal jonge mannen met eenzelfde bedeesde houding als hijzelf. Hij kon niet naar een bar omdat hij nog minderjarig was, maar ze kochten bier en keken naar het voetbal, of soms frisbeeden ze op het grasveld. Chum tenniste en roeide in de acht: 's ochtends vroeg op de Charles, ingepakt in een trainingspak, met pompend hart, en zijn riem die door het water sneed.

Hij schreef niet langer brieven tijdens het weekend, want niets dat hij schreef kon de sfeer in huize Kane verlichten – zoveel wist hij wel. Zijn moeder schreef hem af en toe een briefje, kort en verschoond van informatie, en tussen de regels las Chum hoe ongelukkig ze nog steeds was, hoe teruggetrokken Lydia was geworden, hoe onverdraaglijk zijn vader was. Maar dat wist hij toch wel, want hij ging nog steeds naar East Hampton voor Thanksgiving, Kerstmis en oud en nieuw, en misschien een weekje in de zomer, met af en toe een weekend in de loop van het jaar. Die bezoekjes waren vreselijk, vol van dreiging en onbespreekbare zaken, en iedere keer weer vertrok hij zodra hij kon. Maar hij ging omdat hij Lydia wilde zien, die, uiteraard, verrukt was hem te zien en lachte en speelde wanneer hij er maar was. Chum was niet zo dom dat hij dacht dat hij iets aan de situatie kon veranderen – het enige wat hij kon doen was zich gedragen als een plichtsgetrouwe zoon.

'Hoi,' zei ze toen ze naast zijn tafel in de Kerouac Koffee Bar stond.

Hij keek op van zijn artikel over de gelijkwaardigheidsbetrekking tussen hoofdtelwoorden, dat hij aan het herschrijven was voor een presentatie die hij die week moest houden. Het was de vrouw die op een bepaalde manier bewoog. Chum was er niet door verrast: hij had het op de een of andere manier verwacht. 'Hoi,' zei hij en schoof zijn papieren aan de kant.

'Mag ik bij je komen zitten?' Haar irissen hadden, van dichtbij gezien, een vreemde modderig groene kleur, met een randje goud eromheen.

'Natuurlijk, ga zitten. Eh, heb je zin in koffie of iets dergelijks?' Chum stond al naast zijn stoel in zijn zakken naar geld te zoeken.

'Graag. Dank je. Een espresso graag.' En toen glimlachte ze en Chum wist dat alles in orde zou komen. Voor het eerst in zijn leven had hij het gevoel dat alles dat zou volgen logisch zou zijn.

Ze brachten die middag door in de koffiebar en gingen pas weg toen die sloot, waarna ze naar een Italiaanse tent in de buurt van Magazine Street gingen. Ze zaten tegenover elkaar te praten en te praten, al helemaal bij elkaar op hun gemak. Toen ze afscheid namen, voor de deur van haar kamer, noteerde Chum het telefoonnummer van het studentenhuis en beloofde te bellen. Terwijl hij terugliep prentte hij het nummer in zijn geheugen, draaide het om, herleidde het tot een binaire notatie, berekende de kans dat het een ander nummer kon zijn. Het was de mooiste serie gehele getallen die hij ooit had gezien. Het was zelfs zo'n opvallende combinatie cijfers dat hij niet kon weerstaan het te bellen op het moment dat hij weer thuis was.

'Hoi,' zei hij toen een slaperige, onbekende vrouwenstem de telefoon opnam. 'Mag ik Marilyn, alsjeblieft?'

'Momentje.' De hoorn werd neergelegd en Chum wachtte tot haar stem klonk.

'Chum?'

'Ja. Sorry, maar ik moest gewoon bellen.'

'Dat geeft niks. Iedereen hier slaapt.'

'Moet ik ophangen?'

Nee. Nee. Praat met me.'

Dus praatten ze tot in de kleine uurtjes, Chum plat op de vloer, rokend; Marilyn zittend op de trap bij de gemeenschappelijke telefoon. Zo nu en dan pauzeerden ze even om een blikje frisdrank te halen of om naar de wc te gaan en gingen dan weer verder.

Na die eerste ontmoeting zagen ze elkaar iedere dag. Marilyn ging mee naar Chums presentatie over gelijkwaardigheidsbetrekking en begreep er geen woord van. Hij hielp haar met wiskunde. Sommige weekends gingen ze naar Boston en bezochten het aquarium, zwierven door Charles Street, aten in Chinatown, snuffelden uren tussen de boeken bij Brattle. Ze wandelden door Beacon Hill of Back Bay, waar ze van Chums geld een huis hadden kunnen kopen. Maar de meeste tijd brachten ze door in Cambridge, te midden van studenten, waar ze zich het meest op hun gemak voelden.

Eind oktober, en Chum boekte een weekend in een hotel in Provincetown. Ze gingen vrijdag vroeg op pad; het was een heldere dag met een strakblauwe hemel en ze hadden zich dik ingepakt met sjaals en handschoenen, en Chum liet de hele weg langs Cape Cod de kap naar beneden. De bomen waren aan het verkleuren en goudbruine bladeren met groene nerven dwarrelden in de auto en Marilyn probeerde ze te vangen. Ze stopten in Buzzard Bay, even buiten Wareham, en aten gebakken mosselen en kreeft met boter, terwijl ze uitkeken over de loodgrijze zee.Toen staken ze het kanaal over en namen achterafweggetjes naar Provincetown, door kleine stadjes met houten huizen en met shingles beklede torens die uitkeken over groene gladgeschoren gazons in het midden van de stad. Ze kenden allebei de mensen die regelmatig in Nantucket en Martha's Vineyard rondhingen en ze roddelden over gemeenschappelijke kennissen.

Toen ze Provincetown naderden stokte de conversatie en stopte ten slotte helemaal. De zware auto kroop door de stad, waar de luiken waren gesloten in verband met het winterseizoen, de straten verlaten, tot ze stilhielden voor een grijshouten hotel, afgezet met wit. Ze schreven zich in en droegen hun bagage naar hun kamer, die was voorzien van een balkon dat hun uitzicht bood op de kust met zijn verbleekte tinten grijs, wit en vaalgeel. Chum en Marilyn stonden tegen de balustrade geleund, zonder acht te slaan op de snijdende wind. Verlegen gingen zij de kamer weer binnen en stonden daar met hun handen langs hun zij. Uiteindelijk pakte Marilyn Chum bij zijn riem, trok hem op het bed en ging naast hem liggen, en het was die middag dat ze hem vroeg: 'Kan ik je vertrouwen?' De rest van het weekend ging voorbij met periode na periode van huid tegen huid. Chum had het gevoel dat hij, na twintig jaar wachten, was thuisgekomen, eindelijk een plekje had gevonden waar hij op zijn plaats was.

Drie jaar deelden Chum en Marilyn elkaars leven. Zij woonde nog steeds op de campus, maar Chum kocht een appartement (betaald uit zijn trust, die tot zijn beschikking kwam toen hij eenentwintig was) op de hoek van Magazine en Auburn, en Marilyn bracht daar meestal de nacht en de weekends door. Het was een ruim appartement, met bleke, kale vloeren en hoge ramen met driedubbele beglazing. Chum had een studeerkamer, een badkamer met een bad op pootjes, en een grote woonkamer die slechts gemeubileerd was met een stereo-installatie en een bank, bekleed met maagdelijk witte keper, die groot genoeg was voor vier. Hij was zeker groot genoeg voor hen tweeën. In de zomer wierp de zon ovalen van wit licht op de vloer, waardoor ze een perzikkleur kregen; in de winter weerkaatste de sneeuw het licht van de straatlantaarns op het plafond in vreemde, onwaarschijnlijke patronen.

Marilyn kwam op zaterdagmorgen aan (ze bleef nooit op vrijdag omdat ze erop stond uit te gaan met andere vrienden), met haar armen vol boodschappen voor het weekend. Dan ontbeten ze, met bagels of pannenkoeken, vrijden, verdwenen 's middags de stad in om naar de film te gaan of in boekwinkels te snuffelen. Ze praatten, maar het grootste deel van de tijd was dat niet nodig, want hun communicatie verliep in stilte; ze gingen als vanzelfsprekend dezelfde kant op, naar hetzelfde doel. Ze hadden maar één keer ruzie – toen Marilyn, terwijl ze wat dronken aan de Square, zei dat ze geloofde in de goddelijke vonk. Ze gooide haar biertje naar Chum en liep weg. Hij volgde haar naar de campus en zag hoe gebogen ze liep, er verdrietig uitzag. Op dat moment zwoer hij dat hij haar nooit zou verlaten.

1997

Chum rijdt rustig, zijn pols rust boven op het stuur, zijn andere hand bungelt uit het raam, beweegt in de wind. Bronwen kijkt vanaf de achterbank heimelijk naar hem, terwijl de vochtige plekken op haar blouse beginnen op te drogen. Ze wordt afgeleid van de aanvallen van misselijkheid door de schoonheid, de regelmaat van Chums trekken, die, ziet ze, bedekt zijn met stoppels. Tegen haar borst, vochtig van het zweet, plakt de polaroid. Maar ze is er voorzichtig mee – het is de zilverkleurige achterkant die tegen haar huid rust. Hij ziet er hetzelfde uit, maar ouder, op de manier waarop mensen nu eenmaal ouder worden. Het is niet iets waar Bronwen – die zijn beeld op haar duimpje kent – de vinger op kan leggen: zijn haar, donkerblond, is nog steeds vol, zijn ogen nog steeds blauw. Hij is nog steeds lang, rijzig en slank. Maar er is iets aan hem waaraan Bronwen kan zien dat er bijna twintig jaar voorbij is gegaan sinds de foto is genomen. Een zekere droefheid misschien? Alsof er iets uit hem geslagen is. Maar wat en door wie?

Terwijl Bronwen dit overpeinst, zit Flanagan heftig na te denken. Wat moet hij doen? Hier zit hij nu, naast Mister Candid en zijn vraag klopt in zijn borst: *Hoe kun je met jezelf leven?* Hoe vraag je zoiets? Flanagan kan zich geen manier voorstellen waarop je het onderwerp terloops aan de orde stelt. Hoe stuur je een gesprek in de richting van seriemoorden en kinderverkrachters? En, dat komt er ook nog bij, hoe zal Chum Kane reageren? Flanagan kan Bronwen niet in gevaar brengen, niet nu. Hij komt niet tot een oplossing, dus staart hij uit het raampje en kijkt naar de tropische plantengroei die voorbijkomt.

Chum ondertussen, zit de situatie te overwegen. Het beeld

van de auto die hij geparkeerd zag staan op de oprijlaan van het Emerald Rest Home, komt overeen met het beeld van de auto die met pech langs de kant van de weg stond: een zilvergrijze Ford Camero. Hier klopt iets niet. 'Wat wilt u eraan doen? Ik bedoel, wilt u de wegenwacht bellen of zoiets?'

'Pardon?' Flanagan kijkt naar Chum.

'Ik vroeg me af wat u van plan bent te gaan doen.'

'Gaan doen?' Flanagan voelt zich een volslagen idioot.

'Aan uw auto. Ziet er niet naar uit dat die u nog veel verder brengt. En we komen zo in een stad – over een paar kilometer. U kunt misschien een takelwagen bellen.' Chum draait zich om in zijn stoel, kijkt naar Bronwen. 'Gaat het, mevrouw? Voelt u zich al wat beter?'

'Ja, dank u,' zegt Bronwen zedig, slaat haar ogen neer.

'Goed zo.' Ze is niet Amerikaans – haar accent is niet Amerikaans. Chum herinnert zich hoe Sam de Scharrelaar op de bank in Battery het had over een vrouw met een foto...

Drie kilometer? denkt Flanagan verwilderd. Hij ziet alleenstaande huizen verschijnen aan de rand van de stad. Drie kilometer? Drie minuten. Hij neemt een besluit. Heel langzaam reikt hij naar het pistool in zijn holster, maakt hem los, zoekt naar zijn penning. Dan wendt hij zich tot Chum, houdt beide omhoog. 'Wilt u alstublieft stoppen, meneer?'

Chum kijkt naar het pistool, kijkt even naar Flanagan, trekt zijn wenkbrauwen op. 'Pardon?' Blijft rijden.

'Wilt u alstublieft stoppen, meneer? Flanagan zweet. Chum blijft rijden, zijn pols losjes op het stuur.

'Flanagan!' mekkert Bronwen achterin.

'Luister – ik wil hem niet gebruiken.' Flanagan voelt de wanhoop toeslaan.

'Doet dat dan niet,' zegt Chum.

'Luister – ik wil u alleen maar een vraag stellen. Eén vraag maar.'

'Wat? U bent niet van plan mijn auto te stelen, of mijn portefeuille? U bent geen losgeslagen gek?' Chum glimlacht.

'Nee – Verdomme, ik ben van de politie.'

'U gaat me ook niet arresteren?'

'Flanagan!' mekkert Bronwen weer.

De inspecteur veegt zijn gezicht af, houdt het pistool stevig vast. 'Nee, ik ga u niet arresteren, meneer Kane. Of Chum, als ik u zo mag noemen.'

Chum kijkt hem doordringend aan en de auto mindert vaart, komt tot stilstand langs de stoeprand. 'Hoe noemde u me daar?'

'Chum Kane. Ook bekend als Charlie Kane.' Flanagan aarzelt, raapt zijn moed bij elkaar. 'Ook bekend als Mister Candid.' Verdorie, het is wel een knappe vent, denkt Flanagan, terwijl Chum hem aanstaart.

Chum stelt de achteruitkijkspiegel bij, kijkt in de zijspiegels. Langzaam, heel langzaam, kijkt hij uit over de horizon – vlak en weinig boeiend, onderbroken door hoogspanningsmasten. Nergens om je te verbergen. Waar zijn ze? 'Waar is uw ondersteuning?'

'Die is er niet.'

'U wilt me vertellen dat u hier alleen bent? U probeert me wijs te maken dat het geen val was – de auto, zij aan het overgeven?'

Flanagan probeert terug te staren. 'Ik zweer u, ik ben hier in m'n eentje. Ziet u, eigenlijk ben ik met vakantie.'

Chum glimlacht, lacht dan hardop. 'Met vakantie?'

'Ja.' Flanagan laat zijn pistool in zijn schoot vallen en voelt zich voor aap staan.

Chum laat zijn ogen over het gezicht van de inspecteur gaan, over Bronwens puddingbroodjestrekken. Om de een of andere reden – misschien omdat ze met zijn tweeën zo'n onwaarschijnlijk duo vormen om Mister Candid te ontmaskeren – gelooft Chum Flanagan. 'Nou, wat kan ik voor u doen?'

'Ik moet met u praten,' zegt Flanagan.

'Waarover?'

'Dat is te lastig om hier uit te leggen.' Flanagan steekt zijn pistool in de holster, steekt zijn hand uit. 'Inspecteur Flanagan.' Chum schudt hem de hand. 'En dit,' zegt hij en draait zich om in zijn stoel, 'is Bronwen.'

'Bronwen Jones,' zegt Bronwen en steekt een sierlijke, zij het wat dikke hand uit.

'Aangenaam kennis te maken, Bronwen Jones,' zegt Chum en Bronwen bloost bevallig.

'Ik heb een voorstel voor u, meneer Kane.'

'Chum, alstublieft.'

'Oké, ik heb een voorstel voor je, Chum. Jij noemt een hotel naar keuze en wij betalen de overnachting voor ons drieën en dan gaan we lekker dineren en zo. Geen valstrikken, geen ondersteunende teams, geen opnameapparatuur. Het enige dat we willen is praten.' Flanagans groengele ogen boren zich in die van Chum. 'Als je het mij vraagt ben je toe aan een lang, heet bad, een paar borrels en een avond goed gezelschap. Als je het mij vraagt, ben je een man die toe is aan een avond niet op de vlucht zijn.'

Chum voelt de tranen branden terwijl deze grote, harige man – die hij niet kent, die hij nooit eerder heeft ontmoet – meer bezorgdheid om hem toont dan iemand in lange, lange tijd heeft gedaan. Zeventien jaar lang. Hij staart naar het moerasland om hen heen. 'Ik heb eens over een plek gelezen, even buiten Boca Grande. Een vooroorlogs huis aan het strand met watervilla's. Elke villa heeft een pier met een bootje. Er zit geen dak op de badkamers – je kunt in bad liggen en naar de sterren kijken.'

'Hoe ver is dat?'

'Vanaf hier? Niet ver. Ik weet het niet. Een uurtje, misschien?'

'Nou Chum, Bronwen en ik zouden je graag trakteren op een nachtje daar, in ruil voor het genoegen van je gezelschap.'

'Het kost meer dan vijfduizend dollar per nacht.' Chum kan het hele complex kopen en contant betalen, maar hij beseft dat anderen daar problemen mee zouden kunnen hebben.

'Geen probleem,' zegt Bronwen, en denkt aan de verkreukelde enveloppen in haar koffer. Flanagan kijkt haar aan, met stomheid geslagen. 'Laten we dan gaan, man,' zegt ze en Chum zet de versnelling in z'n achteruit, keert de auto en rijdt naar het noorden in de richting van Fort Myers, op weg naar Gasparilla Island.

Terwijl de zon het voor gezien houdt, wegglipt richting Mexico en alles wat in het westen ligt, poetst Keeler zijn tanden en glipt in bed in zijn airconditioned hotelkamer. Hij ligt in de koele, donker wordende kamer en denkt aan zijn gezin en hoe graag hij bij hen wil zijn. Hij draait zich op zijn zij, stopt zijn handen onder zijn wang en denkt aan Gideon en piekert over wat er met de jonge zwarte man moet gebeuren. Keeler hoopt dat hij vrijuit gaat, dat hij inderdaad naar school gaat, want Keeler beseft dat Gideon – gezien zijn achtergrond, gezien de situatie waarin hij geboren is – nauwelijks verantwoordelijk gehouden kan worden voor wat er van hem is geworden. Hij denkt aan Sam Kowalski en vraagt zich af wat er met hem is gebeurd – hoe er voor hem is *gezorgd*. De man, wiens enige dochter is gevonden in een ondiep graf op het strand, heeft toch zeker het recht zijn oude dag in vrede te slijten zoals hij dat wil – domino spelend, wandelingetjes makend in de omgeving, lunchend in zijn favoriete restaurant, wat dan ook. Keeler hoopt met heel zijn hart dat Sam Kowalski, de Scharrelaar, daartoe in de gelegenheid zal worden gesteld.

Keeler raakt plotseling in paniek en hij springt uit bed, loopt de kamer door, pakt de Magnum die hij de avond ervoor heeft schoongemaakt, trekt de slede achteruit en hoort het geruststellende geklik en gefluister van een goed geolied wapen. Hij klimt weer in bed. Staat weer op, gaat naar de badkamer. Drinkt een glas water. Stapt weer in bed. Hij moet slapen. Hij moet de volgende ochtend goed in vorm zijn. Hij stopt zichzelf opnieuw in, knieën opgetrokken, handen gevouwen. En hij denkt aan Katarina Kowalski – hoe zij eruit had gezien. Eenzaam, dat was hoe ze er had uitgezien op dat donkere strand. Triest en eenzaam en doder dan iets anders dat hij ooit had gezien, met haar gerafelde polsen vol aangekoekt zand. Keeler begint te huilen en wou dat Flanagan bij hem was.

Flanagan ondertussen, zit op de pier van de watervilla die Bronwen, Chum en hij delen en nipt aan een wodka martini en kijkt hoe de hemel donker wordt. Het water is lichtgevend, een groene gloed glinstert aan de horizon terwijl de zon erachter wegzakt. Hij heeft gedoucht en zijn baard bijgeknipt, een schone, gestreken broek en overhemd aangetrokken en nu zit hij te wachten tot Bronwen en Chum verschijnen die ook toilet aan het maken zijn. Ze hebben een waar feestmaal besteld – kreeft, garnalengumbo, mosselen en biefstuk. Hij is, beseft hij, volledig tevreden, zijn zoektocht nadert het einde. Dan gaat Bronwen naast hem zitten, gehuld in een jurk, haar haar nog nat. De twee zitten in stilte; ze zitten en kijken naar de dans van het lichtgevende water, horen af en toe het gespetter van een opspringende vis. Even later voegt Chum zich bij hen, gladgeschoren en gewassen, gekleed in een T-shirt en korte broek. Hij pakt een biertje uit de koelbox en komt bij hen zitten, met zijn voeten op de reling, en kijkt met zijn hoofd achterover naar de sterren die verschijnen. Ze zitten met zijn drieën in een kameraadschappelijk zwijgen, alsof ze elkaar al jaren kennen. Chum en Bronwen zitten te roken en Flanagan zorgt ervoor dat de glazen gevuld blijven.

'Toen ik in bad lag drong het tot me door dat ik naar Andromeda en Pegasus lag te kijken. Markab was zo helder dat je er bij kon lezen.' Chums stem maakt de anderen een beetje aan het schrikken. 'Ik heb al jaren niet meer de tijd genomen om naar de sterren te kijken. Je zou bijna vergeten dat ze er zijn.'

Er klinkt een bel en een groep kelners rolt serveertafeltjes de pier op. Er wordt een tafel neergezet en gedekt en het drietal wordt aan tafel geroepen. Koude, droge Entre Deux Mers wordt ingeschonken terwijl ze gaan zitten en de kreeft wordt opgediend. Een uur lang eten ze alleen maar, Chum verbaasd over Bronwens vermogen om eten te verstouwen, gezien het feit dat ze nog geen twee uur geleden misselijk was. De ene gang volgt op de andere, de maaltijd wordt slechts begeleid door gemompelde goedkeuring en opmerkingen over de luxe van hun kamers, de aangename temperatuur. Eindelijk worden de borden aan de kant geschoven en de kelners ruimen af, vegen het tafelkleed met kleine schuiers schoon, serveren koffie en vertrekken.

Flanagan staat op het punt een tevreden boer te laten, als hij zich realiseert dat Bronwen en hij gezelschap hebben. In plaats daarvan loopt hij de villa in, langs Chums kamer, waar hij nieuwe overhemden klaar ziet liggen. De man had niets bij zich – hij reisde zo licht dat de wind hem had kunnen wegblazen. Toen ze in het hotel aankwamen had hij gevraagd of er voor hen allemaal nieuwe kleren in de villa bezorgd konden worden en had er op gestaan die te betalen. Flanagan pakt een Cubaanse sigaar uit een humidor en treft Chum en Bronwen aan die weer op de pier zijn gaan zitten, die nu wordt verlicht door een dansende streng kleine, zachte kaarslichtjes. Ze nippen van hun armagnac, terwijl Chum sterrenbeelden aanwijst, hun namen noemt en hun betekenis uitlegt. Flanagan voelt een steek van jaloezie als hij denkt aan de foto van Chum die Bronwen dicht tegen haar hart draagt. Hij laat zich in een rieten stoel vallen, die kraakt en protesteert onder deze nieuwe last. Door de jaloezie spreekt hij streng.

'Goed – ik denk dat het tijd wordt dat we ons aan de zaken van vanavond wijden.' Zelfs in het gedempte licht ziet hij de gekwetste uitdrukking op Chums gezicht – Chum had vergeten dat het hier een zakelijke overeenkomst betrof. Een tijdje had hij gedacht dat hij onder vrienden was. Flanagans grote, Ierse hart krimpt ineen. 'Wat ik alleen maar wil zeggen, je weet wel. Het wordt laat en zo.' Flanagan houdt zich bezig met zijn sigaar, snijdt het puntje af en knijpt er zachtjes in, alleen maar om zichzelf bezig te houden.

Chum nestelt zich in zijn stoel, trekt de fles naar zich toe nadat hij Bronwens glas opnieuw heeft gevuld. 'Waarmee kan ik u van dienst zijn, inspecteur?'

'O, noem me maar Flanagan. Dat doet iedereen.'

'Heb je geen andere naam?'

'Ja, dat lijkt me wel.' Flanagan fronst zijn wenkbrauwen, probeert hem zich te herinneren.

'Ik bedoel, hoe noemde je moeder je?'

'Padraig – Patrick. Maar iedereen noemde me Paddy en daar had ik de pest aan. Daarom is het nu Flanagan. Dat is het al jaren.'

'Dat wist ik niet,' zegt Bronwen en glimlacht naar hem, zit tussen haar twee meest favoriete mannen ter wereld in. 'Ik denk dat ik je nu niet meer iets anders dan Flanagan kan noemen.'

'Goed zo,' zegt Flanagan en lacht.

'Mijn moeder noemde me Charlie en ieder ander noemt me Chum. Maar ik vertel jullie niets nieuws, is het wel?' Chum schommelt een beetje in zijn stoel. Hoe zouden jullie het vinden als ik, om onze discussie op gang te brengen, jullie vroeg hoe jullie dat weten? Ik bedoel, voorzover ik weet is iedereen die dat wist inmiddels dood of verdwenen.'

Flanagan blaast Caribische rook uit. Het moment is aangebroken en hij is niet in staat leugens te vertellen; is dat nooit geweest. 'Bronwen heeft het me verteld.'

Chum draait zich naar haar toe, zijn uitdrukking nu ondoorgrondelijk. 'En hoe, Bronwen, ben jij dat te weten gekomen?'

Bronwen buigt haar hoofd, gaat met een bleke vinger over de rand van haar glas. 'Je moeder heeft het me verteld.'

Het is nu zo donker dat Bronwen de tranen niet kan zien die onmiddellijk in Chums ogen verschijnen en hij kijkt in de verte, knippert ze weg. 'Ik ben vandaag te weten gekomen dat ze dood is.'

Zonder er bij na te denken steekt Bronwen haar hand uit en legt haar palm tegen de gladde wang van Chum. 'O, dat spijt me zo.'

Terwijl Chum in de verte staart, vraagt Flanagan zich af hoe het nu verder moet. Dit loopt niet zoals hij zich had voorgenomen. Maar hij had geen rekening gehouden met Chums vermogen tot zelfbeheersing: binnen enkele ogenblikken heeft hij zichzelf weer onder controle. 'Wanneer heeft ze het je verteld?'

'Een paar maanden geleden. Ik was haar verpleegster...' En, terwijl ze Chums hand in de hare houdt, vertelt Bronwen hem over het Emerald Rest Home, over de hoofdzuster, hoe Iris het altijd over Chum had, hoe zij, Bronwen, is vertrokken. Maar ze is allebehalve openhartig over *waarom* ze is vertrokken: om Chum Kane te vinden.

'En – was ze gelukkig?' wil Chum weten.

'Ik denk het wel, Chum. Ik denk echt van wel. Ze had een prachtige kamer.'

'Maar hoe wist je wie ik was? Hoe heb je me herkend?' Chum kent het antwoord al.

Bronwen laat Chums hand los en steekt die in de zak van haar japon, haalt de polaroid tevoorschijn. 'Die heeft ze aan mij gegeven' (en biedt in stilte haar verontschuldigingen aan voor de leugen).

Chum pakt de polaroid aan van Bronwen, kijkt ernaar in het bleke licht: hijzelf, zeventien jaar geleden, jong, knap, zijn voet op de bumper van een Eldorado, op het punt in lachen uit te barsten. Hij draait hem om in zijn handen. 'Thanksgiving 1980'. Een bekend handschrift. Een leven lang geleden geschreven.

'Chum?' Flanagans stem lijkt luid in de donkere nacht. 'Chum? Je hebt heel wat vragen gesteld. Ik denk dat ik nu aan de beurt ben.'

'Ga je gang,' zegt Chum, zijn ogen vastgeklonken aan de foto.

'Wat is er met je gebeurd?'

'Pardon?'

Flanagan draait de sigaar in zijn onzekere vingers rond tot die breekt. Hij heeft zo lang met deze vraag rondgelopen. Zo ver gereisd om uiteindelijk hier te belanden. 'Ik ken je achtergrond. Ik weet waar je vandaan komt. Wat is er met je gebeurd?' Flanagan kijkt naar de sterren, ziet Markab knipogen. 'Wat heeft een moordenaar van je gemaakt en – laten we eerlijk zijn – zo'n verdomd succesvolle?'

CHUM KANE

Chum werd de ochtend van die Thanksgiving vroeg wakker, in zijn slaap gestoord door een kater – iets wat zelden voorkwam. Marilyn en hij waren de avond ervoor naar een feest in West Roxbury geweest en hij had te veel bier gedronken, te lang gepraat, het was te laat geworden. Hij lag in bed, probeerde voorzichtig te denken, te testen of zijn hersenen nog werkten. Hij kwam langzaam uit bed en sjokte naar de keuken waar hij een pot thee zette, stond zich te krabben terwijl hij wachtte tot het water kookte. Hij nam de thee mee naar de badkamer waar hij zijn hoofd onder een koude douche hield en vervolgens in bad in stomend heet water ging liggen weken en kijken hoe de sneeuw op het bovenlicht viel. Toen hij zijn haar stond te kammen, keken zijn bloeddoorlopen ogen hem vanuit de spiegel aan en hij zuchtte, vol walging dat hij zich zo miserabel voelde op de dag dat hij naar Long Island moest en het restant van zijn familie onder ogen moest komen. Toen hij zijn spijkerbroek aantrok, rammelde een sleutel in het slot en Marilyn kwam binnen met een tas in haar hand die ze in de hal op de grond liet vallen.

'Ik hoop dat je je net zo beroerd voelt als ik,' zei ze, liet zich op het bed vallen en wreef over haar voorhoofd.

'Denk het wel,' zei Chum, boog zich over haar heen en kuste haar op het hoofd. 'Wil je ontbijten voor we vertrekken?'

'O god – ik weet het niet.'

Chum zette een pot koffie en bakte pannenkoeken en ze aten met z'n tweeën in de keuken en lazen de krant. Toen de wijzers van de klok naar tien uur kropen, stond Chum op. 'Kom op, laten we gaan. Ik haal de auto.'

Hij hobbelde de trap van het appartementengebouw af,

stapte in zijn overschoenen en stapte de vrieskou in – en dat maakte zijn hoofd in één klap helder. Een andersoortige pijn nam de plaats in van de kater – het was zo koud dat zijn kaken pijn deden (genetisch geheugen?). Hij liep krakend door de sneeuw die een sneeuwstorm die drie dagen geleden had gewoed had opgeworpen, en ging naar de garage. Het hangslot was bevroren en hij ontdooide het heimelijk met zijn urine. Hij liet de Eldorado vijf minuten lopen voor hij achteruit de garage uitreed, blij dat de sneeuwkettingen er al om lagen. De verwarming maakte een hoop lawaai, maar was effectief en de ruiten waren binnen enkele ogenblikken schoon. Hij reed terug naar Magazine en daar stond ze – de enige vrouw die hij ooit had begeerd – te wachten op de stoep.

Marilyn stapte in, het puntje van haar neus rood van de kou, klapte in haar handen en rilde. 'Verdorie, wat is het koud. Weet je, je kunt hier je hele leven wonen en dan nog raak je er nooit aan gewend. Iedere zomer weer vergeet ik hoe koud de winters kunnen zijn. Elke verrekte winter neem ik me voor naar het westen te verhuizen. Naar Californië of zoiets – als het maar warm is.' Ze zag Fergus aan de overkant van de straat en riep een groet naar hem, zwaaide terwijl de Eldorado wegreed.

Het was druk op de weg met mensen die op weg waren naar huis voor het weekend en Chum verliet de I-93 die vanuit Boston naar het zuiden voerde en nam in plaats daarvan de 3A, de kustweg naar Plymouth. Er lag meer sneeuw op de tweebaansweg, maar het gewicht van de auto en de sneeuwkettingen hielden hen op de weg en ze maalden verder door blubber en ijs. Mannen in geblokte wollen jassen, dikke laarzen en mutsen, handen in dikke handschoenen, waren bezig opritten van sneeuw te ontdoen en elk van hen stopte er even mee om, geleund op hun sneeuwschuiver, verlangend naar de voorbijglijdende auto te kijken. De hemel beloofde meer sneeuw, de grijze wolken hingen laag, en de buitenlampen van de huizen schenen warm en geel; zelfs de straatverlichting twinkelde. Chum en Marilyn zaten hand in hand te praten, warm en comfortabel in het binnenste van de auto.

Aan de rand van Plymouth sloeg Chum een landweggetje in, reed stapvoets glibberend en glijdend over de bevroren modder. Hij stopte op een verlaten plek bij de zee waar Marilyn en hij vaak hadden zitten vrijen toen ze elkaar nog maar pas kenden, toen ze niet van elkaar af konden blijven, toen ze nauwelijks een plekje hadden waar ze konden vrijen.

'Wat doe je?' vroeg Marilyn, verrast door deze omweg.

'Eh.' Chum liet zijn handen op het stuur liggen, keek naar het licht van de vuurtoren dat rondzwaaide op Gurnet Point. 'Eh. Ik moet je iets vragen.'

Marilyn zat plotseling heel stil, hield haar handen stil en richtte haar bruine ogen op haar geliefde.

'Wil je met me trouwen?' vroeg Chum.

'Ja,' zei Marilyn, 'Dat lijkt me fantastisch.'

En Chum glimlachte.

En opnieuw konden ze niet van elkaar afblijven en – terwijl de motor liep waardoor de auto zachtjes trilde en de verwarming bleef werken – ze kropen op de enorme achterbank, giechelend, aan elkaars kleren plukkend en ze vrijden verhit. De Eldorado was altijd al hun tweede slaapkamer geweest en ze waren er zeer bedreven in elkaar zonder deurkrukken en scherpe hoeken te raken in de juiste positie te manoeuvreren. Toen ze klaar waren zaten ze naakt op de rode leren bekleding en keken hoe het wolkendek brak en meer sneeuw naar beneden kwam.

'Wanneer zullen we trouwen?' vroeg Chum.

'Binnenkort – zo snel mogelijk. Waarom zouden we wachten?' Marilyn zocht naar haar kleren op de vloer, begon zich aan te kleden.

'Ik wil een rustige trouwerij, een kleine, beschaafde ceremonie, weet je wel? Ik wil er geen familie bij hebben.'

'Natuurlijk, dat is prima.'

'Ik hou van je.' Chum pakte haar hand, hield die vast en kuste hem.

'Hé,' zei Marilyn plotseling, 'ik heb een idee.' Ze zocht in haar handtas en haalde een polaroidcamera tevoorschijn. 'Laten we dit moment vastleggen.'

'Wat, nu?' vroeg de naakte Chum, geschokt.

'Nee, natuurlijk niet. Kleed je aan.'

Ze namen allebei een foto van de ander, bij de auto, Plymouth Bay op de achtergrond en schreven op de achterkant van hun afdruk zodat ze nooit het moment zouden vergeten waarop ze elkaar beloofden te trouwen.

Chum zette Marilyn af bij het huis van haar ouders in de stad, ging niet mee naar binnen, wilde verder, maakte zich zorgen om het weer. Marilyn omhelsde hem voor ze uitstapte. 'Rij voorzichtig. Het weer wordt slechter. Waar neem je de veerboot?'

'New London – als hij nog vaart. Zo niet, dan moet ik die in Bridgeport nemen.' Hij keek op zijn horloge. 'Ik kan er om een uur of vijf zijn.'

'Bel je me als je bent aangekomen? Anders maak ik me ongerust.'

'Zeker weten. Ik kom je maandag laat weer halen.' En Chum kuste haar, en kuste haar nog een keer en liet haar toen los. Hoe had hij kunnen weten, toen hij wegreed en met zijn arm uit het raam zwaaide, dat hij haar nooit meer zou zien, Marilyn, de vrouw van wie hij dacht dat hij haar nooit zou verlaten?

De veerboot in New London lag in dok, uitgeschakeld door een kapotte oliepomp, dus reed Chum naar Bridgeport, vloekend omdat de sneeuw erger werd en in dichte wolken over de snelweg werd geblazen. Hij moest een uur wachten op de boot naar Port Jefferson en hij stond in de wachtkamer bittere koffie te drinken en te wensen dat hij met Marilyn in zijn appartement in Cambridge was. De oversteek naar het eiland was ruw, de wind joeg over het dek van de veerboot, en hij doodde de tijd met zich voor te stellen hoe zijn leven als echtgenoot van Marilyn eruit zou zien – twee kinderen of één? En hoe moesten ze ze noemen? Hij viste de polaroid uit zijn zak en vloekte toen hij zich realiseerde dat hij de verkeerde had gepakt – hij had de foto van zichzelf in zijn zak gestoken. Vervolgens doezelde hij wat, met zijn hoofd tegen het raam geleund, en werd wakker van de schok waarmee de veerboot aanlegde. Tegen de tijd dat hij aan zijn reis oostwaarts naar het huis van de Kanes begon, was het al donker – hij was uren te laat. Hij had het koud en had honger, hij voelde zich zo oncomfortabel dat hij zich, voor één keer, verheugde op het weerzien met zijn familie.

Chum reed de oprijlaan op die onder een dikke laag sneeuw schuilging en parkeerde naast zijn vaders Ford Mustang, Juanita's rammelkast daarachter. Het huis was vrijwel helemaal donker, met uitzondering van de lichten in de zitkamer. Hij pakte zijn tas uit de kofferbak en rende naar de achterdeur. Juanita was de keuken aan het opruimen, poetste schalen en tafels, en glimlachte toen ze hem binnen zag komen stormen en hij de sneeuw van zijn voeten stampte en van zijn schouders veegde.

'Meneer Charlie! Je bent laat!' Ze omhelsde hem. 'Wil je koffie? Ik heb voor je gezet.'

'Heerlijk.' Chum schudde zijn jas uit, legde de inhoud van zijn zakken op tafel, worstelde zich vervolgens uit zijn vochtige laarzen en sokken. 'Hoe is het met je?'

'Met mij goed – José ook.' Juanita zag er oud en vermoeid uit.

Chum had medelijden met haar.

'Wat ben je aan het koken? Ruikt goed.'

'Wat denk je? Kalkoen, pompoentaart, wat anders?' Juanita lachte.

'Waar is iedereen?' vroeg Charlie terwijl hij koffie inschonk.

'Mama is in de zitkamer.'

'En hoe is het met mijn vader?' Chum keek Juanita aandachtig aan; zij was tenslotte al langer bij de familie dan hij.

Juanita hees zich in een lange gevoerde jas en wiebelde met haar hand, mondhoeken naar beneden. 'Pappa? Op, neer, op, neer. Ik ga nu.' Juanita knikte in de richting van de klok. 'Al laat en José bezorgd. Ik heb alleen maar gewacht tot jij kwam. Ik zie je misschien dinsdag?'

'Een heel prettig weekend.' Chum kuste haar op de wang en Juanita vertrok. De keukendeur viel met een klap achter haar dicht. Chum stond een ogenblik in de keuken, verzamelde moed om zijn verwanten onder ogen te komen, liep vervolgens de hal door naar de zitkamer. Zijn moeder lag te slapen op de sofa, een opengeslagen fotoalbum naast zich. Hij keek naar de opengeslagen pagina – de foto's die zij had genomen toen het huis werd gerenoveerd. Chum boog zich voorover en kuste zijn meoders voorhoofd om haar wakker te maken.

'Hé, ma.'

Iris werd met een schok wakker, zag Chum en glimlachte. 'Hallo, vreemdeling.'

'Het spijt me dat ik zo laat ben – het weer is erg slecht geworden.'

'Hoe laat is het?'

'Zeven uur.'

Iris ging overeind zitten, veegde haar verwarde haren achterover. 'Verdorie – ik moet in slaap zijn gevallen. Is Juanita er nog?'

'Nee, die is net weggegaan.' Chum liep doelloos door de kamer, raakte de spulletjes op de planken aan, riep zijn kindertijd in herinnering. Hij bleef even staan bij de rij ingelijste diploma's, prijzen en foto's die zijn academische carrière weerspiegelden – ze brachten hem altijd in verlegenheid.

Iris hield een foto omhoog van het huis toen het was voltooid, toen de verf nog maar net droog was. 'Ik heb vanmorgen een zilveren lijst gevonden waar deze in past. Dat staat vast heel mooi. Wat denk jij?'

Chum haalde zijn schouders op, wilde niet meer denken aan de laatste keer dat het huis geschilderd werd. 'Waarom niet?'

'Nou, ik denk dat ik maar beter voor het eten kan gaan zorgen,' zei Iris en hees zich overeind, streek haar rok glad en stopte de foto in haar zak. Chum liep achter haar aan naar de keuken en hij zag dat ze de foto pakte van hem naast de Eldorado. 'Hé, deze is nog beter.' Iris glimlachte, draaide zich naar hem toe. 'Mag ik hem hebben? Voor het lijstje?' Chum aarzelde. Hij wilde zijn moeder een plezier doen, maar hij wilde de foto net zo graag voor zichzelf houden. Iris zag zijn stilzwijgen aan voor toestemming en stopte de foto bij de andere. Chum stond daar, wilde zijn moeder vertellen dat hij zou gaan trouwen, wilde haar vertellen dat hij van iemand hield, maar was niet in staat iets te zeggen door een plotselinge verlegenheid. 'Waar is Lyddie?' zei hij in plaats daarvan.

'Boven in haar kamer. Ik heb haar verteld dat je zou komen, maar...' Iris haalde haar schouders op.

'En pap? Is hij in de buurt?'

'Ja. Hij ligt in bad, geloof ik.'

Chum leunde tegen de eetbar en sloeg zijn armen over elkaar. 'Juanita zei dat hij z'n ups en downs heeft.'

'Dat klopt wel.' Iris deed de deur van de oven open, tilde het aluminiumfolie op dat de vogel bedekte, prikte in het vel en dun bloed droop uit het vlees. 'Nog een uurtje.'

'Drinkt hij nog steeds?'

Iris kwam overeind en keek haar zoon aan. 'Charlie, hij stopt nooit meer met drinken. Maar het gaat beter. Een beetje. Ik weet het niet.'

Chum staarde naar de leistenen vloer – Iris had die laten leggen toen het huis opnieuw werd ingericht. Daardoor moest hij aan Sugar denken, kwam het beeld van hoe ze van de trap viel weer naar boven. 'Waarom ga je niet bij hem weg, ma?'

Iris legde het mes weg dat ze in haar hand hield. 'Charlie,

ik ben met hem getrouwd. Ik kan niet zomaar bij hem weg. Zo werkt dat niet. Trouwens, Lyddie is hier gelukkig. Dit huis is het enige dat ze kent.'

'Hoe is het met haar?'

'Waarom ga je zelf niet kijken? Het zal haar goed doen dat je er weer bent. En dan moeten jullie de tafel dekken – Juanita heeft gisteren het zilver gepoetst, dus gebruik het goede servies.'

'Komt in orde.'

Chum rende de trap op, twee, drie treden tegelijk, wilde niet treuzelen, probeerde niet te denken aan Sugars voorhoofd dat in aanraking kwam met een schroef. Hij stak de overloop over en stond op het punt de gang in te lopen naar Lydia's kamer. Bleef toen staan. Stokstijf stil. Hij had een onverwacht geluid gehoord. Niet een *onbekend* geluid, maar een dat hij niet had verwacht. Hij had het één keer eerder gehoord, jaren geleden, maar had aangenomen dat dat het gevolg was geweest van zijn koortsige gedachten toen zijn lichaam de infectie in zijn voet probeerde te bestrijden.

Hij draaide zich om en liep in de richting van de deur van een van de logeerkamers, deed hem langzaam open. Het was vrijwel donker in de kamer, die slechts werd verlicht door een straal licht uit de badkamer. En daar, op het bed, lagen Lydia – die in het schemerdonker zo op Sugar leek dat Chums adem stokte – en zijn vader. Luke Kane keek met een standvastige blik op naar zijn zoon. Lydia begon geluiden te maken en worstelde om haar beide armen uit te steken.

'Chum. Chummie hier!'

Charlie 'Chum' Kane had toen nog kunnen stoppen. Hij had zijn vader kunnen vragen of hij verdomme helemaal gek geworden was. Hij had weg kunnen lopen, zijn moeder kunnen halen, de politie kunnen waarschuwen en de verpletterende macht van de staatsrechtspraak op Luke Kane kunnen doen neerdalen. Maar dat deed hij niet. In plaats daarvan stapte hij op het bed af – een herhaling van Theodores daden van veertig jaar eerder toen hij zijn zoon van zijn moeder af trok in hetzelfde huis, in dezelfde kamer – en sleurde zijn vader van diens eigen dochter.

Luke Kane was dronken, wankelde en was gevaarlijk, wist dat hij een misrekening had gemaakt waar het zijn zoons woede betrof, mocht hij er ooit achter komen wat er met zijn zus gebeurde. Door de bourbon viel hij, toen Chums eerste klap hem raakte, als een zak, een clown, op de grond, ongedeerd. Chum schopte hem terwijl hij daar lag, schopte hem hard in het zachte, bloedrijkste deel van zijn maag en alle lucht werd uit Luke Kanes longen geperst.

'Chummie hier!' riep Lyddie weer, nu geknield aan het voeteneinde van het bed met haar armen nog steeds naar hem uitgestrekt. Chum draaide zich naar haar toe om haar gerust te stellen en zag het streepje bloed aan de zijkant van haar mooie volle lippen, en Luke Kane versplinterde een stoel op zijn schouders waardoor hij tegen Lydia aan viel die haar broer opving, haar armen om hem heen sloeg en in lachen uitbarstte. Chum kon horen hoe Luke Kane de kamer uitstommelde, zwaar ademend, zijn voetstappen onzeker. Lydia was sterk, was altijd een getrainde, gespierde jonge vrouw geweest, en ze klampte zich aan Chum vast terwijl hij zich probeerde te bevrijden. Tot zijn eeuwigdurende afschuw begon ze haar heupen tegen hem aan te wrijven, probeerde hem te zoenen, ging met haar hand naar zijn riem. Hij slaakte een gil, greep haar handen en duwde ze weg.

'Stoute Chum,' zei Lydia, en wreef over haar polsen, pruilend.

Dit was wat zijn vader haar in zijn afwezigheid had geleerd? Dit was waar hij, Chum, haar aan had overgeleverd? Chum rende de kamer uit, de overloop over, en roffelde de trap af waarbij zijn voeten nauwelijks het tapijt raakten. Hij stormde de keuken binnen, zodat de klapdeuren heen en weer zwaaiden, telkens weer, en zag nog net hoe Luke Kane Iris opzij duwde en een slok uit de fles bourbon op de eetbar nam.

'Wat is...' Iris, die bezig was deeg uit te rollen, schudde het meel van haar handen en keek van haar echtgenoot naar haar zoon en haar ogen werden groot omdat ze in Luke Kanes ogen het bijna achteloze geweld zag flikkeren dat haar maar al te goed bekend was. 'Wat is er aan de hand?'

Maar haar vraag ging verloren in het geluid van barkrukken die tegen de grond werden gesmeten toen Chum brullend van woede, bijna uitglijdend op de leistenen vloer, op zijn vader afstormde. Luke Kane koos het moment met geoefende dronkemansblik en gooide de bourbonfles die voor Chums blote voeten uiteenspatte. Maar Chum aarzelde niet, voelde geen pijn, bleef voortrazen, greep zijn vader bij de keel en hamerde met zijn vuisten op de zijkant van diens hoofd. Lydia verscheen tussen de klapdeuren, naakt, afgezien van de blauwe plekken op haar dijen en een opvallend diamanten halssnoer dat ze uit haar moeders juwelenkistje had gepakt. Ze stond daar, één been licht gebogen, een arm voor haar borsten, in de klassieke houding van een courtisane, en zei – niet voor het eerst: 'Lyddie gedaan. Lyddie heeft spijt.'

Luke Kane, die dik en ongevoelig was geworden van het bier, de bourbon en het goede leven, boog zich voorover, haalde uit en raakte zijn zoon in diens kruis. Chum snakte naar adem en kromp ineen terwijl Iris vroeg – aan wie? Aan wie stelde ze de vraag eigenlijk? – 'Wat is er aan de hand? Wat gebeurt er?' Haar echtgenoot stond zwaar te ademen en over zijn slapen te wrijven en schopt zijn zoon achteloos in zijn ribben. Chum lag op het leisteen, ineengekrompen, met bloedende voeten, kloppend van pijn. Luke Kane liep naar de koelkast, maakte een fles Jack Daniel's open en bracht een toost uit op zijn vrouw. 'Vrolijk Thanksgiving!' Lydia giechelde. Iris liep naar Chum, boog zich over hem heen.

'Laat hem godverdomme met rust!' schreeuwde Luke Kane terwijl hij naar hen toe liep, maar Iris week geen millimeter. Lydia verliet haar post bij de deur en liep doelloos door de keuken, ging met haar handen langs het schone aanrecht, glimlachte vaag. Haar vader zag het goedkeurend aan.

Iris keek naar Luke Kane. 'Wat is er gebeurd?' Haar stem was hard, klonk anders, klonk alsof hij toebehoorde aan een grotere vrouw. 'Wat heeft Lyddie gedaan?'

'Lyddie stoute meid,' zei Lydia op keuveltoon en bleef bij de gootsteen staan om met de druppels uit de kraan te spelen.

Chum kwam plotseling en in één beweging overeind, verraste zijn vader. Hij ramde Luke Kane tegen de koelkast, zodat hij stond te schudden en de blikjes en potten die er bovenop stonden op de grond vielen. Rode, glinsterende voetstappen volgden Chum overal waar hij liep. De twee worstelden, gooiden borden en glazen om, stootten tegen de oven waardoor de kalkoen onder het folie begon te sissen. Iris keek wild om zich heen en Lydia staarde naar haar spiegelbeeld in de nu donkere ramen, glimlachte, en nam haar vaders favoriete houding aan. Iris wist dat ze niet in staat was hier een einde aan te maken en ze rende naar de telefoon om hulp te halen, strekte het snoer tot in de hal, weg van het lawaai, weg van de aanblik van haar echtgenoot en haar zoon die elkaar probeerden te vermoorden terwijl haar dochter stond te glimlachen.

Luke Kane dacht dat hij stierf toen Chum hem tegen de muur drukte en zijn duimen hard in zijn keel drukte, zijn luchtpijp dichtkneep. Luke Kane keek met waterige ogen naar zijn dochter en gebaarde naar de hakbijl die boven het afdruiprek hing. Lydia wees ernaar, niet-begrijpend, en Luke Kane knikte zo goed en zo kwaad als hij kon, dus legde Lydia het wapen gehoorzaam in haar vaders hand. Hij hakte op Chums schouder en voelde onmiddellijk de opluchting toen zijn longen zich weer met lucht vulden en Chum achteruit wankelde. Terwijl hij zijn hals wreef, hakte Luke Kane het telefoonsnoer door dat strakgespannen de hal in stond. Toen wenkte hij Lydia, die naar hem toe kwam, haar wenkbrauwen gefronst. 'Stoute pappa,' zei ze. De twee, vader en dochter, stonden in stilte, Luke Kane met zijn arm om Lydia's nek, terwijl Chum een hand op zijn wond gedrukt hield en Iris weer in de keuken verscheen, de hoorn nog steeds in haar hand, het snoer achter zich aan slepend.

Iris nam de situatie in ogenschouw, keek naar haar gezin in hun Thanksgiving-houding. Wendde zich tot Luke Kane. 'Je was haar aan het neuken, hè? Toen Chum naar boven ging heeft hij je betrapt terwijl je met haar lag te neuken, of niet soms?'

Haar echtgenoot haalde zijn schouders op.

'Net zoals je Sugar neukte. Arme, dode Sugar.'

Luke Kanes gezicht vertrok bij het horen van die naam. Hij had iedereen verboden hem ooit nog te noemen, had hem jaren niet meer gehoord. Met een geweldige duw schoof hij Lydia van zich af en hij keek hoe ze struikelde en onder een in het plafond ingebouwde spot tot stilstand kwam. Hij zag haar in het genadeloze licht van de halogeenlamp en zag dat ze niet meer was dan een imitatie van de zus van wie hij zo gehouden had, evenveel op haar leek als ze van haar verschilde. In twee stappen was hij bij Lydia en met één soepele beweging sneed hij haar de keel door. Lydia viel zonder een geluid te maken neer, haar stembanden waren doorgesneden.

Iris – die zo klein was dat het haar ouders hart brak, zo klein dat ze kinderkleding droeg, zo klein dat ze makkelijk over het hoofd werd gezien – gilde en dook op haar echtgenoot af. Hij schoof haar, net zo gemakkelijk als een onaangename gedachte, terzijde, liet de bijl weer neerkomen en hakte de arm van zijn vrouw boven de elleboog af. Iris maakte een vreemd geluid, als een jong hondje dat ligt te dromen, en viel terwijl haar hand, die nog steeds de telefoon vasthield, over de vloer gleed, bij haar vandaan.

Luke Kane wist – zoals hij op een bepaalde manier had geweten toen Chum de slaapkamerdeur openduwde – dat het allemaal voorbij was; wat het ook was geweest, het was voorbij. Zelfs Luke Kane, zoon van Mister Steel, zou hier niet zo eenvoudig onderuit komen. Een deel van hem was dankbaar.

Sinds Sugar was overleden, was niets meer hetzelfde geweest. Het was jammer, want hij hield van het leven, hield van drinken en lachen en neuken en werken en in de zon liggen. Maar, nu hij er goed over nadacht, was niets van dat alles meer hetzelfde geweest sinds hij Sugar gebroken onder aan de trap had zien liggen.

Hij zuchtte, keek op en zag wat hij had gehoopt te zullen zien – zijn zoon met een moordlustige blik in zijn ogen, terwijl het bloed uit zijn wonden aan schouder en voeten stroomde. Luke Kane dacht voor het eerst in lange tijd weer aan Theodore en Lucinda, zijn vader en moeder. Hij dacht aan de priester bij Mono Lake, de jongen op de lagere school, de zwarte vrouw in het hotel in Harlem. Misschien had het allemaal anders kunnen lopen, misschien had hij er voor kunnen zorgen dat alles anders was gelopen – maar met zijn uiterlijk, zijn geld, zijn voorrechten, zijn *houding*? Tja, misschien waren er momenten dat er gewoon niets aan te doen was.

Luke Kane hield de bijl uitnodigend op voor zijn zoon, nam nog een laatste slok bourbon, en wachtte.

1997

Flanagan en Bronwen staren naar Chum, wiens gezicht schuilgaat in de schaduw van kaarslicht en maanlicht. Ze hebben al een lange tijd niets meer gezegd.

'Wat is er toen gebeurd?' vraagt Bronwen, eindelijk, fluisterend. 'Chum – wat is er toen gebeurd?'

Chum schenkt nog een cognac in, leunt achterover in zijn stoel. 'Ik heb de bijl gepakt en heb hem vermoord. Ik heb mijn vader vermoord.'

De drie zitten minutenlang in stilte. Flanagan en Bronwen peinzend over wat deze wellevende, welbespraakte, charmante man heeft verteld. 'Daarom ben je verdwenen,' zegt de inspecteur ten slotte.

'Ja.' En Chum vertelt ze hoe hij de lichamen van Luke Kane en Lydia naar de auto heeft gedragen, ze in de kofferbak heeft gestopt, samen met de bijl. Hoe hij de wond van zijn moeder heeft afgebonden, er ijs omheen heeft gedaan, haar onderarm heeft gepakt en die ook in ijs heeft gewikkeld. Haar naar de auto heeft gedragen, op de achterbank heeft gelegd en als een dolleman is weggereden van Long Island, via Staten Island naar New Jersey. Hij stopte om de eerstehulpafdeling van een ziekenhuis te bellen, stelde hen op de hoogte van haar aankomst, dirigeerde ze naar een berg opgewaaide sneeuw bij de wasserij, waar hij haar achterliet, zijn moeder achterliet met haar arm op schoot. Hij reed verder, vond een landweg die uitkwam op een B-weg in de buurt van Readingtown, reed diep het bos in en begroef daar Luke Kane en Lydia. Hij leed ondraaglijke pijn aan zijn voeten en zijn schouder, waar nog steeds bloed uit sijpelde, deed zeer. Toen reed hij verder, in westelijke richting, doorkruiste de ene staat na de andere, sliep in de auto, verbond zijn eigen wonden, leefde op limonade en hamburgers, tot hij in Missouri aankwam, ver genoeg van East Hampton om de auto achter te laten en naar Las Vegas te liften.

'Maar *waarom?*' vraagt Bronwen. 'Waarom heb je de politie niet gewaarschuwd? Het was jouw schuld toch niet?'

'Ik had mijn vader vermoord.'

'Maar je werd *geprovoceerd* – het was zelfverdediging.' Flanagan is met stomheid geslagen.

Chum kijkt hem aan. 'Ik had geen verweer. Ik had ze allemaal vermoord kunnen hebben. Dat zouden zij hebben gezegd.'

'Maar je moeder had het ze toch kunnen vertellen? Zij zou het wel uitgelegd hebben.'

'Mijn moeder functioneerde niet meer. Ik weet niet of ze te veel bloed had verloren, of dat ze te veel was afgekoeld. Ik probeerde in de auto met haar te praten.' Chum zwijgt, kijkt weg, kijkt uit over het water, herinnert zich die rit: Iris languit op de achterbank, af en toe kreunend terwijl Chum zat te gillen, te gillen dat het allemaal in orde zou komen, dat hij haar ergens naartoe bracht. Hij zat alleen maar te gillen terwijl hij probeerde zijn moeder voor deze wereld te behouden, en huilde en de kleine kustplaatsjes voorbijstoof en vervolgens met meer dan honderdtachtig kilometer per uur door de voorsteden racete, zich niets aantrekkend van verkeerslichten en kruisingen. De wegen waren verlaten – want heel Amerika zat, uiteraard, aan doorbuigende tafels en zei dank voor de welvaart, terwijl Chum in zijn provisorische lijkwagen zijn moeder en zichzelf zo goed hij maar kon probeerde te redden. 'Ik probeerde met haar te praten. Toen ik haar uit de auto tilde, was er niemand meer, in haar ogen, daar was niemand meer. Ze wist niet meer wie ik was. Ze brabbelde maar wat als een idioot. Jij moet dat weten, Bronwen, jij kende haar.'

'Ik heb haar ook ontmoet,' zegt Flanagan. 'Ik heb haar in het tehuis ontmoet. Ze leek me in orde. Nou ja...'

'Nee, ze was niet in orde, ze was gek,' zegt Bronwen botweg. 'De hoofdzuster zei dat ze dachten dat ze iets ergs had meegemaakt. Het sloeg nooit ergens op, wat ze zei, niet echt. Maar ze praatte wel vaak over jou, Chum. Dat was in feite het *enige* waar ze over praatte. Dat moet je goed onthouden – jij was het enige waar ze over sprak.'

Chum slikt, kan hier niet aan denken. 'Nou, nu weten jullie wat er is gebeurd. Heeft dat je vraag beantwoord, inspecteur?' Hij kijkt naar Flanagan.

'Je hebt niet uitgelegd *hoe* je veranderde. Waarom je doet wat je doet. Waarom je zoveel mensen hebt vermoord.'

Chum glimlacht flauwtjes. 'Omdat ze het verdienden.'

'Weet je dat *zeker*?' vraagt Flanagan scherp.

'Ja. En ik denk dat jij dat ook weet.'

Flanagan wrijft over zijn hoofd, kijkt nadenkend. 'Dat weet ik niet.'

'Ik was er niet voor Lyddie. Ik heb haar niet gered. Ik heb het niet goed kunnen maken.'

'Dus je doet het voor de nog ongeborenen?'

Chum kijkt weer naar de inspecteur. 'Dat is precies zoals ik erover denk.'

Flanagan haalt diep adem. 'Maar hoe kun je met jezelf leven? Hoe kun je jezelf vergeven?'

'Ik ben niet op zoek naar mijn eigen vergeving, maar die van Lyddie.' Chum zucht, steekt een sigaret op, speelt met de aansteker. 'Maar ik ben nu bijna klaar.'

Nu is het Bronwens beurt om haar wenkbrauwen te fronsen. 'Wat bedoel je daarmee, man?'

'Ik ben moe. Om je de waarheid te zeggen, ik ben uitgeput. En ik weet dat ik nooit vergiffenis zal krijgen. Lyddie is er niet meer en niets wat ik doe brengt haar ooit nog terug.'

'Je zegt dat je bijna klaar bent?' Flanagan gaat staan, rekt zich uit. 'Heb je plannen?'

'Wat is het probleem, agent? Ga je me arresteren? Ga je me *tegenhouden*? Ik ben hier gekomen om mijn moeder te bezoeken en ik krijg te horen dat ze dood is. Ik heb een man beloofd dat ik hem een dienst zal bewijzen en hij is verdwenen. Alles stort in elkaar. Maar ik ben die man wat schuldig, ik heb hem mijn woord gegeven.'

En Flanagan vraagt zich af in wat voor wereld hij leeft als het woord van een seriemoordenaar het enige is in die wereld waarop hij kan vertrouwen.

'Wat ga je nu doen?' vraagt Bronwen, die haar oren niet kan geloven.

'Ik ga een man opzoeken die Thomas Jefferson de Derde heet.'

Flanagan draait zich met een ruk om. '*Wie* zei je?'

'Een knaap die Thomas Jefferson heet. Leuke vent. Je zou hem wel mogen. Hij vermoordde negen kinderen en sneed –'

'Ik weet *precies* wat hij heeft gedaan,' zegt Flanagan en zijn stem klinkt hard. 'Ik heb het eerste slachtoffer gevonden. Katarina Kowalski.'

'Kijk,' zegt Chum, 'het is haar vader die me gevraagd heeft het karwei op te knappen. En om heel eerlijk te zijn, het is me een waar genoegen.'

Flanagan denkt wanhopig na. Een herinnering: een man met oogverblindende tanden die in de limo in de Upper Eighties zat en hem waarschuwde geen geintjes uit te halen met Bronwen. 'Sam Kowalski – *die* was het. Hij was Katarina's vader.'

Bronwen kent Sam ook, uiteraard, maar ze legt het verband niet, herkent de naam niet.

Flanagan neemt een besluit – een besluit dat in tegenspraak is met alles waar hij ooit voor heeft gestaan. 'Hoe kan ik helpen?' vraagt hij aan Chum.

Keeler droomt van explosies – bruggen die instorten, auto's die door de lucht tollen, wegen die openbarsten. Hele muren die inzakken. Hij wordt steeds wakker in de koude hotelkamer, kijkt naar de klok en draait zich met een kreun weer om om te gaan slapen. Hij wou dat het ochtend was. Iedere keer dat hij in slaap valt droomt hij weer van ontploffingen en geschreeuw, flitsen oranje.

Chum zoekt in zijn zakken tot hij de naam en het telefoonnummer heeft gevonden van Junior Troy – de contactpersoon in Blok C, Harrison Penitentiary. Hij draait het nummer en een slaperige stem geeft antwoord.

Een paar minuten later loopt Chum door de watervilla naar de kamer waar Bronwen en Flanagan liggen te slapen. De deur is niet op slot en hij sluipt naar binnen, glimlacht even als hij de twee ziet liggen, zedig gekleed in pyjama en stevig in elkaars armen. Hij ziet de polaroid van zijn jongere ik op het nachtkastje (en het zou hem misschien verdrietig hebben gemaakt als hij had geweten dat Bronwen voor ze hem ontmoette de foto altijd onder haar hoofdkussen bewaarde). Hij schudt Flanagan zachtjes aan zijn schouder en de inspecteur wordt met een schok wakker. 'Wat?'

'Ik heb net iemand gebeld,' fluistert Chum. 'Thomas Jefferson wordt morgen om elf uur 's morgens ergens heen gebracht.'

'Verdomme.' Flanagan gaat overeind zitten en Bronwen gromt en draait zich om.

'We moeten vroeg op pad. Zes uur.'

'Ik vraag wel even of ze ons wekken.'

'Nee, laat maar. Ik slaap niet zo goed. Ik maak jullie wel wakker. Welterusten.'

Flanagan pakt Chum bij zijn T-shirt. 'Hé, ik heb liggen denken. Ik zit met een probleem.'

'Wat?'

'Er is een opsporingsbevel voor mij uitgevaardigd.'

'Hè?'

Flanagan slaakt een zucht. 'Ik heb m'n werk zomaar in de steek gelaten en ik heb mijn penning gebruikt toen ik dat niet had moeten doen. Bovendien zou het kunnen dat de FBI interesse heeft getoond.'

'Verdomme.' Chum hurkt bij het bed. 'Kennen ze je hier in de omgeving?'

'Hangt ervan af wie hier rondhangt.' Flanagan krabt in zijn baard. 'Er is misschien niets aan de hand.'

Chum zit te wippen op zijn hielen, denkt. 'Wat draag je? Als je aan het werk bent, bedoel ik.'

'Een bruin pak.'

'Altijd hetzelfde?'

Flanagan moet lachen en Bronwen draait zich weer om, doet het bed schudden. 'Hoe weet je dat?'

'Leek me logisch. Goed. Je moet het volgende doen. Scheer je baard af, doe je haar anders en bel de receptie. Vraag hen een zwart lichtgewicht pak voor je te regelen, wit overhemd, zwarte das, zonnebril – je hebt vanmorgen een vergadering en de luchtvaartmaatschappij heeft je koffer zoekgemaakt. Zet maar op mijn rekening.' Chum gaat staan. 'Dus je kunt net zo goed een Armani kopen.'

CHUM KANE

Zijn eerste week in Las Vegas bracht Chum Kane door in zijn motelkamer, met de televisie de hele tijd aan om zijn eigen verdriet te overstemmen. Hij lag op zijn rug op bed en de tranen bleven komen. Zijn hersenen, die hem altijd troost hadden geboden, martelden hem nu met het beeld van Lydia die in de keuken viel, in elkaar zakte terwijl de bloedplas om haar heen steeds groter werd. Ze had niet gegild, had geen enkele emotie getoond en Chum klampte zich vast aan de gedachte dat ze zich, zoals altijd, niet bewust was geweest van pijn. Wanneer hij er in slaagde dat beeld los te laten, zag hij zijn moeders arm op de leistenen vloer liggen die nog steeds de telefoon vasthield. Of het beeld van zijn vader die hem de bijl aanbood en zelfs *dat* beeld – hoe hij hem aannam en begon te hakken – kon de tranenvloed niet stuiten. Soms pakte hij de telefoon, van plan de politie te bellen, zichzelf aan te geven. Maar wanneer zijn vingers op de toetsen begonnen te drukken, kon hij niet meer bedenken wat hij nu eigenlijk verkeerd had gedaan. Dus hing hij weer op en bleef uren naar de telefoon staren.

Op een ochtend waren de tranen op en sliep Chum vast. Toen hij wakker werd realiseerde hij zich dat hij die week zijn hoofd had verloren. Vergeten had waar hij het had neergelegd, vergeten hoe hij het moest gebruiken, dus bleef hij nog een tijdje in bed liggen, denken. Toen hij naar de badkamer ging, zijn voeten deden nog steeds pijn, keek hij naar zijn gezicht in de spiegel en besloot zich niet te scheren, besloot zijn baard te laten staan. Hij nam een douche en kleedde zich aan, en ging toen naar buiten, Las Vegas in. Hij keek vluchtig de kranten door, landelijk, lokaal, oostkust, westkust, en zag niets waar hij zich zorgen om hoefde te maken. De Kanes waren simpelweg verdwenen en niemand had enig idee waarheen.

Maar hoe moest dat nu met Marilyn? Hij had haar de maandag ervoor al moeten ophalen in Plymouth en hij was nooit komen opdagen. Ze had hem vast en zeker gebeld. Had alarm geslagen. Wat moest ze niet denken? Hij verlangde ernaar haar te bellen, haar stem te horen, te huilen en uit te leggen wat er was gebeurd. Op dat moment herinnerde hij zich dat zijn moeder de foto's in de zak van haar jurk had gestopt. Ze moest ze bij zich hebben – een foto van hem, glimlachend met zijn voet op de bumper van de Eldorado, en een beeld van het huis van de familie Kane.

Chum boog zijn hoofd en liep door de straten, veilig in de anonimiteit van de onbekende stad, en begon aan een nieuwe manier van leven, het leven dat hij de volgende zeventien jaar zou leiden.

1997

Keeler zit aan de tafel in zijn hotelkamer en zet zijn pistool weer in elkaar, past de schone, licht geoliede delen, allemaal perfect gemaakt, weer in elkaar. Zijn haar is nog vochtig van de douche en hij trekt het jasje van zijn linnen pak aan en zoekt zijn sleutels, mobiele telefoon en penning bij elkaar. Hij verlaat de kamer, doet de deur op slot, trekt zijn das recht en loopt dan weg op een manier zoals hij dat kan, zoals hij lang niet gelopen heeft: als de Ice Man. Hij neemt de lift naar de receptie, loopt met grote passen naar zijn auto en rijdt weg. Iedereen die naar hem zou hebben gekeken, zou verbaasd hebben gestaan over zijn gezichtsuitdrukking, door de strakheid ervan. Hij komt om 8.00 uur aan bij Harrison Penitentiary, laat de wacht zijn pas zien en rijdt het complex binnen.

Het volgende uur wordt besteed aan het regelen van de wisseling van het personeel dat de omgeving in de gaten houdt en aan het beantwoorden van vragen van de directeur. Dan volgt het papierwerk – het tekenen van declaraties, de toestemming voor het uitdelen van munitie, het bijwerken van de urenstaten van de agenten. Terwijl hij zijn laatste handtekening zet kijkt Keeler op de klok: 9.29 uur. Nog één uur en dertig minuten. De telefoon gaat over; het is zijn superieur.

'Keeler?' De stem klinkt dun en kil als altijd, als een rietstengel die tussen kleine vingers wordt doorgetrokken.

'Ja, meneer?'

'Gaat alles goed daar?'

'Ja, meneer.'

'Ik denk dat als Mister Candid – of... hoe heet hij ook alweer?...' het geritsel van papieren klinkt, maar dat houdt

Keeler niet voor de gek '...Chum Kane van plan is toe te slaan hij dat vanmorgen doet. Ze hebben me verteld dat er iets gaande is bij jullie en ik wil dat je daarmee doorgaat.'

'Geen probleem, meneer.'

'Veel geluk, Keeler.'

'Dank u, meneer.'

'Pak hem.'

Het gesprek wordt beëindigd en Keeler kijkt naar de piepende hoorn. Het is nu 9.31 uur. Minder dan anderhalf uur te gaan.

Terwijl Keeler zijn pistool in elkaar zette, waren Chum, Bronwen en Flanagan al onderweg. Chum had bij het hotel een tweede auto gehuurd, met de gedachte dat Bronwen achter hem en Flanagan aan kon rijden, maar hij had geen rekening gehouden met het feit dat Bronwen niet kan autorijden.

'Je kunt niet *autorijden?*' had hij bij het krieken van de dag vol ongeloof gevraagd, terwijl ze met z'n tweeën stonden te huiveren in de vreemde kilte van een tropische ochtend.

'Nee, ik kan niet rijden. Waar ik vandaan kom is een auto een luxe, man.' Bronwen was uit haar humeur.

'Verdorie,' zei Chum. 'Iedereen kan toch autorijden.'

Flanagan voegde zich bij hen, onherkenbaar, gladgeschoren, keurig verzorgd, strak in het pak.

'Luister,' zei Flanagan, de vredestichter, toen eenmaal was uitgelegd wat het probleem was. 'Waarom neem ik die andere auto niet en rijdt Bronwen met jou mee? Zodra we er zijn, kan ze in deze auto op ons wachten.'

'Oké. Oké. Het is alleen niet wat ik van plan was.' Chum zuchtte.

'Hé,' zei Bronwen. 'Luister eens even jij, ik heb een andere achtergrond dan jij. Ik ben niet zoals jij.'

'Wat bedoel je?'

'Ik ben niet rijk, ik heb geen opleiding gehad. Ik heb nooit veel gehad, oké? Maar ik kom ook niet uit een milieu als het jouwe. Oké?' Bronwen is gekwetst door zijn houding.

'Oké, Bronwen. Het spijt me.' Chum liep naar haar toe en omhelsde haar – haar droom kwam uit. 'Het spijt me echt heel erg.'

Flanagan keek bedenkelijk. 'Laten we gaan.'

En zo baanden Bronwen en Chum zich een weg door de vlakke, moerasachtige binnenlanden van Florida, over verlaten landweggetjes, met Flanagan in zijn eentje in hun spoor.

'Waar gaan we heen?' vraagt Bronwen terwijl Chum van een weg afdraait en een andere, onverharde weg in slaat.

'Harrison Penitentiary,' zegt Chum en kijkt op de digitale klok.

Ze haalt het papier van een Snickers en neemt een stevige hap. 'Waarom?'

'Ah, ja, Bronwen, goeie vraag. Waar kom je trouwens vandaan? Je hebt een leuk accent. Kom je uit Engeland?'

'Ik kom uit Wales, man, en ik ben er trots op.'

'Juist.'

'Weet je waar Anglesey ligt?'

Chum neemt op zijn eigen rustige manier een bocht, pols op de bovenkant van het stuur, en glimlacht, hetgeen voldoende is om de meeste harten te doen smelten. 'Ik heb eerlijk gezegd geen idee.'

'Wil je ook wat?' Bronwen houdt het restant van de reep voor zijn mond en Chum neemt een hap. Terwijl hij kauwt, stelt Bronwen een vraag. 'Hoe lang ben je hier al mee bezig. Met mensen vermoorden?'

'Ik vermoord geen mensen, Bronwen. Ik vermoord kinderverkrachters.'

'Oké, jij je zin. Hoe lang ben je daar al mee bezig?'

'Te lang. Zeventien jaar. Bijna achttien.'

'En wat doe je als je daar niet mee bezig bent?'

'Niks. Rijden, rondreizen. Proberen erachter te komen waar ze uithangen.'

'Heb je geen vriendin?'

Chum glimlacht. 'Nee. Als beroep is dit werk een beetje onvoorspelbaar. Maakt het lastig dingen te regelen, weet je wel, je vakantie plannen en dat soort zaken.'

'Voel je je nooit eens eenzaam?'

'Ja, ik voel me de hele tijd eenzaam. Nu je erover begint, ik kan me de tijd niet heugen dat ik niet eenzaam was. Weet je,' en Chum lacht, 'ik had er een naam voor. Mrs Blue Cube – of was het nou Mrs Ice Blue Cube? Ik weet het niet meer. Ik dacht dat als ik de eenzaamheid een naam gaf ze misschien een vriendin kon worden. Jij en Flanagan zijn de eerste mensen met wie ik gesproken heb, je weet wel, mee aan tafel heb gezeten en mee heb gepraat, zolang ik me kan herinneren.'

Deze bekentenis schokt Bronwen, schokt haar veel meer dan toen Chum de avond ervoor het bloedbad in huize Kane beschreef. 'Heb je dan helemaal *niemand*? Is er nooit iemand geweest?'

'Ja, er was wel iemand.' Chum wendt zijn blik af, slikt. 'Ik stond ooit op het punt te gaan trouwen. Ik heb iemand gevraagd met me te trouwen.'

Bronwen herinnert zich iets dat Flanagan heeft gezegd en ze haalt de polaroid tevoorschijn. 'Heeft zij die genomen?'

Chum kijkt even naar het vertrouwde beeld. 'Ja. Op de dag dat ik haar vroeg met me te trouwen. Het was een souvenir, een herinnering aan dat moment. Ik zou hem graag terug willen hebben als je het goedvindt.'

Bronwen buigt zich voorover en schuift de foto in Chums borstzak. 'Vertel eens, wat voor iemand was ze?'

En dus vertelt Chum Bronwen over Marilyn terwijl ze verder rijden, over de manier waarop ze lachte, over hoe ze er een eeuwigheid over deed om ieder hoekje van haar toast met boter te besmeren, hoe ze op haar buik sliep met één been in een onmogelijke hoek, over de scheve hoektand die haar gezicht iets interessants gaf. Dat haar stem zo zacht klonk dat die hem deed denken aan gebrande omber, hoe ze drie klontjes suiker in haar koffie gebruikte en de lucht van selderij niet kon uitstaan. Terwijl de brandende zon het binnenste van de auto steeds warmer maakt en het moeras om hen heen borrelt, vertelt Chum Bronwen alles wat hij zich van Marilyn kan herinneren, en dat is nogal wat.

'Ze klinkt geweldig,' zegt Bronwen ruimhartig.

'Dat is ze ook.'

'Weet je waar ze uithangt? Wil je haar niet graag weerzien?'

'Waar het om gaat is – wil ze mij nog wel zien? Hè? Bronwen? Denk je dat ze mij nog wel wil zien?'

Er duikt een wegwijzer op, geeft de weg naar Harrison Penitentiary aan – acht kilometer naar het noorden – en waarschuwt de argeloze automobilist om te draaien. Chum stopt lang de kant van de weg en wacht op Flanagan.

CHUM KANE

Toen hij wegliep van het vervallen huis in Las Vegas, het huis dat hij Sam beschreven heeft, en een smeulende videoband in de gootsteen achterliet en vier dode kinderverkrachters in de woonkamer, wist Chum dat hij iets gevonden had om te doen. Iets waar hij goed in was; iets dat het constante schuldgevoel dat hij voelde omdat hij Lydia in de steek had gelaten, een beetje verminderde. Terwijl hij terugliep naar zijn auto besloot hij dat dit was waar hij zich voortaan mee zou bezighouden. Het was niet precies de carrière die hem voor ogen had gestaan, maar het was iets dat hij de samenleving kon geven: de afwezigheid van mensen die er echt, echt niet thuishoorden.

Hij had geld nodig om te kunnen reizen, voor onderdak, voor valse papieren, om auto's te kunnen huren, eten te kunnen kopen, sigaretten. Dus begon hij de goktafels met een bezoek te vereren en dankzij zijn geheugen en zijn vermogen kansen te berekenen, vulden zijn zakken zich, raakten de bankkluizen vol. Hij had altijd al uitgeblonken in onderzoek en hij ontdekte nieuwe methoden om feiten boven tafel te krijgen – door het lezen van plaatselijke kranten, landelijke kranten, rechtbankverslagen, door te luisteren naar de politieradio, door met tuig te praten en hun informatie te ontfutselen. De komst van de computer bevrijdde hem van het geestdodende bezoek aan bibliotheken en rechtszalen en hij werd een eersteklas kraker, wist door te dringen in bestanden die hem alles vertelden wat hij moest weten. Maar hij onderhield zijn contacten in de grote steden, allemaal even nuttig – al boorde hij een goudmijn aan toen hij Gideon ontdekte. Als hij zijn prooi eenmaal op de korrel had, maakte hij nooit een fout, schoot nooit een onschuldige neer.

In de loop der jaren raakte hij gewend aan het nomadenleven. Zijn auto, pick-up of bestelbus, waar hij ook maar in reed, werd voor dagen of weken zijn thuis. Hij reisde met de Greyhound, met Amtrak, met veerboten; hij liftte, hij bezorgde nieuwe auto's door het hele land. Hij bleef nooit ergens, kocht nooit een stoel, een televisie, een oven. Waarom zou hij? Het enige dat Chum Kane deed was op de loop blijven voor de gedachte aan hoe lang zijn vader zijn babyachtige zusje had verkracht, en maaide de verkrachters neer waar hij kwam.

Het was, dacht hij toen hij terugkeek, onvermijdelijk geweest dat hij bourbon begon te drinken en coke te snuiven. (Genetisch geheugen?) De eenzaamheid was een chronische ziekte – slopend en sluipend, vrat aan hem terwijl de levendige herinnering aan Lydia die in de keuken neerviel steeds maar weer zijn geweten doorboorde, steeds maar weer, steeds maar weer. Hij voelde zich zo wanhopig als Prometheus, wist dat de herinnering nooit zou vervagen. Door de cocaïne en de drank raakte hij verbitterd en werd hij een automaat, dacht niet meer na over wat hij deed en waarom hij dat deed. Vreemd genoeg dacht hij nooit na over de ongerijmdheid van het feit dat hij drugs op straat opkocht en vernietigde en zichzelf daarna beloonde met een lijntje van het witte poeder. Hij hield zelfs niet langer bij hoeveel doden er waren gevallen. Maar ongeacht hoe beschadigd hij raakte – en hij raakte erg beschadigd – hij wist dat hij nooit gepakt zou worden.

Toen op een dag, terwijl hij door de straten van New York City liep, dacht hij aan Marilyn en aan wie hij ooit geweest was. Het was een van die zeldzame, prachtige voorjaarsochtenden en hij liep Central Park in en bleef tot de avond viel op het gras liggen en dacht na over zijn opties. Het was toen dat hij zichzelf iets voornam: hij zou de bourbon eraan geven, stoppen met cocaïne, stoppen met moorden en contact zoeken met Marilyn. Hij mocht dan niet in alle opzichten geslaagd zijn, feit is wel dat hij zichzelf redde toen hij die beloftes deed, stukjes van zichzelf terugkreeg die hij dreigde kwijt te raken. Nog later zwoer hij opnieuw alles te vergeten – te verdwijnen, Mister Candid van zich af te schudden om er alleen maar achter te komen dat Mister Candid overal met hem mee ging, zelfs tot achter het hek Alaska in.

Maar deze keer, *op dit moment*, terwijl hij met Bronwen in de auto zit op vijf minuten rijden van Harrison, is het hem menens. Deze doden zijn de laatsten. Hij wil erbij zijn wanneer Thomas Jefferson III naar buiten komt, met zijn ogen knipperend, het zonlicht in, aan handen en voeten geboeid. Hij wil Jefferson in de ogen kijken. Hij wil wraak voor Katarina Kowalski en nog acht kinderen van wie hij de namen niet eens kent. Wraak die de staat, in al zijn wijsheid, niet heeft genomen. Wraak die gouverneur Jefferson, met al zijn geld en macht, heeft afgewend. Ray MacDonald is nu een extraatje.

1997

Flanagan veegt het zweet van zijn voorhoofd en klopt op het portierraam. Chum draait het omlaag.

'Laten we gaan,' zegt Flanagan.

'Oké,' zegt Chum en stapt uit, laat de sleutels achter bij Bronwen.

Flanagan gaat op zijn hurken zitten en kijkt haar aan. 'Bronwen, we zijn over een uurtje weer terug, goed?'

Bronwen kijkt plotseling bang. 'Jullie *komen* toch terug?'

Chums gezicht verschijnt naast dat van Flanagan. 'Maak je geen zorgen – hooguit een uur.'

Bronwen bijt op haar lip. 'Gaan jullie iemand vermoorden?' Pas nu is het moment aangebroken dat de enormiteit van wat er gaande is, van waarin precies het meisje van Ynys Môn is beland, tot haar doordringt.

Flanagan steekt zijn arm naar binnen en legt zijn hand op haar arm. 'Bronwen, jij kent me beter dan de meeste mensen. Denk je dat ik dit zou doen als ik niet dacht dat het het juiste was?'

Bronwen schudt haar hoofd.

'Bronwen? Ik denk... ' Flanagan pauzeert even, kijkt naar de lucht. 'Ik denk dat het juist is wat we gaan doen.'

'Als jullie maar terugkomen, alsjeblieft, kom terug om me te halen.'

'Inspecteur, we moeten gaan. De tijd dringt.' Chum loopt weg.

Chum en Flanagan doen hun jasje aan, rijden weg en Bronwen kijkt hoe het stof opstijgt als ze een andere landweg inslaan. De auto tikt in de plotselinge stilte als het metaal krimpt en de motor afkoelt. Ze zet de radio aan en stemt af op een Nashville-station, herinnert zich dat Sam de Scharrelaar van country & western hield en vraagt zich af wat er van hem geworden is.

Wanneer ze bij het wachthuis komen, zwaait Chum met de FBI-identiteitskaarten die hij die ochtend voor hen tweeën heeft uitgezocht uit een uitgebreide verzameling in zijn tas. De wacht bekijkt ze nauwkeurig, zich bewust van het feit dat die ochtend de hoogste staat van paraatheid is afgekondigd, maar wuift ze ten slotte verder. Hun identiteitspapieren worden nog drie keer aan een onderzoek onderworpen, maar zij tweeën, in hun donkere pakken en zonnebrillen, en met hun verveelde, arrogante manier van doen, zijn zo ontspannen, zo overtuigend dat niemand erover peinst ze al te nauwkeurig te bekijken. De laatste bewaker, een man die Junior Troy heet, begeleidt hen naar de parkeerplaats en kijkt toe hoe zij parkeren, hun jasje dichtknopen en wandelt vervolgens met ze mee het terrein op. Het is 10.55 uur.

Mister Candid laat zijn blik rondgaan, zijn ogen en hersenen werken snel; hij telt het aantal personen, telt geweren en halfautomatische wapens, berekent mogelijkheden en waarschijnlijkheden. Hij loopt doelbewust over de betonnen binnenplaats, speurt naar beweging op de wachttorens, de muren. Maar waar Mister Candid werkelijk naar zoekt zijn de diepste, donkerste plekken schaduw.

Flanagan – die hier niet erg over heeft nagedacht, die impulsief heeft gehandeld – begint in paniek te raken. Hij heeft een paar agenten herkend – en waarom zou dat ook niet gebeuren? Hij is per slot van rekening in Florida. Waar het om gaat is, hebben zij hém herkend? En, trouwens, hoe komen ze hier weer uit? Het complex is vreemd stil, vol verwachting. Niemand beweegt. Maar voor Flanagan verder kan denken, klinkt een sirene en iedereen kijkt naar de gepantserde deuren in de muur die opengaan. Bewakers staan in de houding en schouderen hun geweer. De kogelvrije, versterkte deuren die toegang geven tot Blok C gaan open en daar staat Thomas Jefferson III te glimlachen, gekleed in een feloranje overall, ketting om de enkels, boeien om zijn polsen, en kijkt met zijn ogen dichtgeknepen tegen de zon naar de hemel. Flanagan heeft hem nooit eerder gezien, maar toch verdringt een plotselinge woede zijn paniek. Hij kijkt om zich heen naar Mister Candid, maar ziet hem nergens. Mister Candid is verdwenen. Thomas Jefferson III, een baken van kleur te midden van zwarte pakken en grijs beton, schuifelt onhandig in de richting van de truck en het enige geluid is het geschuifel van zijn voeten in het grind. 'Schiet op, schiet op,' mompelt Flanagan, wanhopig zoekend naar zijn medeplichtige.

Een beweging trekt Flanagans aandacht en hij keert zich met een ruk weer naar Thomas Jefferson. Er loopt een man snel achter de kindermoordenaar aan – een man die Flanagan kent. Edison Keeler. Edison Keeler stapt naar voren, pistool losjes in zijn rechterhand. Keeler komt bij Thomas Jefferson, slaat een arm, bijna vriendelijk, om Jeffersons nek, trekt zijn hoofd achterover terwijl hij het magazijn leegt in de ruggengraat, de longen en het hart van de meervoudige kindermoordenaar.

Flanagan wordt verrast door het moment van complete stilte dat op dit geweld volgt. Hij kijkt omhoog en ziet vogels, opgeschrikt door de schoten, door het stukje zichtbare lucht scheren. Dan barst een pandemonium los – Keeler wordt neergeschoten, zakt als een onelegante verzameling ledematen op het snel stervende lichaam van Jefferson ineen. FBI-agenten komen uit alle hoeken en gaten tevoorschijn, bewakers schreeuwen in walkietalkies terwijl de sirene opnieuw loeit. Een blonde, slanke man in donker pak beweegt zich naar de rand van de chaos, omzeilt de opwinding en glipt weg. Gedempte kreten klinken op uit de aan de muur grenzende cellen.

Flanagan begint te rennen, in de richting van Keeler. Bewakers proberen hem tegen te houden, maar Flanagan is niet te stuiten. Hij knielt bij zijn ex-collega, die nog steeds bloedt, nog steeds leeft. Flanagan hijst hem overeind, klemt het dode gewicht tegen zijn borst, kijkt omlaag en ziet Keelers oogleden bewegen. En hij houdt Keeler tegen zijn brede, gulle, kloppende borst, precies zoals hij altijd had geweten dat hij zou doen: tot één van hen doodging.

EPILOOG

Ray MacDonald leefde nog zes weken na de opschudding die de moorden in Harrison Penitentiary hadden teweeggebracht, zich niet bewust van het feit dat die opschudding hem uitstel had bezorgd, zich niet bewust van de gebeurtenissen die zijn misdaden in gang hadden gezet. Zich niet bewust, om eerlijk te zijn, van wat dan ook. Zoals Chum al had verwacht, liep MacDonald inderdaad als een stoere vent over de luchtplaats, zich koesterend in het afnemende aanzien dat volgde op zijn aanslag op Addis Barbar, volkomen in de war door de drugs die in een constante stroom de beveiligde afdeling binnenkwamen. Een ruzie over de diefstal van een stripboek was uiteindelijk de aanleiding tot zijn dood – hij werd gevonden in de tuin van de gevangenis, liggend tussen de groene, wuivende stengels van bosuitjes, met een stuk aangescherpt metaal dat uit zijn borst stak.

De ouders van Addis Barbar, steeds dieper de krochten van het strafrecht ingelokt door de astronomische bedragen die hun advocaten hun beloofden, slaagden er uiteindelijk met succes in de staat te vervolgen wegens verwijtbare nalatigheid. De Barbars betoogden dat de staat Florida had nagelaten hun geliefde zoon de onafhankelijk vastgestelde zorg te geven waartoe ze was verplicht, en kregen tot hun eigen verbazing gelijk van de jury. De $17.000.000 die hun werd toegekend ging hun stoutste dromen te boven en was een ruimhartige compensatie voor een zoon die ze toch al meer dan twintig jaar niet hadden gezien en die ze zelfs toen al niet erg mochten. Maar, zoals mevrouw Barbar in een groot aantal interviews betoogde: 'Er is niets dat een zoon kan vervangen of het hartzeer van de moeder kan wegnemen.' Sommigen kregen de indruk dat ze voor het gemak de aard van haar zoons misdaden maar had vergeten.

Gideon ging niet naar school, in plaats daarvan ging hij de gevangenis in nadat hij schuldig was bevonden aan drie schietpartijen en levenslang kreeg. Maar toen hij eenmaal gewend was geraakt aan de verveling en constante bedreiging die hij daar aantrof en daarin hetzelfde levenspatroon herkende dat hij buiten de muren had gekend, begon hij wel te studeren. Hij leerde lezen en schrijven, schreef zich vervolgens in voor een schriftelijke studie en ontdekte dat hij aanleg had voor het begrijpen en interpreteren van geschiedenis. Hij stortte zich op de geschiedenis van de slavenhandel, las verhalen over het vervoer van melasse, zout en zwarte lichamen in West-Indië. Rassenonderdrukking, burgerrechten, contractarbeid – Gideon werd een expert op al die terreinen. Uiteindelijk schreef hij een boek waarin hij betoogde dat toerisme in het Caribisch gebied niets meer was dan neokolonialisme, een boek dat werd uitgebracht door een kleine zuidelijke universiteitsuitgeverij. Het kreeg goede kritieken in de boekenbijlagen. Vaak, naarmate de jaren vorderden, dacht hij aan die vreemde blonde man die hem dertigduizend dollar had gegeven in een café in Venice Beach en vroeg zich af wat er van hem geworden was.

Sam Kowalski zat bij het zwembad van zijn zeer gewilde villa in Santa Barbara toen hij in de krant het officiële verslag las van de dood van Thomas Jefferson III: hoe Jefferson had geprobeerd te ontsnappen en binnen de muren van Harrison Penitentiary was doodgeschoten. Sam moest glimlachen toen hij dit las, glimlachte om twee redenen: ten eerste, omdat Thomas Jefferson III, die Katarina had vermoord, dood was, en ten tweede, omdat hij wist dat het niet zo was gegaan. Het was voorbij. Sam Kowalski was oud en moe, maar gelukkig. Het had hem een lange, lange tijd gekost, maar hij had

Katarina uiteindelijk gewroken. Wat gouverneur Jefferson betrof – die zichzelf vernederd moest hebben om zijn zoon van de elektrische stoel te redden – nou, die mocht leven en lijden. Zonder vrouw, zonder kind. Net als Sam Kowalski.

Edison Keelers superieur zag op de een of andere manier kans de autoriteiten ervan te overtuigen de verhalen aan te passen en de waarheid omtrent Keelers dood in de doofpot te stoppen. De chef deed dit omdat iedere keer dat hij aan Keeler dacht, hij zich herinnerde dat hij op een dag had gevraagd: 'Als u dacht dat u ermee weg kon komen, zou u dan de naam van Scott Grave doorgeven aan Mister Candid?' En het antwoord zou, al had hij dat nooit aan Keeler verteld, 'Ja' zijn geweest. De chef zorgde ervoor dat Keeler met alle mogelijke eer werd begraven; Keelers vrouw kreeg de opgevouwen vlag terwijl ze luisterde naar de saluutschoten en kreeg te horen dat haar echtgenoot in het gedrang was neergeschoten terwijl hij probeerde Jefferson in bedwang te houden. Keeler was, zei men, een Amerikaanse held. En dat was natuurlijk ook zo. Maar zijn vrouw zou er nooit achterkomen in welke mate dat het geval was, de *aard* van zijn heldendom; ze zou nooit weten hoe lang hij had gehuild terwijl hij tot de beslissing kwam het recht in eigen hand te nemen; hoe bang hij was geweest voor de toekomst van zijn dochters. Hoe hij was gestorven terwijl hij wenste dat hij Chum Kane de hand had kunnen drukken.

Padraig Flanagan en Bronwen trouwden en verhuisden naar Iowa. Bronwen besefte dat ze verliefd was op Flanagan toen ze met hem samen op de pier bij de watervilla op Gasparilla Island naar de sterren zat te kijken. Zoals ze zo vaak had gezegd: ze had dan misschien geen opleiding gehad, ze was slim genoeg om te weten wat ze wilde. Ze was ook slim genoeg om te beseffen dat Chum Kane – de man die ze de hele oostkust en terug achterna had gezeten, de man die op het punt stond in lachen uit te barsten op de zeventien jaar oude polaroidfoto – niet bestond. Maar Flanagan wel. De twee zagen Chum Kane nooit meer, spraken ook zelden over hem. (Maar allebei dachten ze soms aan hem en, zonder dat ze het van elkaar wisten, op dezelfde manier – zittend op de pier, glas in zijn hand, glimlachend om de helderheid van Markab; gewoon daar zittend, voor een avond onder vrienden.) De inspecteur ging weg bij de politie en werd privédetective, achtervolgde ontrouwe echtgenoten en wanbetalers. Hij was geweldig trots op zijn vrouw en vier kinderen. Het was een comfortabel leven, met grootse vergezichten en overvloedig, zelf bereid eten. Op sommige zomeravonden, wanneer de kinderen naar bed waren en er een briesje opstak, danste Bronwen haar exotische dans voor een uitzinnig publiek van één tegen een achtergrond van eindeloos wuivende maïsvelden in Iowa.

En Chum Kane? Hij besteedde een half jaar aan zijn zoektocht naar Marilyn en vond haar uiteindelijk in Weston, Connecticut. Ze was getrouwd, zoals hij al had verwacht, en had drie kinderen. Haar echtgenoot was psycholoog en het gezin woonde in een houten huis van drie verdiepingen, omringd door vele vierkante meters grond, met een tennisbaan, zwembad en een boomgaard. Marilyn was freelance schrijfster en haar leven bestond uit werk, kinderen naar school brengen, juniorenhonkbal, strandfeesten en tennis in de zomer, skiën en de Maagdeneilanden in de winter. Chum wist dit allemaal omdat hij niet langer op de vlucht was, ophield verder te trekken toen hij eenmaal in Weston was en daar een huis huurde.

De eerste keer dat hij haar zag, was hij niet voorbereid op een ontmoeting. Hij was in de supermarkt, stond bij de fijne vleeswaren te wachten tot zijn pastrami was ingepakt, toen hij een bekende, hese stem hoorde zeggen: 'Je weet dat ik dat niet bedoelde. Probeer me niet in de maling te nemen, jongedame.' En Chums adem stokte. Onmerkbaar draaide hij zijn hoofd en zag haar uit zijn ooghoek, met een nukkig tienermeisje, haar dochter. Hij wachtte tot ze geholpen waren en keek vervolgens hoe ze vertrokken. Er was niets aan haar veranderd. Niets. De manier waarop ze liep met een lichte trek in haar linkerbeen, de manier waarop ze met haar linkerhand haar haar opzijschoof. Ze droeg nog steeds hetzelfde soort suède jas, hetzelfde soort lange overhemd, net zo'n spijkerbroek als in haar studententijd.

Chums huurhuis lag anderhalve kilometer van haar huis en een paar maanden lang observeerde hij haar – niet vanuit zijn auto aan de overkant van de straat of zo, maar hij zorgde er gewoon voor dat hun wegen elkaar vaak kruisten. Hij kwam erachter waar ze tenniste, waar ze boodschappen deed, waar de school van de kinderen was, en hij deed zijn uiterste best haar iedere dag te zien. Hij had er jaren over gedaan om zich op een perfecte manier onzichtbaar te maken en Marilyn merkte hem nooit op. Heel vaak wilde hij gewoon naar haar toe lopen en haar vragen of ze zich die rit door de sneeuw nog herinnerde, dat bewuste weekend van Thanksgiving, en wat er toen was gezegd. Wilde haar vragen of ze hem had vergeven dat hij haar nooit was komen ophalen, of ze hem al die dingen die hij sinds dat moment had gedaan wilde vergeven. Maar de maanden verstreken, de sneeuw smolt, maakte plaats voor het voorjaar en Chum zag haar buiten met haar echtgenoot, of zag haar bukken om haar zoons geschaafde knie af te vegen, of lachend met een biertje met vrienden bij het tennis, en Chum wist dat hij die vragen nooit zou stellen. Want Marilyn was gelukkig.

Dus zegde Chum de huur op, gooide de bezittingen weg die hij gedurende de tijd dat hij daar was had verzameld, verkocht zijn auto en kocht een vliegticket naar de westkust. Hij wist nu dat hij nooit met haar naar Parijs zou gaan, of door Le Crete in Toscane zou lopen, of in de Aegeïsche zee zou zwemmen, en dat maakte hem verdrietiger dan hij voor mogelijk had gehouden.

De dag van zijn vertrek, voor de limousine kwam om hem naar La Guardia te brengen, liep hij de weg af naar haar huis. Hij zag haar buiten zitten op de schommelbank op de veranda, gekleed in trainingsbroek en trui tegen de nog steeds kille voorjaarsbries. Haar man was in de stad, aan het werk, en haar kinderen waren naar school, dus was ze alleen. Chum ging op een afstandje zitten, in het gras van de berm bij een huis in de buurt, en trok met zijn vingernagels aan de grashalmen, keek voor de laatste keer naar haar. Hij stelde zich voor hoe hij de weg overstak, naast haar ging zitten en haar bij de hand nam. Hij zag dat ze af en toe net zo triest keek als jaren eerder, toen ze wat boeken had laten vallen en bukte om ze op te rapen, op de campus van Harvard, en er was niets dat hij kon doen om die triestheid te verdrijven. Het leek er op dat uiteindelijk geen van hen beiden was voorbestemd om de goddelijke vonk te heroveren. Hij stond op, veegde het gras van zijn spijkerbroek, keek nog één keer naar haar en liep weg. Uren later, terwijl hij naar de vertrekhal van het vliegveld liep, stond hij even stil en gooide een pak samengebundelde brieven in de vuilnisbak.

Chum Kane zag nooit kans Mister Candid van zich af te schudden. Hij zette zijn vreemde, omtrekkende odyssee door de Verenigde Staten voort, zaken rechtzettend op de beste manier die hij kende. Vogelvrij? Recidivist? Afvallige? Redder? Hij wist het nooit zeker. Maar, zoals hij had geschreven, het kwam gewoon omdat er zoveel Tinkerbells waren.

Jules Hardy

Gebroken stilte

Hartverscheurende roman over een verstoorde moeder-zoonrelatie

Joan is een alleenstaande mooie en intelligente moeder. Samen met John, haar geliefde zoon, woont ze in een cottage in Devon. Hun rustige buitenleven bestaat uit niet veel meer dan zwemmen, schelpen zoeken en het strand afschuimen op zoek naar stukken wrakhout.
Op Johns dertiende verjaardag trakteert Joan haar zoon op een uitje naar Londen om zijn eerste echte Levi's te kopen. Maar, niet gewend aan het Londense verkeer, neemt Joan een verkeerde afslag; een beslissing met dramatische gevolgen...

Gebroken stilte is het ontroerende verhaal over de levenslange impact van één moment. Op de personen zelf, maar ook op hun relatie tot de wereld en tot elkaar. Het is een verhaal over de intense liefde van een moeder voor haar zoon en over de verschillende manieren waarop trauma's verwerkt worden.

De pers:
'Hardy schrijft schitterend!' *The Times*

'Een ontroerend, gelaagd debuut dat draait rond de gevolgen van een tragische gebeurtenis en de effecten daarvan op een moeder-zoonrelatie.' *Bookseller*

'Echt een prachtig boek; een ontroerende en hartverwarmende ode aan de liefde, in welke vorm dan ook.' *Time Out*

'Een krachtige, hartverwarmende roman.' *Daily Mail*

ISBN 90 5695 147 5
336 pagina's
Gebonden, € 17,50